Winfried Kunz · Rainer Schneider · Rosemarie Lobert · Inge Baldzun

Prüfungsfragen
Krankenpflege
Kinderkrankenpflege

Winfried Kunz · Rainer Schneider ·
Rosemarie Lobert · Inge Baldzun

Prüfungsfragen Krankenpflege Kinderkrankenpflege

Band 2

Mit einem Geleitwort von Friedrich Krabbe

Ein Repetitorium mit über 6500 Fragen und Lösungen aus
allen Lehrfächern der Ausbildungs- und Prüfungsverordnung
zum Krankenpflegegesetz in 3 Bänden
zur Vorbereitung auf Klassenarbeiten,
Zwischenprüfungen und zum Staatsexamen

8., überarbeitete Auflage

Bibliografische Information Der Deutschen Bibliothek
Die Deutsche Bibliothek verzeichnet diese Publikation in der Deutschen Nationalbibliografie; detaillierte bibliografische Daten sind im Internet über http://dnb.ddb.de abrufbar.

ISBN 3-87706-871-5

Autoren:

Winfried Kunz
Lehrer für Pflegeberufe

Rosemarie Lobert
Lehrerin für Kinderkrankenpflege

Rainer Schneider
Lehrer für Pflegeberufe

Inge Baldzun
Lehrerin für Pflegeberufe

Mehr wissen – besser pflegen!

Besuchen Sie unser Pflegeportal im Internet.

1. Auflage	1977
2. Auflage	1979
3. überarbeitete Auflage	1981
3. Auflage, 1. Nachdruck	1983
3. Auflage, 2. Nachdruck	1985
4. überarbeitete Auflage	1987
4. Auflage 1. Nachdruck	1989
5. überarbeitete Auflage	1990
5. Auflage 1. Nachdruck	1992
6. überarbeitete Auflage	1994
7. vollständig überarbeitete Auflage	1997
8. überarbeitete Auflage	2002

Brigitte Kunz Verlag

© 2003 Schlütersche GmbH & Co. KG, Verlag und Druckerei,
        Hans-Böckler-Allee 7, 30173 Hannover

Gestaltung:	Schlütersche GmbH & Co. KG, Verlag und Druckerei, Hannover
Satz:	PER Digitaler Workflow GmbH, Braunschweig
Druck und Bindung:	Druck Thiebes GmbH, Hagen

Inhalt

Inhalt Band 1 »multiple-choice-system«

Inhalt Band 3 »Zuordnungsfragen«

Geleitwort

Die Diskussion, wie man Prüfungen inhaltlich ausfüllt und durchführt, sind nicht verstummt. Ein besonders anfälliger Prüfungsteil war bisher die schriftliche Wissenserfragung. Durch die Einführung eines Antwort-Wahl-Verfahrens (Multiple-Choice-System) ist hier eine gute und objektive Wissensbeurteilung möglich geworden.

Für den Auszubildenden ist diese Verbesserung zwar erfreulich, aber nicht befriedigend, da ihm ein Instrument für ein geistiges Training fehlt.

Ein Prüfungssystem ist aber erst als gut und optimal anzusehen, wenn auch der Auszubildende die Chance erhält, sich unter prüfungsähnlichen Bedingungen vorzubereiten.

Das heißt, er muss den Umgang mit dem Fragensystem üben. Er muss lernen, die Fragen richtig zu lesen und zu deuten. Er soll in die Lage versetzt werden, sein Wissen zu überprüfen und auf Mängel hin zu kontrollieren. Genau dies ist ihm mit der nun vorliegenden Fragensammlung möglich geworden.

Dieses Werk ist aus zweierlei Gründen sehr wichtig:

1. Durch eine didaktisch gute Gliederung der Stoffgebiete wird die Fragensammlung überschaubar. Der Prüfling kann sich seine Übungsprogramme selbst zusammenstellen.
2. Der Prüfling kann gezielt einzelne Fragenkomplexe abfragen, sein Wissen kontrollieren und bestehende Lücken ausfüllen.

Aber auch den Lehrenden in den Krankenpflege- und Kinderkrankenpflegeschulen kann diese Fragensammlung nur empfohlen werden, denn ihnen ist ein Leitfaden an die Hand gegeben, der zeigt, wie tief und auch wie breit die einzelnen Stoffgebiete angelegt werden können, die von den Auszubildenden erlernt, beherrscht und im Staatsexamen nach der Ausbildungs- und Prüfungsverordnung geprüft werden müssen.

Die Autoren haben es verstanden, erstmals in der Krankenpflegeliteratur ein Werk zu schaffen, das durch Inhalt und Form den gestiegenen Anforderungen und dem Wandel der Prüfungsmethoden Rechnung trägt.

Arnsberg, im Februar 1977

Dr. med. Friedrich Krabbe
Reg.-Med.-Direktor
Regierungsbezirk Arnsberg

Vorwort zur 8. Auflage

Die Autoren legen jetzt, 25 Jahre nach dem ersten Erscheinen auf dem Fach-
buchmarkt, die achte Auflage ihres Standardwerkes vor.

Die Reihe »Prüfungsfragen« ist mittlerweile zu einem Standardwerk geworden. Wir haben den gesamten Stoff überarbeitet, Fehler korrigiert und
die Frageninhalte dem aktuellen Krankenpflegegesetz und der hierzu erlas-
senen Ausbildungs- und Prüfungsverordnung angepasst.

Zur leichteren Handhabung finden Sie die Lösungen direkt auf jeder Seite.

Wir hoffen, dass Ihnen diese achte Auflage ein wertvoller Helfer während
der Ausbildung und zum Staatsexamen sein wird.

Für Ihr Examen wünschen wir Ihnen alles Gute.

Hagen, im Oktober 2002   Die Verfasser

Auszug aus dem Vorwort zur 1. Auflage

Mit der vorliegenden Fragensammlung haben sich die Verfasser die Aufgabe gestellt, den Lernenden ein Arbeitsbuch anzubieten, das den Wandel des Prüfungssystems berücksichtigt und die Anpassung an die veränderten Prüfungsbedingungen erleichtert.

Zwar kann und soll dieses Repetitorium die einschlägigen systematischen Lehrbücher in den einzelnen Fachdisziplinen nicht ersetzen, jedoch bietet es als Ergänzung zu diesen die Möglichkeit einer systematischen und effektiven Examensvorbereitung. Die hier gewählte Form der Darstellung des Prüfungsstoffes im »Multiple-Choice-System« trägt den Erfordernissen der Ausbildung insbesondere in zweierlei Hinsicht Rechnung.

Zum einen hat der Lernende die Möglichkeit, seinen Wissensstand anhand des Fragenkataloges mit geringem Zeitaufwand zu überprüfen und aufgezeigte Schwächen durch gezieltes Lehrbuchstudium aufzuarbeiten. Er kann ferner im Rahmen der Ausbildung bestimmte Lehrfächer zur Vorbereitung auf schriftliche Arbeiten und Zwischenprüfungen im Hinblick auf die examensrelevanten Lerninhalte in kurzer Form wiederholen.

Zum anderen werden die Lernenden durch den Umgang mit dem vorliegenden Repetitorium zwangsläufig mit der Beantwortungstechnik des »Antwort-Wahl-Verfahrens« vertraut. Die bisher von den Verfassern bei schriftlichen Arbeiten im »Multiple-Choice-System« gemachten Erfahrungen haben gezeigt, dass nicht allein der jeweilige Wissensstand des Auszubildenden, sondern in nicht unerheblichem Maße auch die sichere Beherrschung der Technik dieses neuen Prüfungssystems für den Erfolg einer Arbeit ausschlaggebend ist. Erst die ständige Handhabung des Wissensstoffes in Form des »Multiple-Choice-Systems« gibt dem Lernenden die Sicherheit und Übung, die erforderlich ist, sein Fachwissen in dem für ihn zunächst ungewohnten Prüfungssystem seiner Leistungsstärke entsprechend zur Geltung zu bringen.

Bei der Zusammenstellung der Fragen und der Auswahl der Antwortmöglichkeiten ergeben sich im »Antwort-Wahl-Verfahren« naturgemäß erhebliche Schwierigkeiten vor allem in den Bereichen, in denen gesicherte und einhellige Lehrmeinungen nicht vorhanden sind. Aufgrund der Gesamtkonzeption der Fragensammlung und im Hinblick auf die Bedeutung und den Umfang dieser Bereiche sind die Verfasser der Ansicht, dass auf die Aufnahme dieser Fragen in die Sammlung nicht verzichtet werden konnte.

Bei zahlreichen Fragen ist die Grenze zwischen eindeutig richtigen und falschen Antwortmöglichkeiten nicht immer klar zu ziehen. Für die Auswahl der Richtigantworten sind daher grundsätzlich nur solche berücksichtigt worden, die unter Zugrundelegung einer normalen Fallkonstellation allgemein zutreffend sind. Nicht berücksichtigt wurden solche Richtigantworten, die nur bei atypischer Fallgestaltung als solche in Betracht kommen können. Um insoweit für den Benutzer des Repetitoriums Unklarheiten zu vermeiden, ist die Anzahl der möglichen richtigen Antworten jeweils hinter der Frage in Klammern angegeben.

Bei zahlreichen Fragen ist die Grenze zwischen eindeutig richtigen und falschen Antwortmöglichkeiten nicht immer klar zu ziehen. Für die Auswahl der Richtigantworten sind daher grundsätzlich nur solche berücksichtigt worden, die unter Zugrundelegung einer normalen Fallkonstellation allgemein zutreffend sind. Nicht berücksichtigt wurden solche Richtigantworten, die nur bei atypischer Fallgestaltung als solche in Betracht kommen können. Um insoweit für den Benutzer des Repetitoriums Unklarheiten zu vermeiden, ist die Anzahl der möglichen richtigen Antworten jeweils hinter der Frage in Klammern angegeben.

XII. Innere Medizin

1. Herz- und Kreislauferkrankungen

1. Schocksymptome sind: (3)
   - A ☑ Hypoämie der Haut
   - B ☐ Bradykardie
   - C ☑ Hypotonie
   - D ☑ Tachykardie
   - E ☐ Hyperämie der Haut
   - F ☐ Hypertonie

2. Angina pectoris ist Ausdruck einer: (1)
   - A ☐ Stenose der Aortenklappe
   - B ☐ relativen oder absoluten Minderdurchblutung des Herzmuskels
   - C ☐ verminderten Blutrückströmung zum Herzen
   - D ☐ Entzündung am Herzen

3. Warum tritt bei der Linksherzinsuffizienz Luftnot auf: (1)
   - A ☐ es entsteht ein Lungenemphysem
   - B ☐ die Lunge wird nicht ausreichend durchblutet
   - C ☐ es kommt zur Lungenstauung
   - D ☐ die Sauerstoffbindungskapazität des Hämoglobins ist herab-
     gesetzt

4. Die Lungenembolie ist eine gefürchtete Komplikation bei: (1)
   - A ☐ der Therapie mit Kumarinderivaten
   - B ☐ einer tiefen Beinvenenthrombose
   - C ☐ einer Digitalistherapie
   - D ☐ einer Thrombopenie

---

1 A, D   2 B   3 C   4 B

5. Ursachen der akuten Extremitätenembolie: (2)

A ☐ Rechtsherzinsuffizienz
B ☐ Varizen
C ☐ Thromben der Aortenwand (Arteriosklerose)
D ☐ Thromben des Herzens (Endokarditis)

6. Erreger der akuten rheumatischen Endokarditis: (1)

A ☐ Streptococcus viridans
B ☐ Staphylococcus aureus
C ☐ Streptokokken (hämolytische)

7. Symptome der akuten Extremitätenembolie: (3)

A ☐ kalte pulslose Extremität
B ☐ Schocksymptomatik
C ☐ plötzlicher peitschenschlagartiger Schmerz
D ☐ Schweregefühl und Spannung im erkrankten Bein
E ☐ lokale Schmerzhaftigkeit der Fußsohle

8. Mögliche Ursachen der Hypotonie (RR unter 100 mm Hg): (2)

A ☐ massive Blutung
B ☐ Morbus Cushing
C ☐ Aortenisthmusstenose
D ☐ Hypophysenvorderlappen-Insuffizienz

9. Mögliche Ursachen einer Tachykardie: (2)

A ☐ Fieber
B ☐ massive Blutung
C ☐ Steigerung des Hirndrucks
D ☐ Schilddrüsenunterfunktion
E ☐ Verabreichung von Noradrenalin

| 5 C, D | 6 C | 7 A, B, C | 8 A, D | 9 A, B |

10. Angina pectoris-Anfälle gehen einher mit: (2)

A ☐ Fieber (über 38,5 °C)
B ☐ Hypotonie
C ☐ Hypertonie
D ☐ Vernichtungsgefühl

11. Komplikationen der Endokarditis: (2)

A ☐ Fallot-Trilogie
B ☐ Lungen-Tbc
C ☐ Herzklappenstenose
D ☐ Herzklappeninsuffizienz
E ☐ Syphilis

12. Ursachen der Endokarditis: (2)

A ☐ Hypertonie
B ☐ Rheumatismus
C ☐ Alkoholismus
D ☐ Rechtsherzinsuffizienz
E ☐ Streuung von Fokalherden (Tonsillen, Zähne)

13. Symptome einer Digitalis-Überdosierung: (4)

A ☐ Zwillingspuls (Bigeminie)
B ☐ Gelbsehen
C ☐ Durchfall
D ☐ Übelkeit, Erbrechen
E ☐ vermehrtes nächtliches Wasserlassen
F ☐ Tachykardie

14. Begünstigende Faktoren für das Fortschreiten der Arteriosklerose: (4)

A ☐ Zigarettenrauchen
B ☐ Hypocholesterinämie
C ☐ Diabetes mellitus
D ☐ Unterernährung
E ☐ Gicht
F ☐ Hypertonie
G ☐ Hypotonie

---

10 C, D   11 C, D   12 B, E   13 A, C, D   14 A, C, E, F

15. **Erreger der Endokarditis lenta: (1)**

A ☐ Streptococcus viridans
B ☐ Staphylococcus aureus
C ☐ Streptokokken (hämolytische)

16. **Eilne Frühzyanose tritt bei folgenden angeborenen Herzfehlern auf: (3)**

A ☐ Aortenisthmusstenose
B ☐ offener Ductus Botalli (Links-Rechts-Shunt)
C ☐ Fallot-Pentalogie (Rechts-Links-Shunt)
D ☐ Fallot-Tetralogie (Rechts-Links-Shunt)
E ☐ Pulmonalstenose
F ☐ Fallot-Trilogie (Rechts-Links-Shunt)
G ☐ Ventrikelseptumdefekt (Links-Rechts-Shunt)

17. **Häufigste Komplikation der stenosierenden Koronarsklerose: (1)**

A ☐ Mitralstenose
B ☐ Veränderungen am Augenhintergrund
C ☐ Aortenstenose
D ☐ Myokardinfarkt
E ☐ Trikuspidalstenose

18. **Behandlung der Herzinsuffizienz: (3)**

A ☐ Digitalis
B ☐ Atropin
C ☐ Diuretika
D ☐ Analgetika
E ☐ Antibiotika
F ☐ vermehrte orale Flüssigkeitszufuhr
G ☐ verminderte orale Flüssigkeitszufuhr

---

15 A   **16** C, D, F   **17** D   **18** A, C, G

19. Häufigste Ursache einer peripheren arteriellen Embolie: (1)

A ☐ Ablösung von Thromben aus dem linken Herzen
B ☐ Ablösung von Thromben aus dem rechten Herzen
C ☐ Ablösung von Thromben aus dem Pfortaderkreislauf
D ☐ Ablösung von Thromben aus den großen Beckenvenen

20. Erworbene Klappenfehler des Herzens: (2)

A ☐ Aortenklappenstenose
B ☐ Mitralstenose
C ☐ Ventrikelseptumdefekt
D ☐ Fallot-Trilogie

21. Die isolierte Mitralstenose geht einher mit: (1)

A ☐ erhöhtem Druck im kleinen Kreislauf
B ☐ normalem Druck im kleinen Kreislauf
C ☐ vermindertem Druck im kleinen Kreislauf

22. Klinisches Bild der Linksherzinsuffizienz: (3)

A ☐ Atemnot
B ☐ gestaute Halsvenen
C ☐ Stauungsbronchitis
D ☐ Stauungsgastroenteritis
E ☐ Aszites
F ☐ Zyanose

23. Gefäßlues führt häufig in der Aorta: (1)

A ☐ zur Disposition der Aorta
B ☐ zum Aortenaneurysma
C ☐ zur Aortenisthmusstenose

24. Anzeichen einer akuten Myokarditis: (2)

A ☐ Bradykardie
B ☐ Atemnot
C ☐ Rhythmusstörungen

| 19 A | 20 A, B | 21 A | 22 A, C, F | 23 B | 24 B, C |

25. Zur Fallot-Trilogie gehören: (3)

A ☐ Pulmonalstenose
B ☐ Kammerseptumdefekt
C ☐ Vorhofseptumdefekt
D ☐ reitende Aorta
E ☐ Hypertrophie des rechten Ventrikels

26. Zur Fallot-Tetralogie gehören: (4)

A ☐ Pulmonalstenose
B ☐ Kammerseptumdefekt
C ☐ Vorhofseptumdefekt
D ☐ reitende Aorta
E ☐ Hypertrophie des rechten Ventrikels

27. Eine Spätzyanose tritt auf bei folgenden angeborenen Herzfehlern: (2)

A ☐ Aortenisthmusstenose
B ☐ offener Ductus Botalli (Links-Rechts-Shunt)
C ☐ Fallot-Pentalogie (Rechts-Links-Shunt)
D ☐ Fallot-Tetralogie (Rechts-Links-Shunt)
E ☐ Pulmonalstenose
F ☐ Fallot-Trilogie (Rechts-Links-Shunt)
G ☐ Ventrikelseptumdefekt (Links-Rechts-Shunt)

28. Pulmonale Zyanose: (1)

A ☐ entsteht durch verlangsamte Strömung des Blutes in den Kapillaren und dem daraus resultierenden O_2-Mangel im Blut
B ☐ ist die Folge einer Vermischung von arteriellem und venösem Blut
C ☐ ist die Folge einer ungenügenden Sauerstoffaufnahme, bedingt durch Störungen der Sauerstoffdiffusion

---

25 A, C, E   26 A, B, D, E   27 B, G   28 C

29. Die Blutdruckamplitude bei der reinen Aortenklappeninsuffizienz ist: (1)

A ☐ nicht verändert
B ☐ vergrößert
C ☐ verkleinert

30. Bei folgenden angeborenen Herzfehlern tritt keine Zyanose auf: (2)

A ☐ Aortenisthmusstenose
B ☐ offener Ductus Botalli (Links-Rechts-Shunt)
C ☐ Fallot-Pentalogie (Rechts-Links-Shunt)
D ☐ Fallot-Tetralogie (Rechts-Links-Shunt)
E ☐ Pulmonalstenose
F ☐ Fallot-Trilogie (Rechts-Links-Shunt)
G ☐ Ventrikelseptumdefekt (Links-Rechts-Shunt)

31. Ursache einer chronischen Stauungslunge: (1)

A ☐ Trikuspidalstenose
B ☐ Trikuspidalinsuffizienz
C ☐ Mitralstenose
D ☐ Rechtsherzinsuffizienz

32. Charakteristisches Sputumsymptom der Mitralstenose: (1)

A ☐ Epikardzellen
B ☐ Mitralzellen
C ☐ Perikardzellen
D ☐ Herzfehlerzellen
E ☐ Trikuspidalzellen

33. Symptome einer massiven Lungenembolie: (4)

A ☐ plötzliche Atemnot
B ☐ CPK erhöht
C ☐ Zyanose
D ☐ schlagartiger Schmerz in der Brust
E ☐ Grocco-Rauchfuß-Dreieck
F ☐ CPK normal

---

29 B   30 A, E   31 C   32 D   33 A, C, D, F

34. **Bei der ventrikulären Extrasystolie kontrahieren: (1)**

A ☐ nur die Herz-Vorhöfe
B ☐ nur die Herz-Kammern
C ☐ Herzvorhöfe und Herzkammern

35. **Die Blutdruckamplitude bei der Aortensklerose ist: (1)**

A ☐ nicht verändert
B ☐ vergrößert
C ☐ verkleinert

36. **Quellgebiete der Lungenembolie: (2)**

A ☐ Beinvenenthrombose
B ☐ Pfortaderthrombose
C ☐ Oberschenkelarterienthrombose
D ☐ Thromben im linken Vorhof
E ☐ Thromben im rechten Vorhof
F ☐ Thromben der Leberarterie

37. **Der Angina pectoris-Anfall wird sofort beendet durch Gabe von: (1)**

A ☐ Strophanthin
B ☐ Digitalis
C ☐ Nitroglyzerin
D ☐ Morphin

38. **Ein positiver Venenpuls ist zu beobachten bei: (1)**

A ☐ Mitralstenose
B ☐ Trikuspidalinsuffizienz
C ☐ Aorteninsuffizienz
D ☐ Mitralinsuffizienz

---

34 B   35 B   36 A, E   37 C   38 B

---

39. Mischzyanose: (1)

A ☐ entsteht durch verlangsamte Strömung des Blutes in den Kapillaren und daraus resultierendem O_2-Mangel im Blut

B ☐ ist die Folge einer Vermischung von arteriellem und venösem Blut

C ☐ ist Folge einer ungenügenden Sauerstoffaufnahme, bedingt durch Störungen der Sauerstoffdiffusion

40. Therapie des akuten Lungenödems: (2)

A ☐ Aderlass
B ☐ Entwässerung
C ☐ Nitroglyzerin
D ☐ Herzmassage

41. Symptome beim Herzinfarkt (akutes Geschehen): (2)

A ☐ Schock
B ☐ Schmerzen unter dem Brustbein
C ☐ Inkontinenz
D ☐ Lähmungserscheinungen im Bereich der unteren Extremitäten

42. Das Schmerzgefühl bei Angina pectoris ist: (1)

A ☐ stechend
B ☐ an- und abschwellend
C ☐ drückend

43. EKG-Veränderung im Frühstadium (12–24 Std.) nach einem Herzinfarkt: (1)

A ☐ Verkürzung der PQ-Zacke
B ☐ ST-Hebung mit hohem Abgang
C ☐ QT-Verkürzung
D ☐ hohes, zeltförmiges T

44. Ursachen der Herzinsuffizienz: (4)

A ☐ Mitralstenose
B ☐ mechanische Behinderungen
C ☐ Herzmuskelschädigung
D ☐ Herzbeuteltamponade
E ☐ Aortenstenose
F ☐ respiratorische Arrhythmie

45. Leitsymptome der arteriellen Extremitätenembolie sind: (4) (bezogen auf die Extremität)

A ☐ Venenpuls
B ☐ Pulslosigkeit
C ☐ Rötung
D ☐ Schmerz
E ☐ Bewegungsstörung
F ☐ Blässe
G ☐ erhöhter Muskelstoffwechsel

46. Dem Sekundenherztod liegt meist zugrunde: (1)

A ☐ Vorhofflimmern
B ☐ Angina pectoris
C ☐ Extrasystolie
D ☐ Kammerflimmern

47. Das Herz hat eine gestörte O_2-Versorgung bei: (3)

A ☐ Belastung
B ☐ Zyanose
C ☐ Koronarsklerose
D ☐ Anämie

48. Eine gesteigerte Diurese nach Verabreichung von Digitalis wird bewirkt: (1)

A ☐ durch Einwirkung von Digitoxin auf die Niere
B ☐ durch Verbesserung der Herzleistung
C ☐ durch Ödemausschwemmung aus dem Herzmuskel
D ☐ durch Verminderung des Herzminutenvolumens

---

44 A, B, C, E   45 B, D, E, F   46 D   47 B, C, D   48 B

49. Nicht zu den Symptomen bzw. Komplikationen eines Herzinfarktes gehören: (2)

A ☐ Rhythmusstörungen
B ☐ Schocksymptome
C ☐ Diastaseerhöhung im Blut
D ☐ Vernichtungsschmerz in der Brust
E ☐ Herzinsuffizienz
F ☐ atemabhängiger Schmerz
G ☐ EKG-Veränderungen
H ☐ Transaminasenerhöhung im Serum

50. Bei einer isolierten Linksherzinsuffizienz kommt es mit Sicherheit: (1)

A ☐ zu einer Stauung in der Lunge
B ☐ zur Ödembildung im Gesicht
C ☐ zu einer Aszitesbildung
D ☐ zu einer Leberstauung

51. Kapilläre Zyanose: (1)

A ☐ entsteht durch verlangsamte Strömung des Blutes in den Kapillaren und daraus resultierendem O_2-Mangel im Blut
B ☐ ist die Folge einer Vermischung von arteriellem und venösem Blut
C ☐ ist Folge einer ungenügenden Sauerstoffaufnahme, bedingt durch Störungen der Sauerstoffdiffusion

52. Maßgeblich für die Leistungsfähigkeit des Herzens ist: (1)

A ☐ das Herzminutenvolumen
B ☐ die Vitalkapazität
C ☐ der Stundenurin
D ☐ die Herzfrequenz
E ☐ die Hautdurchblutung

---

49 C, F   50 A   51 A   52 A

53. Nicht zur Herzdiagnostik gehören: (3)

A ☐ Sternalpunktion
B ☐ Lumbalpunktion
C ☐ Herzsondierung
D ☐ PKG
E ☐ EEG
F ☐ EKG
G ☐ Auskultation
H ☐ Pulskontrolle

54. Die beim AV-Block auftretende kurzfristige Bewusstlosigkeit nennt man: (1)

A ☐ Petit mal
B ☐ Cheyne-Stokes-Anfall
C ☐ Jackson-Anfall
D ☐ Angina pectoris-Anfall
E ☐ Absence
F ☐ Adams-Stokes-Anfall

55. Mögliche Folgen der Myokarditis sind: (2)

A ☐ Herzinsuffizienz
B ☐ Fallot-Trilogie
C ☐ Hypertonie
D ☐ Aortenisthmusstenose
E ☐ Aortenaneurysma
F ☐ Rhythmusstörungen

56. Eine Extrasystole ist ein: (1)

A ☐ schneller Herzschlag
B ☐ verlangsamter Herzschlag
C ☐ Blutdruckabfall
D ☐ erhöhter Blutdruck
E ☐ vorzeitig einfallender Sonderschlag

---

53 A, B, E   **54** F   **55** A, F   **56** E

57. Eine Bradykardie kann folgende Ursachen haben: (3)

A ☐ einen totalen AV-Block
B ☐ eine Herzinsuffizienz
C ☐ eine Myokarditis
D ☐ eine Digitalisüberdosierung
E ☐ eine Schädelinnendruckerhöhung

58. Angeborene Herzerkrankungen mit Links-Rechts-Shunt sind: (2)

A ☐ offener Ductus Botalli
B ☐ Fallot-Trilogie
C ☐ Mitralstenose
D ☐ Pulmonalstenose
E ☐ Ventrikel-Septum-Defekt (VSD)

59. Bei einer Thrombose sollte die Prothrombinzeit gesenkt werden auf: (1)

A ☐ 4– 8 %
B ☐ 15–20 %
C ☐ 30–40 %
D ☐ 52–58 %

60. Bei Linksherzinsuffizienz tritt häufig auf: (1)

A ☐ Kussmaul-Atmung
B ☐ Cheyne-Stokes-Atmung
C ☐ Biot-Atmung
D ☐ Schnappatmung
E ☐ Hyperventilation

61. Kollateralen sind: (1)

A ☐ krankhaft verengte Kapillare
B ☐ Arterien des Herzens
C ☐ Umgehungskreisläufe
D ☐ so genannte Desobliterationen

---

57 A, D, E   **58** A, E   **59** B   **60** B   **61** C

62. Gefahr einer Herzmuskelhypertrophie: (1)

A ☐ Lungenemphysem
B ☐ Störungen im Reizleitungssystem des Herzens
C ☐ Dilatation des Herzmuskels, bedingt durch verminderte Sauer-
stoffversorgung
D ☐ Kompression der Trachea

63. Herzhypertrophie ist: (1)

A ☐ eine Myokarditis
B ☐ eine Myokardose
C ☐ eine Erschlaffung des Herzmuskels
D ☐ eine Volumenzunahme des Herzmuskels

64. Cor pulmonale entsteht primär: (1)

A ☐ durch Lungenkrankheiten (Druckerhöhung)
B ☐ infolge einer Endokarditis
C ☐ durch Bluthochdruck
D ☐ infolge einer Perikarditis

65. Definition des Infarktes: (1)

A ☐ plötzliche Herzmuskelschädigung durch Gifte
B ☐ akuter Schmerz unter dem Sternum
C ☐ irreversible Unterbrechung der Blutversorgung eines Gewebe-
bezirkes mit umschriebener Nekrose
D ☐ Thrombusbildung in oberflächlichen Venen
E ☐ plötzliche Minderdurchblutung der Lunge (Schock)

66. Risikofaktoren für einen Herzinfarkt: (4)

A ☐ Koronarsklerose
B ☐ Hypotonie
C ☐ Hyperlipidämie
D ☐ Untergewicht
E ☐ Hypertonie
F ☐ Hypolipidämie
G ☐ Nikotin

| 62 C | 63 D | 64 A | 65 C | 66 A, C, E, G |

67. Welche Serumtransaminase steigt beim Herzinfarkt am schnellsten an: (1)

A ☐ Serum Glutaminsäure-Pyrurat-Transaminase
B ☐ Serum Glutaminsäure-Oxalessigsäure-Transaminase
C ☐ Kreatin-Phosphokinase
D ☐ Serum-Laktat-Dehydrogenase

68. Angina pectoris entsteht durch: (1)

A ☐ Stenose der Valva tricuspidalis
B ☐ plötzliche, geringe bis absolute Minderdurchblutung des Herzmuskels
C ☐ Stauungen im Lungenkreislauf

69. Komplikationen des Herzinfarktes: (3)

A ☐ Apoplexie
B ☐ Kammerflimmern
C ☐ Hypertonie
D ☐ Asystolie
E ☐ kardiogener Schock

70. Kontraindikationen für eine Antikoagulanzienbehandlung sind: (3)

A ☐ Hypertonie
B ☐ Magen- und Darmulcera
C ☐ Leberparenchymschäden
D ☐ hämorrhagische Diathese

71. Eine hohe Blutdruckamplitude ist bei folgenden Erkrankungen zu finden: (2)

A ☐ Hyperthyreose
B ☐ Aortenstenose
C ☐ Aorteninsuffizienz
D ☐ Rechtsherzhypertrophie

---

67 C   68 B   69 B, D, E   70 B, C, D   71 A, C

72. Als pathologisch bezeichnet man einen diastolischen Blutdruck von über: (1)

A ☐ 60 mm Hg
B ☐ 70 mm Hg
C ☐ 90 mm Hg
D ☐ 130 mm Hg

73. Ursachen der essentiellen Hypertonie: (1)

A ☐ chronische Nephritis
B ☐ Akromegalie
C ☐ Morbus Cushing
D ☐ Ursache nicht erkennbar (familiär gehäuft)
E ☐ Hypernephrom
F ☐ Morbus Basedow

74. Durch Hypertonie bedingte Organschäden: (2)

A ☐ Perikarditis
B ☐ Hyperthyreose
C ☐ Arteriosklerose
D ☐ Herzinsuffizienz (Linkshypertrophie)

75. Ein kardiovaskulärer Hochdruck tritt auf: (1)

A ☐ bei Aortenisthmusstenosen
B ☐ bei Apoplexie
C ☐ bei einer Thalliumvergiftung
D ☐ beim Lungenödem

76. Allgemeintherapeutische Maßnahmen bei Hypertonie sind: (2)

A ☐ Nikotinverbot
B ☐ ausreichende Nachtruhe
C ☐ Erhöhung der Kochsalzzufuhr
D ☐ vermehrte Flüssigkeitszufuhr

---

72 D   73 D   74 C, D   75 A   76 A, B

77. Extrasystolen können ausgelöst werden durch: (3)

A ☐ Koronarinsuffizienz
B ☐ neurovegetative Störungen
C ☐ Digitalisüberdosierung
D ☐ Querschnittlähmung
E ☐ oberflächliche Beinvenenthrombosen

78. Folgen der Hypertonie: (4)

A ☐ Apoplexie
B ☐ Sehstörungen
C ☐ Polyarthritis
D ☐ Endokarditis
E ☐ Nephrosklerose
F ☐ Herzinfarkt
G ☐ Löhlein-Herdnephritis

79. Für die Hypertonie gilt: (3)

A ☐ dass nicht erst subjektive Beschwerden den Gang zum Arzt
     nahe legen sollten
B ☐ dass es für viele Menschen sinnvoll ist, Blutdruckselbst-
     kontrollen durchzuführen
C ☐ dass mit 120 mm Hg die kritische Obergrenze des normalen
     diastolischen Blutdruckwertes erreicht wird
D ☐ dass die Erhöhung des systolischen Wertes ein größeres
     Gefahrensignal darstellt als die Erhöhung des diastolischen
     Wertes
E ☐ die eigentliche Ursache für die Hypertonie ist in den meisten
     Fällen zwar unbekannt, viele begünstigende Lebensumstände
     sind jedoch durchaus bekannt

80. Bei essentieller Hypertonie werden folgende Stoffwechselstörungen
    beobachtet: (3)

A ☐ Schilddrüsenunterfunktion
B ☐ erhöhter Harnsäurespiegel im Serum
C ☐ Diabetes mellitus
D ☐ Fettstoffwechselstörungen

---

77 A, B, C   78 A, B, E, F   79 A, B, E   80 B, C, D

81. **Bei der Aortenstenose wird besonders belastet: (1)**

A ☐ die linke Herzkammer
B ☐ die rechte Herzkammer
C ☐ der linke Herzvorhof
D ☐ der rechte Herzvorhof

82. **Ursache der renalen Hypertonie: (1)**

A ☐ chronische Nephritis
B ☐ Akromegalie
C ☐ Morbus Cushing
D ☐ Ursache nicht erkennbar (familiär gehäuft)
E ☐ Hypernephrom
F ☐ Morbus Basedow

83. **Die Zyanose ist Zeichen einer: (2)**

A ☐ respiratorischen Insuffizienz
B ☐ kardialen Insuffizienz
C ☐ Pulmonalklappeninsuffizienz
D ☐ Kohlenmonoxidvergiftung
E ☐ renalen Insuffizienz

84. **Beim Cor pulmonale sind zu beobachten: (2)**

A ☐ Dyspnoe
B ☐ Leberschwellung
C ☐ Lungenödem
D ☐ Unterschenkelödem

85. **Zyanose, Dyspnoe, Hockerstellung und Trommelschlegelbildung der Finger und Zehen sind typisch bei: (2)**

A ☐ Urämie
B ☐ Herzinfarkt
C ☐ Fallot-Tetralogie
D ☐ Fallot-Pentalogie

---

81 A   82 A   83 A, B   84 A, C   85 C, D

86. Zur Perikarditis können führen: (2)

A ☐ rheumatisches Fieber
B ☐ bakterielle Infektion
C ☐ einseitiger Nierentumor
D ☐ Schilddrüsenüberfunktion

87. Die postnatale Verbindung zwischen Arteria pulmonalis und Aortenbogen heißt: (1)

A ☐ Foramen ovale
B ☐ Ductus Botalli persistens
C ☐ Fallot-Pentalogie
D ☐ Ductus Arantii
E ☐ Aortenisthmusstenose

88. Zeichen einer akuten Myokarditis: (3)

A ☐ plötzlicher Bewusstseinsverlust
B ☐ Ruhetachykardie
C ☐ Rhythmusstörungen
D ☐ Hypertrophie des Herzens
E ☐ isolierte Hypertrophie des rechten Herzvorhofes

89. Der Adam-Stokes-Anfall wird verursacht durch: (1)

A ☐ Hypokalzämie
B ☐ Störungen im Reizleitungssystem des Herzens
C ☐ respiratorische Arrhythmie
D ☐ plötzlich absinkenden Blutzuckerspiegel

90. In welchem Fall braucht das kranke Herz einen Schrittmacher: (1)

A ☐ bei allen Formen der Bradykardien, welche die körperliche Leistung beeinträchtigen
B ☐ bei der Tachykardie über 120/min
C ☐ bei einem unregelmäßigen Rhythmus mit vielen Extrasystolen, bei dem die Pulsfrequenz unter 80 liegt

---

86 A, B   87 B   88 B, C, D   89 B   90 A

91. Welche unmittelbare Gefahr droht einem Patienten, bei dem ein Schrittmacher frisch implantiert wurde: (1)

A ☐ Herausgleiten der Elektrode aus der Kammer und somit Unterbrechung der Stimulation

B ☐ ein akuter Herzinfarkt

C ☐ eine Infektion der Schrittmachertasche

92. Wenn die PQ-Zeit im EKG verlängert ist, spricht man von: (1)

A ☐ einem Rechtsschenkelblock

B ☐ einem AV-Block

C ☐ einem Linksschenkelblock

93. Bei der Trikuspidalstenose wird besonders belastet: (1)

A ☐ die linke Herzkammer

B ☐ die rechte Herzkammer

C ☐ der linke Herzvorhof

D ☐ der rechte Herzvorhof

94. Ursachen der hormonell bedingten Hypertonie: (4)

A ☐ chronische Nephritis

B ☐ Akromegalie

C ☐ Morbus Cushing

D ☐ Ursache nicht erkennbar (familiär gehäuft)

E ☐ Hypernephrom

F ☐ Morbus Basedow

95. Wenn Sinusknoten und AV-Knoten ausgefallen sind, handelt es sich um einen: (1)

A ☐ Sinusrhythmus

B ☐ Kammereigenrhythmus

C ☐ AV-Rhythmus

D ☐ Aorten-Rhythmus

96. Unter Herzinsuffizienz versteht man: (1)

A ☐ ein Missverhältnis zwischen systolischer Förderleistung und Koronardurchblutung

B ☐ ein Missverhältnis zwischen diastolischem Blutangebot und systolischer Förderleistung

C ☐ ein Missverhältnis zwischen diastolischem Angebot und koronarer Durchblutung

97. Welche Ursachen kann eine plötzliche Bradykardie haben: (3)

A ☐ Herzruptur

B ☐ Digitalisüberdosierung

C ☐ Digitalisunterdosierung

D ☐ plötzliche AV-Blockierung

E ☐ Diabetes mellitus

F ☐ chronischer Blutverlust

G ☐ Hirndruckerhöhung

98. Aufgrund welcher Rhythmusstörung kann ein Herzstillstand eintreten: (1)

A ☐ Bigeminus

B ☐ Kammerflimmern

C ☐ Rechtsschenkelblock

99. Die Folge eines akuten Linksherzversagens ist: (1)

A ☐ ein Cor pulmonale

B ☐ ein Herzstillstand

C ☐ eine Ödembildung in den unteren Extremitäten

D ☐ ein Pleuraerguss

E ☐ ein Lungenödem

100. Wie hoch liegt der zentrale Venendruck normalerweise: (1)

A ☐ 120/80 mm Hg

B ☐ 100/60 mm Hg

C ☐ 3−8 mm Wassersäule

D ☐ 5−15 cm Wassersäule

---

96 B   97 B, D, G   98 B   99 E   100 D

101. **Bei der Pulmonalklappenstenose wird besonders belastet: (1)**

A ☐ die linke Herzkammer
B ☐ die rechte Herzkammer
C ☐ der linke Herzvorhof
D ☐ der rechte Herzvorhof

102. **Wie werden die Elektroden zum Extremitätenkardiogramm nach Einthoven angelegt: (1)**

A ☐ rechter Fuß – schwarzes Kabel
rechter Arm – rotes Kabel
linker Arm – gelbes Kabel
linker Fuß – grünes Kabel
B ☐ rechter Fuß – grünes Kabel
rechter Arm – gelbes Kabel
linker Arm – schwarzes Kabel
linker Fuß – rotes Kabel

103. **90 % der erworbenen Herzklappenfehler entstehen durch: (1)**

A ☐ eine Hypertonie
B ☐ eine Endokartitis
C ☐ eine Myokarditis
E ☐ eine Perikarditis

104. **Bei Angina pectoris: (2)**

A ☐ treten Enzymaktivitätserhöhung, Leukozytose und Blutkörperchensenkungsbeschleunigung auf
B ☐ treten keine Enzymaktivitätserhöhungen, keine Leukozytose und keine Blutkörperchensenkungsbeschleunigung auf
C ☐ strahlen die Schmerzen typischerweise in die linke Schulter und in den linken Arm aus
D ☐ findet sich typischerweise eine Stauung der Halsvenen als Hinweis auf einen behinderten Blutabfluss zum Herzen

---

101 B   102 A   103 B   104 B, C

105. Welche therapeutischen Maßnahmen sind beim Schockzustand
unbedingt zu treffen: (3)
A ☐ Volumensubstitution
B ☐ Eröffnung der Peripherie mit Hydergin und Solu-Decortin
C ☐ Antihypotonika (Effortil, Novadral, Akrinor)
D ☐ Azidosebekämpfung mit Natriumbicarbonat
E ☐ Digitalis
F ☐ sedierende Substanzen
G ☐ Diuretika

106. Folgen des Schockzustandes sind: (7)
A ☐ Gewebehypoxie
B ☐ metabolische Azidose
C ☐ Stase
D ☐ Ödemeinlagerung
E ☐ Zusammenballung von roten Blutkörperchen und Thrombo-
zyten
F ☐ Verbrauchskoagulopathie
G ☐ apoplektischer Insult
H ☐ Gewebenekrosen
J ☐ Schock-Lunge, Schock-Niere

107. Hauptursachen für eine Herzmuskelinsuffizienz: (4)
A ☐ unmittelbare Schädigung der biochemischen Struktur des
Herzmuskels (infektiös-toxische Schädigung)
B ☐ Arthrosis deformans
C ☐ Überbelastung des Herzens (Bluthochdruck, Lungenembolie,
Herzklappenfehler)
D ☐ Osteoporose
E ☐ Herzrhythmusstörungen
F ☐ mechanische Behinderung (Perikarditis, Panzerherz)
G ☐ Leberparenchymschaden (Hepatitis, Leberzirrhose)

108. **Therapie beim Kammerflimmern: (2)**

A ☐ Adrenalin
B ☐ Xylocain
C ☐ Isoptin
D ☐ Chinidin
E ☐ Defibrillation

109. **Therapie bei der Asystolie: (3)**

A ☐ Defibrillation
B ☐ Schrittmacher-Stimulation
C ☐ äußere Herzmassage
D ☐ Alupent
E ☐ Antiarrhythmika

110. **Kollaps: (2)**

A ☐ Zustand von Hypotonie im Sinne von Orthostase
B ☐ Gefäßweitstellung infolge Fehlregulation von Sympathikus und Parasympathikus
C ☐ hypertone Krise

111. **Schockformen: (5)**

A ☐ Nervenschock
B ☐ Volumenmangelschock
C ☐ kardiogener Schock
D ☐ infektiös-toxischer Schock
E ☐ Elektroschock
F ☐ Vasomotorenschock
G ☐ anaphylaktischer Schock
H ☐ neurogener Schock

112. **Digitalispräparate wirken: (2)**

A ☐ negativ inotrop
B ☐ negativ dromotrop
C ☐ positiv inotrop

---

108 B, E   **109** B, C, D   **110** A, B   **111** B, C, D, G, H   **112** B, C

113. Die Herzinsuffizienz führt: (2)

A ☐ zum venösen Rückstau
B ☐ zur Hypertonie
C ☐ zur Abnahme des Herzschlagvolumens
D ☐ zur Erhöhung des Herzminutenvolumens
E ☐ zur Bradykardie

114. Bei welchen Symptomen ist ein Schockzustand dekompensiert: (4)

A ☐ fehlende Reflexe
B ☐ Blutdruck nicht messbar
C ☐ Ödeme
D ☐ fehlender Puls
E ☐ Bewusstseinsverlust
F ☐ Anurie

115. Zur Schocküberwachung sind folgende Parameter notwendig: (3)

A ☐ Astrup
B ☐ Esbach
C ☐ Harnsäure
D ☐ Elektrolyte
E ☐ zentraler Venendruck

116. Was soll ein Schrittmacher-Träger täglich zu Hause kontrollieren: (1)

A ☐ seinen Blutdruck
B ☐ seine Temperatur
C ☐ seinen Venendruck
D ☐ seinen Puls

117. Was bedeutet eine absolute Indikation für die Schrittmacher-implantation: (1)

A ☐ ein epileptischer Anfall
B ☐ Anfälle der Bewusstlosigkeit, die durch kurzdauernde Herz-stillstände verursacht werden (Adam-Stokes-Syndrom)
C ☐ ein akuter Herzinfarkt
D ☐ eine Herzruptur

---

113 A, C   114 B, D, E, F   115 A, D, E   116 D   117 B

118. Die rheumatische Karditis: (1)

A ☐ ist eine Infektionskrankheit
B ☐ ist eine allergische Reaktion auf Streptokokkenantigene
C ☐ wird auch Endocarditis lenta genannt

119. Zeichen der Linksherzinsuffizienz: (1)

A ☐ Lebervergrößerung
B ☐ Nykturie
C ☐ Atemnot bei Belastung
D ☐ Pleuraergüsse

120. Ein tertiärer Rhythmus ist ein: (1)

A ☐ Sinusrhythmus mit einer Frequenz von 80–100/min
B ☐ AV-Rhythmus mit einer Frequenz von 60–80/min
C ☐ AV-Rhythmus mit einer Frequenz von 40–60/min
D ☐ ein Kammerrhythmus mit einer Frequenz von 30/min

121. Regelmäßig notwendige Laboruntersuchung bei
     Marcumarlangzeitbehandlung: (1)

A ☐ Thromboplastinzeit (Quick)
B ☐ Thrombozytenzählung
C ☐ Coombs-Test
D ☐ Färbeindex und HbE

122. Als Cor pulmonale wird bezeichnet: (1)

A ☐ ein Wanderherz (abnorme Verschiebung des Herzens)
B ☐ eine Herzneurose
C ☐ eine Reaktion des Herzens auf eine chronische oder akute
     Drucksteigerung im Lungenkreislauf
D ☐ eine starke Einengung des Gefäßlumens der Koronararterien

---

118 B   119 C   120 D   121 A   122 C

123. Bei einer Linksherzinsuffizienz kommt es primär zu Stauungen: (2)

A ☐ im rechten Lungenlappen
B ☐ im linken Lungenlappen
C ☐ in der Leber
D ☐ im Magen-Darm-Bereich

124. Störungen der Reizbildung sind: (3)

A ☐ AV-Block I.Grades
B ☐ AV-Block III. Grades
C ☐ Sinustachykardie
D ☐ supraventrikuläre Extrasystolie
E ☐ paroxysmale supraventrikuläre Tachykardie
F ☐ Linksschenkelblock

125. Eine Perikardpunktion wird durchgeführt: (3)

A ☐ bei Flüssigkeitsansammlungen im Herzbeutel
B ☐ zur Entlastung einer ergussbedingten Einflussstauung
C ☐ aus diagnostischen Gründen bei der Pericarditis sicca
D ☐ bei einer Herzbeuteltamponade

126. Koronare Herzkrankheit (KHK): (5)

A ☐ die häufigste Ursache ist die Arteriosklerose der Herzkranz-
gefäße
B ☐ Risikofaktoren sind u. a.: Hypocholesterinämie, arterielle
Hypotonie
C ☐ wird auch als ischämische Myokardkrankheit bezeichnet
D ☐ der Anteil von LDL (Low density lipoprotein) im Cholesterin
fördert die Entwicklung der KHK
E ☐ der Anteil von HDL (High density lipoproteins) hemmt die
Entwicklung der KHK
F ☐ Krankheitsbilder sind: Myokardinfarkt, Angina pectoris
G ☐ die Linksherzinsuffizienz gehört nicht zu den Erscheinungs-
formen

127. Herzkatheterisierung: (4)

A ☐ bei der Rechtsherzkatheterisierung werden die Druckwerte im rechten Vorhof ermittelt

B ☐ bei der Linksherzkatheterisierung wird der Katheter retrograd über die Arteria femoralis vorgeschoben

C ☐ ist eine Sondierung der Herzhöhlen und herznahen Gefäßabschnitte mittels Katheter unter Röntgensicht

D ☐ die erste Rechtsherzkatheterisierung führte 1929 Dr. W. Forssmann im Selbstversuch durch

E ☐ bei der Linksherzkatheterisierung werden die Blutgaswerte in der Pulmonalarterie ermittelt

F ☐ bei der Rechtsherzkatheterisierung wird die O_2 Sättigung in der Aorta ermittelt

128. Symptome beim apoplektischen Insult (Schlaganfall): (4)

A ☐ Halbseitenlähmung (Hemiplegie)

B ☐ Tetraplegie (Lähmung beider Arme und Beine)

C ☐ Erbrechen und Bradykardie bei erhöhtem Hirndruck

D ☐ Augendeviation (Patient blickt zum Herd)

E ☐ die Lähmungen sind erst spastisch und werden später schlaff

F ☐ Trigeminuslähmung

G ☐ die Lähmungen sind erst schlaff und werden später spastisch

---

127 A, B, C, D   128 A, C, D, G

2. Blutkrankheiten

1. Indikationen für eine Knochenmarktransplantation.
   Welche Aussage ist falsch: (1)
   A ☐ akute lymphatische Leukämie
   B ☐ chronische myeloische Leukämie
   C ☐ Morbus Hodgkin
   D ☐ perniziöse Anämie
   E ☐ schwere aplastische Anämie
   F ☐ Non-Hodgkin-Lymphom

2. Knochentransplantation: (5)
   A ☐ Übertragung von Knochenmark zu therapeutischen Zwecken,
       bei akuter Leukämie
   B ☐ bei der allogenen Transplantation wird Knochenmark von
       einem Menschen zum anderen übertragen
   C ☐ die Knochenmarkzellen werden dem Spender durch eine
       Venenpunktion entnommen
   D ☐ die Auswahlmöglichkeiten zwischen Spender und Empfänger
       sind sehr begrenzt
   E ☐ die Knochenmarkzellen des Spenders werden in physiologischer
       Lösung aufgeschwemmt und dem Empfänger i.v. verabreicht
   F ☐ bei der autologen Transplantation werden im Anschluss an eine
       hochdosierte Chemotherapie dem Kranken sein eigenes
       Knochenmark wieder zugeführt
   G ☐ nach einer autologen Transplantation kann eine so genannte
       GVH Reaktion auftreten (Graft versus host = Transplantat
       gegen Wirt)

1 D   2 A, B, D, E, F

3. Eine Agranulozytose: (3)

A ☐ ist das Fehlen oder eine starke Verminderung der Granulozyten im peripheren Blut

B ☐ kann entstehen durch toxische Schädigung des Knochenmarkes

C ☐ geht immer mit einer Verminderung der Erythrozyten und der Thrombozyten einher

D ☐ wird mit Kortikoiden und Antibiotika behandelt

E ☐ geht einher mit einer Erhöhung des indirekten Bilirubins

4. Thrombozytopenien: (3)

A ☐ gehören zu den hämorrhagischen Diathesen

B ☐ werden nur durch Knochenmarkerkrankungen hervorgerufen

C ☐ treten nur als Nebenwirkungen bei zytostatischer Behandlung auf

D ☐ bei unstillbaren Blutungen werden Thrombozytenkonzentrate verabreicht

E ☐ es treten petechiale Hautblutungen und Schleimhautblutungen auf

5. Durch welche Laboruntersuchungen können Antikörper im Blutserum nachgewiesen werden: (2)

A ☐ Komplement-Bindungsreaktion

B ☐ Blutkulturen

C ☐ Antistreptolysin Titer

D ☐ Transaminasenbestimmung

6. Megaloblastische Anämien können auftreten: (2)

A ☐ bei Fischbandwurmträgern

B ☐ nach partieller Gastrektomie

C ☐ bei einer Pneumonie

D ☐ nach Dickdarmresektionen

---

3 A, B, D   4 A, D, E   5 A, C   6 A, B

7. **Allgemeine Hämolysezeichen: (4)**

   A ☐ erhöhte Retikulozytenzahl
   B ☐ verlängerte Erythrozytenlebenszeit
   C ☐ erhöhtes Serumeisen
   D ☐ erhöhtes indirektes Bilirubin im Serum
   E ☐ erhöhte Bilirubinausscheidung im Urin
   F ☐ der direkte Coombs-Test ist positiv

8. **Therapie bei Blutungen, infolge einer Antikoagulanzientherapie mit Cumarin-Präparaten: (2)**

   A ☐ Gabe von Protaminsulfat
   B ☐ parenterale Vitamin K-Zufuhr
   C ☐ Verabreichung von Prothrombinkonzentrat (PPSB)
   D ☐ Verabreichung von Epsilonaminocapronsäure (EACS)

9. **Unter einer Leukose versteht man: (1)**

   A ☐ eine Verminderung der Leukozyten
   B ☐ einen Zerfall der weißen Blutkörperchen
   C ☐ eine Störung der Leukopoese

10. **Die chronische Myelose: (3)**

    A ☐ tritt bevorzugt bei Jugendlichen auf
    B ☐ befällt Männer häufiger als Frauen
    C ☐ geht mit einer extremen Milzvergrößerung einher
    D ☐ wird mit Zytostatika behandelt
    E ☐ tritt akut auf und verläuft stürmisch mit hohem Fieber

11. **Symptome der chronischen Myelose: (3)**

    A ☐ extrem vergrößerte Milz
    B ☐ Priapismus
    C ☐ Schüttelfrost und Fieber
    D ☐ Blutungsneigung
    E ☐ geschwollene, harte Nackenlymphdrüsen

---

7 A, C, D, F   8 B, C   9 C   10 B, C, D   11 A, B, D

12. **Therapeutische Maßnahmen bei Erkrankungen des leukozytären Systems: (3)**

A ☐ Bluttransfusion
B ☐ Verabreichung von antihämophilem Globulin
C ☐ Kortikoidgaben
D ☐ Zytostatikabehandlung
E ☐ eiweißarme Diät
F ☐ kausale Antibiotika-Therapie

13. **Nebenwirkungen der zytostatischen Therapie bei Leukosen: (3)**

A ☐ Milztumor
B ☐ Bildung von Nieren- und Harnleitersteinen
C ☐ Haarausfall
D ☐ Thrombopenie
E ☐ Polyglobulie

14. **Welche Komplikationen können bei akuter Leukämie auftreten: (4)**

A ☐ Candida albicans-Infektionen
B ☐ Coli-Sepsis
C ☐ thrombozytopenische Blutungen in das ZNS
D ☐ Ösophagusvarizenblutung
E ☐ hämorrhagische Diathesen (Blutgerinnungsfaktor VIII fehlt)
F ☐ petechiale Hautblutungen und subkonjunktivale Blutungen

15. **Welche Blutbild- und Knochenmarkveränderung ist typisch für eine akute Leukose: (1)**

A ☐ Bestehen eines Hiatus leucaemicus
B ☐ Auftreten von Gumprecht-Schollen
C ☐ Auftreten von Sternberg-Zellen
D ☐ zellarmes Knochenmark

---

12 A, C, D   **13** B, C, D   **14** A, B, C, F   **15** A

16. **Symptome der akuten Leukose: (4)**
   A ☐ Pel-Ebstein-Fieber
   B ☐ hohes Fieber
   C ☐ Milzschrumpfung
   D ☐ Anämie
   E ☐ Blutungsneigung
   F ☐ Mundschleimhautnekrosen
   G ☐ derbe, nicht druckschmerzhafte Lymphknotenschwellung
     besonders am Hals und in der Leistenbeuge

17. **Symptome des Morbus Hodgkin: (4)**
   A ☐ Pel-Ebstein-Fieber
   B ☐ Hautjucken
   C ☐ derbe, nicht druckschmerzhafte Lymphknotenschwellung zuerst
     am Hals
   D ☐ Mundschleimhautnekrosen
   E ☐ Alkoholschmerz
   F ☐ Parotitis
   G ☐ weiche, geschwollene, sehr druckschmerzhafte Halslymph-
     knoten

18. **Bei der Osteomyelosklerose: (2)**
   A ☐ findet man bei der Sternalpunktion »leeres Mark«
   B ☐ entstehen in der Leber und Milz extramedulläre Blutneu-
     bildungsherde
   C ☐ sind die Knochenmarkräume erweitert, und dadurch ist die
     Blutbildung erhöht
   D ☐ wird therapeutisch eine Milzexstirpation durchgeführt
   E ☐ ist die Blutbildung im Knochenmark durch Toxineinwirkung
     gestört

19. **Therapie beim Morbus Kahler: (2)**
   A ☐ Verabreichung von Zytostatika
   B ☐ Milzexstirpation
   C ☐ Verabreichung von Kortikosteroiden
   D ☐ Wärmeapplikationen (Kurzwellenbestrahlungen)

---

16 B, D, E, F   17 A, B, C, E   18 A, B   19 A, C

20. Ursachen einer erhöhten Blutungsneigung: (2)

A ☐ Eisenmangel
B ☐ Thrombozytopathie
C ☐ Verbrauchskoagulopathie
D ☐ Vitamin B_1-Mangel

21. Symptome der chronischen Lymphadenose: (2)

A ☐ derbe, nicht schmerzhafte Lymphdrüsenschwellung am Hals, in der Achselhöhle und in der Leistenbeuge
B ☐ septische Temperaturen
C ☐ Parotistumor
D ☐ multiple Hautinfiltrationen, besonders im Gesicht
E ☐ Zahnfleischnekrosen

22. Typische Untersuchungsbefunde beim Plasmozytom (Morbus Kahler): (3)

A ☐ Auftreten von Bence-Jones-Eiweißkörper im Harn
B ☐ extrem beschleunigte Blutsenkungsreaktion
C ☐ röntgenologisch nachweisbare multiple, runde, scharf begrenzte Knochenherde, besonders am Schädel
D ☐ Veränderung der Price-Jones-Kurve
E ☐ im Knochenmark befinden sich reichlich Retikulozyten
F ☐ das periphere Blutbild zeigt eine Vermehrung der Erythrozyten

23. Maßnahmen bei Bluttransfusionszwischenfällen: (3)

A ☐ Transfusion etwa eine Stunde abklemmen und anschließend weiter transfundieren
B ☐ Transfusion sofort abbrechen
C ☐ reichliche, orale Flüssigkeitszufuhr
D ☐ Austauschtransfusion
E ☐ Verabreichung von Antibiotika
F ☐ Schockbekämpfung

---

20 B, C   21 A, D   22 A, B, C   23 B, D, F

24. Beim Plasmozytom: (4)

A ☐ besteht eine extreme Vermehrung von Retikulozyten im
Knochenmark

B ☐ kommt es zu einer tumorösen Wucherung der eiweißbildenden
Plasmazellen im Knochenmark

C ☐ besteht eine Splenomegalie

D ☐ ist die Blutsenkungsreaktion normal

E ☐ kann es zu einer Nephrose kommen

F ☐ können Spontanfrakturen auftreten

25. Bei der chronischen Lymphadenose: (4)

A ☐ handelt es sich um eine Wucherung des gesamten lymphatischen Gewebes

B ☐ findet man im weißen Blutbild vermehrt Lymphozyten

C ☐ handelt es sich um eine Erkrankung, die hauptsächlich Kinder
und Jugendliche befällt

D ☐ treten derbe, sehr schmerzhafte Lymphdrüsenschwellungen auf

E ☐ kann es durch Verminderung der Gamma-Globuline zu einem
Antikörpermangelsyndrom kommen

F ☐ wird eine Zytostatikabehandlung durchgeführt

26. Eine Agranulozytose kann eine Reaktion auf folgende Medikamente
sein: (3)

A ☐ Goldsalze

B ☐ Analgetika

C ☐ Antidiabetika

D ☐ Eisenpräparate

E ☐ Herzglykoside

27. Bei der Übertragung von Blut einer falschen Blutgruppe im
ABO-System kommt es zu einer: (2)

A ☐ Blutgerinnung

B ☐ Hämolyse

C ☐ Agglutination

D ☐ Agranulozytose

E ☐ Leukämie

---

24 B, C, E, F   25 A, B, E, F   26 A, B, C   27 B, C

28. **Eine intravasale Hämolyse kann verursacht sein durch: (2)**

A ☐ eine verminderte Eisenzufuhr

B ☐ toxische Chemikalien (Arsen, Blei usw.)

C ☐ Bluttransfusionszwischenfälle durch Blutgruppenunverträg-
lichkeit

D ☐ eine Milzexstirpation

29. **Mögliche Ursachen einer aplastischen Anämie: (4)**

A ☐ Zytostatika-Behandlung

B ☐ Vitaminmangel

C ☐ Fehlen des Extrinsic-Faktors

D ☐ Radium- und Röntgenbestrahlungen

E ☐ Behandlung mit Sulfonamiden

F ☐ septische Infekte

30. **Symptome der Kugelzellanämie: (3)**

A ☐ Turmschädel

B ☐ Gallenkoliken

C ☐ Ikterus

D ☐ septische Temperaturen

E ☐ Exophthalmus

31. **Beim Rumpel-Leede-Phänomen: (2)**

A ☐ handelt es sich um eine Kapillarresistenzprüfung

B ☐ treten bei venöser Stauung am Arm nach 5–10 Minuten in der
Ellenbeuge punktförmige Hautblutungen auf (Petechien),
die auf eine Endothelschädigung hinweisen

C ☐ tritt bei venöser Stauung des Armes nach 5–10 Minuten eine
weiße Hautfarbe der Finger auf, die auf eine positive Reaktion
und auf eine Kapillarschädigung hinweist

---

28 B, C   **29** A, D, E, F   **30** A, B, C   **31** A, B

32. Gefäßwandschädigungen mit vaskulärer Purpura können entstehen durch: (3)

A ☐ einen Vitamin-D-Mangel
B ☐ toxische Schädigung der Gefäßwände (Meningokokken)
C ☐ Vitamin-C-Mangel bei Skorbut
D ☐ einen Calciummangel
E ☐ Fehlen des Intrinsic-Faktors

33. Laboruntersuchungen zur Diagnostik einer hämolytischen Anämie: (3)

A ☐ Prüfung der osmotischen Resistenz der Erythrozyten
B ☐ Schilling-Test
C ☐ Nachweis von Bence-Jones-Eiweißkörpern im Harn
D ☐ Bestimmung des indirekten Bilirubins
E ☐ Retikulozytenbestimmung

34. Bei der kongenitalen Sphärozytose: (3)

A ☐ handelt es sich um eine erbbedingte hämolytische Anämie
B ☐ findet man so genannte Kugelzellen im Blutausstrich
C ☐ besteht eine angeborene Blutgerinnungsstörung
D ☐ ist eine Splenektomie angezeigt
E ☐ ist eine Zytostatikatherapie indiziert

35. Bei Bluttransfusionszwischenfällen können als hämolytische Reaktionen auftreten: (5)

A ☐ Lendenschmerzen
B ☐ Unruhe, Angst
C ☐ Druckpuls
D ☐ Blutdruckanstieg
E ☐ Blutdruckabfall
F ☐ Gesichtsröte
G ☐ Anurie
H ☐ Übelkeit, Erbrechen

---

32 B, C, D   33 A, D, E   34 A, B, D   35 A, B, E, G, H

36. **Bei der hämolytischen Anämie ist der Ikterus bedingt durch: (1)**

A ☐ eine Knochenmarkschädigung
B ☐ eine Gallenabflussstörung
C ☐ einen vermehrten Erythrozytenzerfall
D ☐ eine Leberzirrhose

37. **Komplikationen des Morbus Hodgkin: (4)**

A ☐ Ikterus
B ☐ Querschnittlähmung
C ☐ Hemiplegie
D ☐ Anämie
E ☐ Pyelitis
F ☐ Aszites

38. **Symptome einer Agranulozytose: (4)**

A ☐ hohes Fieber
B ☐ Untertemperaturen
C ☐ Schüttelfrost
D ☐ Schleimhautulzera
E ☐ Anämie
F ☐ erhöhte Infektanfälligkeit
G ☐ petechiale Hautblutungen

39. **Beim Morbus Werlhof: (3)**

A ☐ sind im Knochenmark vermehrt unreife Megakaryozyten anzutreffen
B ☐ besteht eine Vermehrung der Thrombozyten im peripheren Blut
C ☐ treten spontan schubweise flohstichartige Blutungen auf (Petechien)
D ☐ ist die Blutungszeit stark verlängert
E ☐ wird antihämophiles Globulin verabreicht

---

36 C   37 A, B, D, F   38 A, C, D, F   39 A, C, D

40. Hämorrhagische Diathesen können bedingt sein durch: (3)

A ☐ Eisenmangel
B ☐ starken Blutverlust
C ☐ Störungen der Blutgerinnung
D ☐ Thrombozytopathien
E ☐ Gefäßschädigungen

41. Petechiale Haut- und Schleimhautblutungen sind typisch: (2)

A ☐ bei Eisenmangelanämien
B ☐ bei hämorrhagischen Diathesen
C ☐ beim Plasmozytom
D ☐ beim Morbus Werlhof

42. Antikoagulanzien sind indiziert: (2)

A ☐ bei der Hämophilie A
B ☐ bei Ösophagusvarizen
C ☐ zur Thromboseprophylaxe
D ☐ bei einem Herzinfarkt

43. Welche Komplikation kann beim Absinken des Quickwertes (unter 15 %) auftreten: (1)

A ☐ eine Thrombose
B ☐ eine Lungenembolie
C ☐ eine Erblindung
D ☐ eine akute Blutung

44. Entstehungsursachen einer postoperativen Thrombose: (2)

A ☐ Verlangsamung des Blutstromes
B ☐ Polyzythämie
C ☐ Thrombopenie
D ☐ Heparinbehandlung

---

40 C, D, E   41 B, D   42 C, D   43 D   44 A, B

45. Frische Thromben können aufgelöst werden durch: (1)

A ☐ Hämostyptika
B ☐ Antikoagulanzien
C ☐ Streptokinase
D ☐ Vitamin K

46. Durch welche Untersuchungen kann die Diagnose bei der perniziösen Anämie gesichert werden: (3)

A ☐ Magen-Darm-Passage
B ☐ Price-Jones-Kurve
C ☐ Schilling-Test
D ☐ Knochenmarkpunktion
E ☐ Laparoskopie
F ☐ Leberszintigraphie

47. Das fibrinolytische System wird von folgenden Substanzen aktiviert: (2)

A ☐ Prothrombin
B ☐ Urokinase
C ☐ Streptokinase
D ☐ Liquemin

48. Beim Morbus Biermer besteht meistens: (2)

A ☐ eine histaminrefraktäre Anazidität
B ☐ eine Atrophie der Magenschleimhaut und dadurch eine verminderte oder erloschene Intrinsic-Faktor-Produktion
C ☐ eine Atrophie der Magenschleimhaut und dadurch eine verminderte Extrinsic-Faktor-Produktion
D ☐ eine Hyperazidität

---

45 C   46 B, C, D   47 B, C   48 A, B

49. Blutbildveränderungen beim Morbus Biermer: (3)

A ☐ Leukozytose

B ☐ Hämoglobingehalt des einzelnen Erythrozyten liegt über der Norm

C ☐ erhöhter Anteil der Retikulozyten

D ☐ es besteht eine Poikilozytose

E ☐ Auftreten von Megalozyten im peripheren Blut

F ☐ Hämoglobingehalt des einzelnen Erythrozyten liegt unter der Norm

50. Typische Symptome der perniziösen Anämie: (4)

A ☐ funikuläre Myelose

B ☐ Hunter-Glossitis

C ☐ histaminrefraktäre Anazidität

D ☐ leichenblasses Aussehen

E ☐ Gelenkblutungen

F ☐ Parästhesien

51. Therapie bei Morbus Biermer: (1)

A ☐ Verabreichung von Vitamin K

B ☐ häufige Bluttransfusionen

C ☐ Verabreichung von antihämophilem Globulin

D ☐ Vitamin-B_{12}-Injektionen

52. Die hyperchrome Anämie ist bedingt durch: (1)

A ☐ einen starken Blutverlust

B ☐ einen Eisenmangel

C ☐ das Fehlen von Vitamin B_{12}

53. Megalozyten treten im Blutbild auf: (1)

A ☐ beim hämolytischen Ikterus

B ☐ bei der lymphatischen Leukämie

C ☐ bei der perniziösen Anämie

D ☐ bei der Eisenmangelanämie

---

49 B, D, E   50 A, B, C, F   51 D   52 C   53 C

54. **Beim Schilling-Test: (2)**

A ☐ wird Vitamin B_{12}, das durch radioaktives Kobalt markiert ist, per oral verabreicht

B ☐ liegen die Normalwerte der ausgeschiedenen radioaktiven Vitamin-B_{12}-Mengen im 24-Stunden-Sammelurin bei 10 % – 20 %

C ☐ wird radioaktives Vitamin B_{12} parenteral verabreicht

D ☐ liegen die Werte bei Vitamin-B_{12}-Resorptionsstörungen über 20 % im 24-Stunden-Sammelurin

55. **Der Schilling-Test dient zur Diagnostik: (1)**

A ☐ der Leukämie

B ☐ der Hämophilie A

C ☐ des Morbus Biermer

D ☐ der Eisenmangelanämie

56. **Polyglobulie ist eine symptomatische Vermehrung: (1)**

A ☐ der Globuline im Serum

B ☐ der Erythrozyten

C ☐ der Granulozyten

D ☐ aller korpuskulären Elemente des Blutes

57. **Bei der Polyzythaemia vera: (4)**

A ☐ handelt es sich um eine akute Erkrankung, die vor allem Jugendliche befällt

B ☐ besteht eine starke Vermehrung der Erythrozyten und des Hämoglobingehaltes

C ☐ ist der Blutdruck stark erhöht

D ☐ besteht eine Thrombopenie

E ☐ können Thrombosen als Komplikationen auftreten

F ☐ wird therapeutisch radioaktives Phosphor oral oder intravenös verabreicht

---

54 A, B   55 C   56 B   57 B, C, E, F

58. Bei der fetalen Erythroblastose können beim Neugeborenen auftreten: (3)

A ☐ ein Ikterus gravis
B ☐ eine Leukopenie
C ☐ ein Kernikterus der Ganglien
D ☐ ein Eisenmangel
E ☐ ein Hydrops universalis congenitus

59. Therapie bei Eisenmangelanämien: (1)

A ☐ Zufuhr von Vitamin B_{12}
B ☐ Bluttransfusionen
C ☐ orale oder parenterale Eisenzufuhr
D ☐ Verabreichung von Antibiotika und Glukokortikoiden

60. Symptome bei Sideropenie (Eisenmangel): (3)

A ☐ erhöhte Blutungsneigung
B ☐ Hohlnägel
C ☐ Mundwinkelrhagaden
D ☐ trockene Haut
E ☐ wachsgelbe Hautfarbe

61. Ursachen der Eisenmangelanämien: (3)

A ☐ Gravidität
B ☐ maligne Tumoren
C ☐ Amenorrhoe
D ☐ Tetanie
E ☐ Infektionskrankheiten

62. Der Serumeisenspiegel ist vermindert bei: (2)

A ☐ der hämolytischen Anämie
B ☐ der akuten Blutungsanämie
C ☐ chronischen Infekten
D ☐ der perniziösen Anämie

---

58 A, C, E   **59** C   **60** B, C, D   **61** A, B, E   **62** B, C

63. Eine Hypersiderinämie: (2)

A ☐ ist ein erhöhter Eisengehalt im Serum
B ☐ ist ein erhöhter Eisenbedarf
C ☐ besteht bei hämolytischen Anämien
D ☐ besteht bei einer chronischen Blutungsanämie

64. Klinische Zeichen einer akuten Blutungsanämie sind: (4)

A ☐ Atemnot
B ☐ Tachykardie
C ☐ Hautblässe
D ☐ Bradykardie
E ☐ Hypertonie
F ☐ Schweißausbruch

65. Bei der Eisenmangelanämie: (1)

A ☐ sind die Erythrozyten hypochrom und mikrozytär
B ☐ sind die Erythrozyten hyperchrom und makrozytär
C ☐ sind die Erythrozyten normochrom und makrozytär

66. Bei der Hämophilie A: (4)

A ☐ besteht ein Mangel des Blutgerinnungsfaktors IX, des sog. Christmas-Faktors
B ☐ besteht ein Mangel des Blutgerinnungsfaktors VIII
C ☐ handelt es sich um eine rezessiv geschlechtsgebundene, vererbte Erkrankung
D ☐ besteht bei geringfügigen Verletzungen die Gefahr einer lebensbedrohlichen Blutung
E ☐ handelt es sich um eine Erkrankung, die nur das weibliche Geschlecht befällt
F ☐ wird bei Blutungen antihämophiles Globulin (AHG) verabreicht

---

63 A, C   64 A, B, C, F   65 A   66 B, C, D, F

67. Hämorrhagische Diathesen: (2)

   A ☐ sie können vaskulär, thrombozytär und plasmatisch bedingt sein

   B ☐ die Hämophilie B gehört zu den thrombozytär bedingten Blutungen

   C ☐ es können spontan schwer stillbare Blutungen auftreten

68. Das Auftreten von Target-Zellen im peripheren Blut ist typisch bei: (1)

   A ☐ der perniziösen Anämie

   B ☐ der lymphatischen Leukämie

   C ☐ der Thalassämie

69. Unter einer Linksverschiebung versteht man: (1)

   A ☐ eine Vermehrung der Thrombozyten im peripheren Blut

   B ☐ ein reichliches Auftreten von jugendlichen und stabkernigen Granulozyten im weißen Blutbild

   C ☐ eine Vermehrung der eosinophilen Granulozyten im weißen Blutbild

70. Eine Leukopenie tritt auf: (3)

   A ☐ beim Herzinfarkt

   B ☐ beim Typhus abdominalis

   C ☐ bei Schädigungen des Knochenmarkes

   D ☐ bei der Appendizitis

   E ☐ bei Behandlung mit Zytostatika

71. Eine Leukozytose ist: (1)

   A ☐ eine krankhafte Veränderung der einzelnen Granulozyten

   B ☐ das Vorhandensein von mehr als 2000 Leukozyten pro cmm Blut

   C ☐ eine Vermehrung der Leukozyten gegenüber der Norm

---

67 A, C   68 C   69 B   70 B, C, E   71 C

72. Eine Vermehrung der eosinophilen Granulozyten tritt auf: (3)

A ☐ als »Morgenröte der Genesung« in der Heilphase einer Krankheit
B ☐ bei allergischen Erkrankungen
C ☐ bei Wurmerkrankungen
D ☐ beim Typhus abdominalis
E ☐ bei Masern

73. Stammzellen der Thrombozyten sind: (1)

A ☐ Makroblasten
B ☐ Megakaryozyten
C ☐ Megaloblasten

74. Indirektes Serumbilirubin: (3)

A ☐ ist harngängig
B ☐ wird nicht mit dem Urin ausgeschieden
C ☐ ist vermehrt bei einem Verschlussikterus
D ☐ entsteht bei Erythrozytenabbau und Erythrozytenzerfall
E ☐ ist erhöht bei hämolytischen Anämien

75. Unter einer Verbrauchskoagulopathie versteht man: (1)

A ☐ eine Bildung multipler Mikrothromben durch akute intravasale Gerinnung (ausgelöst z. B. durch innere Blutungen), diese können zu einem Verbrauch fast aller gerinnungsaktiver Substanzen führen und Blutungsneigungen hervorrufen
B ☐ die Auflösung intravasaler Thrombenbildungen durch Fibrinolytika
C ☐ den Verbrauch großer Mengen körpereigener Antikoagulanzien zur Verhinderung einer Thrombenbildung

---

72 A, B, C　　　73 B　　　74 B, D, E　　　75 A

76. Die osmotische Resistenz: (2)

A ☐ wird bei den Granulozyten überprüft
B ☐ ist eine Prüfung der Blutgerinnungsfaktoren
C ☐ gibt Auskunft über die Belastbarkeit der Erythrozyten in hypotonen Lösungen
D ☐ ist vermindert bei hämolytischen Anämien

77. Welches Gift verursacht Erstickung durch Blockierung des Sauerstofftransportes: (1)

A ☐ Barbitursäure
B ☐ Thallium
C ☐ Zyankali

78. Bei der Lymphogranulomatose: (3)

A ☐ handelt es sich um eine maligne Erkrankung des lymphatischen Gewebes
B ☐ beginnt die Erkrankung meist mit einer Lymphknotenschwellung am Hals
C ☐ finden sich bei der histologischen Untersuchung mehrkernige, sog. »Sternberg-Riesenzellen«
D ☐ besteht im peripheren Blutbild eine Vermehrung der Retikulozyten
E ☐ kann die Diagnose nur durch eine Knochenmarkpunktion gestellt werden

---

76 C, D   77 C   78 A, B, C

79. **Bluttransfusionen: (4)**

A ☐ vor einer Erythrozythenkonzentrat-Transfusion müssen die Blutgruppe und der Rhesus-Faktor des Empfängers bestimmt werden

B ☐ die serologische Kreuzprobe dient zum Nachweis der Verträglichkeit von Spenderblut und Empfängerblut

C ☐ bekommt der Patient eine Bluttransfusion von gewaschenen Erythrozyten, ist keine Verträglichkeitsprobe (Kreuzprobe) notwendig

D ☐ Unverträglichkeit gegenüber Fremdeiweiß kann beim Patienten Schüttelfrost und Fieber hervorrufen

E ☐ Ursache eines hämolytischen Zwischenfalls ist eine Zerstörung der Spendererythrozyten durch Antikörper im Empfängerplasma

F ☐ Bestimmung der Blutgruppe und des Rhesusfaktors sind unbedingt notwendig vor einer Kryopräzipitat (Gerinnungsfaktor VIII) Verabreichung

80. **Eine Knochenmarkpunktion wird vorgenommen: (2)**

A ☐ am Brustbein
B ☐ an der Tibia
C ☐ am Femur
D ☐ am Beckenkamm

3. Krankheiten der Lunge

1. Welche Symptome werden bei einer massiven Lungenembolie beobachtet: (4)
   A ☐ Zyanose
   B ☐ Schock
   C ☐ Bradykardie
   D ☐ Tachykardie
   E ☐ Kussmaul-Atmung
   F ☐ Dyspnoe

2. Welche Aussagen sind falsch: (2)
   A ☐ Lobektomie ist eine operative Entfernung eines Lungenlappens
   B ☐ Pneumektomie ist eine operative Eröffnung der Brusthöhle
   C ☐ Bilobektomie ist eine operative Entfernung zweier benachbarter Lungenlappen
   D ☐ Thorakotomie ist eine operative Entfernung eines Lungenflügels

3. Eine respiratorische Azidose entsteht: (1)
   A ☐ durch einen Volumenmangelschock
   B ☐ durch Hyperventilation
   C ☐ durch Hypoventilation
   D ☐ durch vermehrte Muskelarbeit

4. Kussmaul-Atmung tritt auf bei: (1)
   A ☐ Zwerchfelllähmung
   B ☐ Coma diabeticum
   C ☐ Frühgeborenen mit noch unreifem Atemzentrum
   D ☐ organischen Hirnprozessen

5. Nennen Sie die typischen klinischen Symptome des Asthma-Anfalles: (3)

A ☐ Fieber
B ☐ Lufthunger mit verlängertem Exspirium
C ☐ Erstickungsangst
D ☐ gelblicher Auswurf
E ☐ Beanspruchung der Atemhilfsmuskulatur

6. Ursache einer Lungenembolie: (1)

A ☐ Thrombose in der Pfortader
B ☐ Thrombose im linken Vorhof
C ☐ Venenthrombose

7. Ursachen einer Lungenembolie: (2)

A ☐ Venenthrombose
B ☐ Thrombusbildung an der Mitralklappe
C ☐ Antikoagulanzienbehandlung
D ☐ Thrombusbildung an der Trikuspidalklappe

8. Rostbraunes Sputum wird am häufigsten beobachtet bei: (1)

A ☐ Pneumonie
B ☐ Bronchitis
C ☐ Asthma
D ☐ Raucherhusten
E ☐ Rechtsherzinsuffizienz

9. Charakteristische Symptome für das Asthmatikersputum: (2)

A ☐ grau-glasig
B ☐ blutig
C ☐ grün
D ☐ fadenziehend
E ☐ rostig
F ☐ zwetschgenbrühartig

---

5 B, C, E   6 C   7 A, D   8 A   9 A, D

10. Das chronische Lungenemphysem führt: (2)

A ☐ zur Belastung des rechten Herzens
B ☐ zur Belastung des linken Herzens
C ☐ zum Fassthorax
D ☐ zur vergrößerten Vitalkapazität

11. Luftleere Lungenabschnitte werden bezeichnet als: (1)

A ☐ Residualvolumen
B ☐ Komplementärluft
C ☐ Atelektasen
D ☐ Totraumatmung

12. In welchen Jahreszeiten treten die Symptome der chronischen Bronchitis verstärkt auf: (2)

A ☐ Frühjahr
B ☐ Sommer
C ☐ Herbst
D ☐ Winter

13. Quellgebiete für die Lungenembolie: (3)

A ☐ Beinvenenthrombose
B ☐ Pfortaderthrombose
C ☐ Beckenvenenthrombose
D ☐ Thromben im linken Vorhof
E ☐ Thromben im rechten Vorhof

14. Bronchialkarzinom: (3)

A ☐ Leitsymptome der frühen Phase sind Husten und blutiger Auswurf
B ☐ ist der häufigste Organkrebs beim Mann
C ☐ die Metastasierung erfolgt häufig in den Magen-Darmbereich
D ☐ erstes Symptom sind gestaute Halsvenen
E ☐ vorwiegend ist es ein Plattenepithelkarzinom
F ☐ Ursachen sind so genannte Inhalationskarzinogene (Tabakrauch, Asbest, Arsen)

---

10 A, C   11 C   12 A, C   13 A, C, E   14 B, E, F

15. **Symptome beim Lungenödem: (3)**

    A ☐ hochgradig rasselnde Atmung
    B ☐ Bluterbrechen
    C ☐ Dyspnoe
    D ☐ schaumiges Sputum

16. **Bei welchem Krankheitsbild kann die Kussmaul-Atmung auftreten: (1)**

    A ☐ beim hyperglykämischen Koma
    B ☐ beim hypoglykämischen Koma
    C ☐ bei der Tuberkulose

17. **Bronchiektasen sind: (1)**

    A ☐ Aussackungen der Bronchienwand
    B ☐ Entzündungen der Bronchialschleimhaut
    C ☐ Verschlüsse der Bronchien
    D ☐ Verkrampfungen der kleinen Bronchien

18. **Welche allergische Erkrankung der Atemwege kann zu einer akuten Lebensgefahr führen: (1)**

    A ☐ Grippe
    B ☐ Bronchitis
    C ☐ Pneumonie
    D ☐ Diphtherie
    E ☐ Glottisödem

19. **Ein hämorrhagischer Pleuraerguss ist verdächtig auf: (1)**

    A ☐ ein Pleuraemphysem
    B ☐ einen Pneumothorax
    C ☐ eine Pleurakarzinose

---

15 A, C, D   16 A   17 A   18 E   19 C

20. Die Staubinhalationskrankheit, die durch Kohlenstaub verursacht wird, heißt: (1)

A ☐ Kalikose
B ☐ Siderose
C ☐ Anthrakose
D ☐ Silikose

21. Ein lange bestehendes Lungenemphysem ruft hervor: (1)

A ☐ Hypertrophie des linken Herzens
B ☐ hohen Blutdruck im großen Kreislauf
C ☐ respiratorische Alkalose
D ☐ Cor pulmonale
E ☐ Asthma cardiale

22. Welche Aussage trifft auf die Cheyne-Stokes-Atmung zu: (1)

A ☐ Anschwellen und Abschwellen mit Pause
B ☐ vertieft, regelmäßig
C ☐ flache Atmung mit Atempause
D ☐ tiefe Atmung mit Atempause
E ☐ flache Atmung ohne Atempause

23. Welche Aussage trifft auf die Biot-Atmung zu: (1)

A ☐ Anschwellen und Abschwellen mit Pause
B ☐ vertieft, regelmäßig
C ☐ flache Atmung mit Atempause
D ☐ tiefe Atmung mit Atempause
E ☐ flache Atmung ohne Atempause

24. Welche Aussage trifft auf die Kussmaul-Atmung zu: (1)

A ☐ Anschwellen und Abschwellen mit Pause
B ☐ vertieft, regelmäßig
C ☐ flache Atmung mit Atempause
D ☐ tiefe Atmung mit Atempause
E ☐ flache Atmung ohne Atempause

---

20 C   21 D   22 A   23 D   24 B

25. Beim Status-asthmaticus: (3)

A ☐ werden Kortikosteroide verabreicht
B ☐ besteht eine inspiratorische Dyspnoe
C ☐ besteht eine exspiratorische Dyspnoe
D ☐ besteht eine Zyanose
E ☐ werden Antipyretika verabreicht
F ☐ bestehen stärkste Schmerzen beim Einatmen

26. Die diagnostische Pleurapunktion wird durchgeführt: (2)

A ☐ zur Entnahme von Lungengewebe
B ☐ zur Druckentlastung für Herz und Lunge
C ☐ zur Feststellung der Art des Ergusses
D ☐ zur Isolierung eventueller Erreger

27. Die Bronchiographie wird durchgeführt: (2)

A ☐ zur Darstellung des Bronchialbaumes
B ☐ zur Entfernung eines Fremdkörpers
C ☐ zur Entfernung von Atelektasen
D ☐ zur Darstellung von Bronchiektasen

28. Ursachen primärer Pneumonien: (2)

A ☐ Streptokokken (Pneumokokken)
B ☐ Bronchialkarzinom
C ☐ Bronchiektasen
D ☐ Pilze (Lungenmykosen)
E ☐ Lungenstauung
F ☐ Lungenödem
G ☐ Aspiration (Mageninhalt, Fremdkörper)

29. Als Eupnoe wird bezeichnet: (1)

A ☐ die beschleunigte Atmung
B ☐ der atemlose Zustand
C ☐ die normale, ungestörte Atmung
D ☐ die gestörte, erschwerte Atmung

---

25 A, C, D   26 C, D   27 A, D   28 A, D   29 C

30. Als Hypoxämie wird bezeichnet: (1)

A □ eine Überladung des Blutes mit Kohlensäure
B □ eine Verminderung des Sauerstoffgehaltes im Blut
C □ eine Verminderung des Kohlensäuregehaltes im Blut
D □ eine Überladung des Blutes mit Sauerstoff

31. Als Hyperkapnie wird bezeichnet: (1)

A □ eine Überladung des Blutes mit Kohlensäure
B □ eine Verminderung des Sauerstoffgehaltes im Blut
C □ eine Verminderung des Kohlensäuregehaltes im Blut
D □ eine Überladung des Blutes mit Sauerstoff

32. Blutiger Auswurf wird am häufigsten beobachtet: (3)

A □ beim Lungeninfarkt
B □ beim Asthma bronchiale
C □ bei Bronchiektasen
D □ bei tuberkulösen Kavernen
E □ bei Bronchitis

33. Bronchiektasen verursachen folgende Symptome: (3)

A □ morgendliche maulvolle Expektoration
B □ schlagartig Schmerzen in der Brust
C □ Trommelschlegelfinger
D □ dreischichtiges Sputum
E □ Stimmbandlähmung
F □ akute Atemnot
G □ himbeergeleeartiges Sputum

34. Zeichen der Pleuritis sicca: (3)

A □ Pleurareiben
B □ kein Pleurareiben
C □ keine Schmerzen beim Atmen
D □ Schmerzen beim Atmen
E □ Patient liegt meist auf der kranken Seite
F □ perkutorisch: Dämpfung

---

30 B   31 A   32 A, C, D   33 A, C, D   34 A, D, E

35. Koniotomie ist: (1)

A □ eine Fremdkörperaspiration
B □ eine operative Eröffnung von Kavernen
C □ eine Notoperation bei Verlegung des Kehlkopfes
D □ eine operative Entfernung von aspirierten Fremdkörpern

36. Mögliche Ursachen der inspiratorischen Dyspnoe: (2)

A □ Asthma bronchiale
B □ Glottisödem
C □ Lungenemphysem
D □ Tracheakompression durch Struma

37. Mögliche Ursachen der exspiratorischen Dyspnoe: (2)

A □ Verbiegung der Nasenscheidewand
B □ Laryngospasmus
C □ Asthma bronchiale
D □ Lungenemphysem
E □ Diphtherie

38. Ursachen sekundärer Pneumonien: (5)

A □ Streptokokken (Pneumokokken)
B □ Bronchialkarzinom
C □ Bronchiektasen
D □ Pilze (Lungenmykosen)
E □ Lungenstauung
F □ Lungenödem
G □ Aspiration (Mageninhalt, Fremdkörper)

39. Das Atemzentrum erhält seine Erregungen: (3)

A □ reflektorisch durch zentripetale Nerven
B □ durch die Kohlensäurespannung im Blut
C □ direkt von der Atemhilfsmuskulatur
D □ durch die H-Ionenkonzentration im Blut
E □ durch nasale Rezeptoren, die den O_2-Gehalt der Einatmungs-
luft registrieren

---

35 C   36 B, D   37 C, D   38 B, C, E, F, G   39 A, B, D

40. Komplikationen der Pneumonien: (3)

A ☐ Lungenembolie
B ☐ Pleuraempyem
C ☐ Silikose
D ☐ Lungenabszesse
E ☐ Karnifikation

41. Als Tachypnoe wird bezeichnet: (1)

A ☐ die beschleunigte Atmung
B ☐ der atemlose Zustand
C ☐ die normale, ungestörte Atmung
D ☐ die gestörte, erschwerte Atmung

42. Welche der folgenden Aussagen treffen auf das Exsudat zu: (2)

A ☐ spezifisches Gewicht über 1015
B ☐ spezifisches Gewicht unter 1015
C ☐ Rivalta-Probe positiv
D ☐ Rivalta-Probe negativ

43. Welche der folgenden Aussagen treffen auf das Transsudat zu: (2)

A ☐ spezifisches Gewicht über 1015
B ☐ spezifisches Gewicht unter 1015
C ☐ Rivalta-Probe positiv
D ☐ Rivalta-Probe negativ

44. Zeichen der Pleuritis exsudativa: (3)

A ☐ Peurareiben
B ☐ kein Pleurareiben
C ☐ keine Schmerzen beim Atmen
D ☐ Schmerzen beim Atmen
E ☐ Patient liegt auf der kranken Seite
F ☐ perkutorisch: Dämpfung

---

40 B, D, E   41 A   42 A, C   43 B, D   44 B, C, F

45. **Symptome der klassischen Lobärpneumonie: (3)**

A ☐ Pflaumenbrühsputum (mit Fibrin und Blut)
B ☐ Bradykardie
C ☐ plötzlicher Schüttelfrost
D ☐ Atemnot, Husten, Seitenstechen
E ☐ relative Bradykardie

46. **Als Apnoe wird bezeichnet: (1)**

A ☐ die beschleunigte Atmung
B ☐ der atemlose Zustand
C ☐ die normale, ungestörte Atmung
D ☐ die gestörte, erschwerte Atmung

47. **Primär pulmonale Erkrankungen mit Lungenblutungen: (4)**

A ☐ Bronchialkarzinom
B ☐ Bronchiektasen
C ☐ Mitralstenose
D ☐ Lungeninfarkt
E ☐ Mediastinaltumor
F ☐ Tuberkulose (Lunge)
G ☐ Lungenabszess

48. **Welche Maßnahmen gehören zur Therapie der akuten Bronchitis: (4)**

A ☐ vorsichtig assistierte Beatmung
B ☐ Ausschaltung der Noxen
C ☐ Moronal
D ☐ Antibiotika
E ☐ Expektoranzien
F ☐ Inhalationen
G ☐ Lobektomie
H ☐ Zytostatika

---

45 A, C, D   46 B   47 A, B, F, G   48 B, D, E, F

49. Bis zum Eintreffen des Arztes werden bei einem Patienten mit schwerer Atemnot folgende Maßnahmen ergriffen: (2)

A ☐ Zuführen von Sauerstoff
B ☐ Verabreichung von Kortikoiden
C ☐ Gabe von Beruhigungsmitteln
D ☐ Oberkörperhochlagerung
E ☐ Oberkörperflachlagerung

50. Ein über längere Zeit bestehendes Lungenemphysem führt: (1)

A ☐ zur respiratorischen Alkalose
B ☐ zum Cor pulmonale
C ☐ zur Hypertonie im großen Kreislauf
D ☐ zu einer vermehrten Beanspruchung der linken Herzkammer

51. Bei welchen Symptomen besteht Verdacht auf ein Bronchialkarzinom: (3)

A ☐ Gewichtsverlust – Raucheranamnese
B ☐ Pleurareiben
C ☐ trockenem Reizhusten
D ☐ Hämoptoe
E ☐ akuter Atemnot

52. Welche Erkrankung ist wahrscheinlich bei maulvoller Expektoration mit typischer Dreischichtung des Sputums: (1)

A ☐ Lobärpneumonie
B ☐ Bronchial-Karzinom
C ☐ Bronchiektasen
D ☐ Asthma bronchiale

53. Eosinophile Lungeninfiltrate werden beobachtet: (2)

A ☐ ein bis zwei Wochen nach einer Askariden-Infektion
B ☐ bei der chronischen Bronchitis
C ☐ bei der Streptokokkenpneumonie
D ☐ beim Asthma bronchiale

---

49 A, D   50 B   51 A, C, D   52 C   53 A, D

54. Ursachen des akuten Lungenödems: (3)

A ☐ Myokardinfarkt
B ☐ Rechtsherzinsuffizienz
C ☐ Trikuspidalstenose
D ☐ Mitralstenose
E ☐ Inhalationsvergiftungen (Chlor)

55. Als Dyspnoe wird bezeichnet: (1)

A ☐ die beschleunigte Atmung
B ☐ der atemlose Zustand
C ☐ die normale, ungestörte Atmung
D ☐ die gestörte, erschwerte Atmung

56. Welches Sputum tritt beim Lungengangrän auf: (1)

A ☐ eitrig-gelbes Münzensputum
B ☐ weißschaumiges Blutwasser-Sputum
C ☐ stark stinkendes, zwetschenbrühfarbenes Sputum

57. Welche typischen Ventilationsstörungen treten beim Asthma bronchiale auf: (2)

A ☐ verlängerte Exspirationsphase
B ☐ verlängerte Inspirationsphase
C ☐ erhöhte Vitalkapazität
D ☐ verminderte Vitalkapazität

58. Als Ursache für das Lungenödem kommt in Frage: (1)

A ☐ Rechtsherzinsuffizienz
B ☐ Linksherzinsuffizienz

59. Rivalta-Probe: (1)

A ☐ dient zur Diagnosesicherung beim Lungenriss
B ☐ wird bei der Pleuritis sicca angewandt
C ☐ ist eine qualitative Atemfunktionsprobe
D ☐ dient zur Unterscheidung von Transsudat und Exsudat

---

54 A, D, E   55 D   56 C   57 A, D   58 B   59 D

60. Extrapulmonale Ursachen der Lungenblutungen: (3)

A ☐ Bronchialkarzinom
B ☐ Bronchiektasen
C ☐ Mitralstenose
D ☐ Lungeninfarkt
E ☐ Mediastinaltumor
F ☐ Tuberkulose (Lunge)
G ☐ Lungenabszess

61. Komplikationen der akuten Bronchitis: (2)

A ☐ Tuberkulose
B ☐ Mediastinitis
C ☐ Bronchiolitis (besonders bei Kleinkindern)
D ☐ Bronchopneumonie

62. Die häufigste Ursache der Pleuritis ist: (1)

A ☐ der Lungeninfarkt
B ☐ das Cor pulmonale
C ☐ die ulzerierende Tracheitis
D ☐ die Tuberkulose

63. Welche Symptome sprechen für Bronchiektasen: (2)

A ☐ morgendliche maulvolle Expektoration
B ☐ trockener Reizhusten
C ☐ dreischichtiges Sputum
D ☐ rostbraunes Sputum

64. Welche Maßnahmen gehören zur Therapie des akuten Asthma-Anfalles: (3)

A ☐ Gabe von Kortikoiden
B ☐ Gabe von Antikoagulanzien
C ☐ Aderlass
D ☐ Gabe von Bronchospasmolytika
E ☐ Gabe von Sauerstoff

---

60 C, D, E   **61** C, D   **62** D   **63** A, C   **64** A, D, E

65. Die exspiratorische Dyspnoe wird verursacht durch: (2)

A ☐ einen Laryngospasmus
B ☐ ein Glottisödem
C ☐ ein Lungenemphysem
D ☐ das Asthma bronchiale
E ☐ Schleimhautschwellungen in der Nase

66. Der exspiratorische Stridor ist das Kardinalsymptom: (1)

A ☐ beim Lungenemphysem
B ☐ bei Polypen im Nasen-Rachen-Raum
C ☐ bei exspiratorischem Trachealkollaps

67. Atemstillstand wird bezeichnet als: (1)

A ☐ Dyspnoe
B ☐ Asphyxie
C ☐ Apnoe
D ☐ Orthopnoe

68. Welche Beschwerden verursacht ein Lungenemphysem: (2)

A ☐ heftige, stechende Schmerzen bei jedem Atemzug
B ☐ Kurzatmigkeit
C ☐ Husten bei Raumtemperaturwechsel
D ☐ hohes remittierendes Fieber

69. Die trockene Rippenfellentzündung wird bezeichnet: (1)

A ☐ als Pleuritis sicca
B ☐ als Pleurakarzinose
C ☐ als Pleuritis exsudativa
D ☐ als Pleuraempyem

70. Chylothorax bedeutet: (1)

A ☐ Luftansammlung im Pleuraraum
B ☐ Krebsausbreitung über die Pleura
C ☐ Lymphflüssigkeit im Pleuraraum

---

65 C, D   66 C   67 C   68 B, C   69 A   70 C

71. Welche Erkrankung verursacht eine Wabenlunge: (1)

A ☐ Bronchiektasen
B ☐ Bronchialasthma
C ☐ Lungenfibrose

72. Das Pleuraexsudat: (2)

A ☐ ist hell
B ☐ ist trüb
C ☐ hat ein spezifisches Gewicht über 1015
D ☐ hat ein spezifisches Gewicht unter 1015

73. Die Rivalta-Probe: (2)

A ☐ ist beim Transsudat positiv
B ☐ ist beim Transsudat negativ
C ☐ ist beim Exsudat positiv
D ☐ ist beim Exsudat negativ

74. Die morgendliche maulvolle Expektoration ist ein Kardinalsymptom für: (1)

A ☐ die Pneumonie
B ☐ die Bronchitis
C ☐ das Asthma bronchiale
D ☐ die Bronchiektasen

75. Sofortmaßnahmen der Pflegeperson bei einem Patienten mit Lungenödem: (4)

A ☐ den Patienten aufsetzen und beruhigen
B ☐ den Patienten flach lagern in stabiler Seitenlage
C ☐ Überprüfung der Urinausscheidung
D ☐ Fenster öffnen
E ☐ Aderlass (blutig)
F ☐ sofortige Volumenauffüllung (Autotransfusion)
G ☐ Sauerstoffzufuhr
H ☐ den Arzt benachrichtigen

---

71 C   72 B, C   73 B, C   74 D   75 A, D, G, H

76. **Symptome des Asthmaanfalls sind alle, außer: (1)**

A ☐ Dyspnoe
B ☐ verlängertes Exspirium
C ☐ giemende Geräusche bei der Ausatmung
D ☐ inspiratorischer Stridor
E ☐ Tachykardie

77. **Komplikationen einer Pneumonie: (2)**

A ☐ Pleuraempyem
B ☐ Lungenabszess
C ☐ Zwerchfelllähmung
D ☐ Lungenembolie

78. **Bei welchen Erkrankungen ist mit Lungenblutungen zu rechnen: (3)**

A ☐ Steinstaublunge
B ☐ Bronchialkarzinom
C ☐ Asthma
D ☐ Tuberkulose
E ☐ Bronchiektasen
F ☐ Bronchitis

4. Krankheiten der Verdauungsorgane

1. Das Bakterium Helicobacter pylori: (4)

   A ☐ kann nachgewiesen werden histologisch im Biopsiematerial
   B ☐ ist ein Risikofaktor für die Entstehung chronischer Formen der Gastritis
   C ☐ kann mit Antibiotika und Säurehemmern behandelt werden
   D ☐ ist ein apathogener Keim im Magensaft
   E ☐ kann ein peptisches Ulcus duodeni hervorrufen
   F ☐ ist verantwortlich für die Entstehung einer Cholezystitis

2. Welche Symptome weisen auf ein Ulcus ventriculi hin: (2)

   A ☐ Nüchternschmerz
   B ☐ Sofort- oder Spätschmerz
   C ☐ Anazidität des Magensaftes
   D ☐ Hyperazidität des Magensaftes

3. Bei der festgeschrittenen Leberzirrhose kommt es durch portale Hypertension: (3)

   A ☐ zur Aszitesbildung
   B ☐ zu Oesophagusvarizen
   C ☐ zum Ulcus pepticum
   D ☐ zu erweiterten Paraumbilikalvenen (Caput medusae)
   E ☐ zu Beinödemen

4. Ein prähepatischer Ikterus entsteht durch: (1)

   A ☐ Hepatitis
   B ☐ Leberzirrhose
   C ☐ Hämolyse
   D ☐ Tumoren der Gallengänge
   E ☐ Gallensteine

---

1 A, B, C, E   2 B, D   3 A, B, D   4 C

5. **Die Gärungsdyspepsie entsteht durch: (1)**

A ☐ ungenügende Kohlenhydratverdauung
B ☐ ungenügende Eiweißverdauung
C ☐ ungenügende Fettverdauung

6. **Therapeutische Maßnahmen bei akuter Pankreatitis: (3)**

A ☐ Frühmobilisation
B ☐ strenge Bettruhe
C ☐ völlige Nahrungskarenz
D ☐ eiweißreiche Diät
E ☐ geringe Gaben von Alkohol zur Anregung der Magensaft-
      sekretion
F ☐ parenterale Ernährung

7. **Subazidität bedeutet: (1)**

A ☐ verminderter Gehalt an freier Salzsäure im Magensaft
B ☐ Fehlen von freier Salzsäure im Magensaft
C ☐ fehlende Magensaftbildung
D ☐ normale Säureproduktion der Magenschleimhaut
E ☐ Erhöhung der Gesamtazidität des Magensaftes bei vorhandener
      freier Salzsäure

8. **Welche Erkrankungen werden als Präkanzerosen des
   Kolonkarzinoms bezeichnet: (2)**

A ☐ Hämorrhoiden
B ☐ Polypen
C ☐ Colitis ulcerosa
D ☐ Kolondivertikel
E ☐ Sprue

---

5 A   6 B, C, F   7 A   8 B, C

9. Welche Gallensteinarten gibt es: (3)

A ☐ Cholesterin-Steine
B ☐ Urat-Steine
C ☐ Cholesterin-Kalk-Steine
D ☐ Bilirubin-Steine
E ☐ Oxalat-Steine
F ☐ Phosphat-Steine

10. Welche Aussagen treffen auf ein Exsudat zu: (4)

A ☐ zellarm
B ☐ zellreich
C ☐ Eiweißgehalt bis 2,5 %
D ☐ Eiweißgehalt über 3,0 %
E ☐ Rivaltaprobe positiv
F ☐ Rivaltaprobe negativ
G ☐ spezifisches Gewicht unter 1015
H ☐ spezifisches Gewicht über 1015

11. Die akute Pankreatitis zeigt folgende Symptome: (4)

A ☐ Erhöhung der Urinamylase
B ☐ Erhöhung der Blutamylase
C ☐ Verminderung der Urinamylase
D ☐ Verminderung der Blutamylase
E ☐ Übelkeit und Erbrechen nach Nahrungsaufnahme
F ☐ Oberbauchschmerzen-stärkerer Nüchternschmerz
G ☐ verstärkte Oberbauchschmerzen nach Nahrungsaufnahme

12. Bei Ösophagusvarizenblutungen wird die Blutstillung erreicht durch: (3)

A ☐ Hämostyptika
B ☐ Drucksteigerung im Portalkreislauf
C ☐ Einlegen einer Sengstaken-Blakemore-Sonde
D ☐ reflektorische HCl-Sekretionssteigerung
E ☐ Einlegen eines Katheters nach Malecet
F ☐ Einlegen einer Redon-Saug-Drainage
G ☐ Drucksenkung im Portalkreislauf

---

9 A, C, D   **10** B, D, E, H   **11** A, B, E, G   **12** A, C, G

13. Zum klinischen Bild des mechanischen Ileus gehören: (4)

A ☐ Meteorismus
B ☐ Totenstille im Bauchraum
C ☐ wehenartige Leibschmerzen
D ☐ Erbrechen (z. T. Koterbrechen)
E ☐ gespannte bis harte Bauchdecke
F ☐ Stuhl- und Windverhaltung

14. Eine akute Pankreatitis kann ausgelöst werden durch: (3)

A ☐ Meteorismus
B ☐ Mumps-Viren
C ☐ latenten Diabetes mellitus
D ☐ schwere Diätfehler (Alkohol)
E ☐ Gallengangentzündungen
F ☐ Colitis ulcerosa

15. Zum mechanischen Ileus gehören der: (2)

A ☐ paralytische Ileus
B ☐ Okklusionsileus
C ☐ spastische Ileus
D ☐ Strangulationsileus

16. Durch welche Krankheit können Gallensteine hervorgerufen werden: (1)

A ☐ Leberzirrhose
B ☐ hämolytische Anämie
C ☐ Herzinsuffizienz
D ☐ Colitis ulcerosa

---

13 A, C, D, F   14 B, D, E   15 B, D   16 B

17. Die Diagnose »Ulcus ventriculi« ist in den meisten Fällen zu erhärten durch: (3)

A ☐ eine Endoradiosonde (Heidelberger Kapsel)
B ☐ eine Röntgen-Kontrastaufnahme
C ☐ die Gastrokamera
D ☐ Die Stuhluntersuchung auf occultes Blut
E ☐ die Gastroskopie
F ☐ den Schilling-Test
G ☐ die blinde Schleimhautbiopsie

18. Ulkuskrankheit: (3)

A ☐ ein Ulkus ist ein Defekt der Schleimhaut im Magen oder Duodenum
B ☐ für die Entstehung von Ulcera können Medikamente (Antirheumatika, Kortikoide) die Ursache sein
C ☐ Symptome sind vor allem Druckschmerzen im rechten Unterbauch
D ☐ als Komplikationen treten Bluterbrechen und Teerstühle auf

19. Hauptursachen der Autodigestion der Bauchspeicheldrüse: (2)

A ☐ Diabetes mellitus
B ☐ chronische Pankreatitis
C ☐ gesteigerte Sekretion von Pankreassaft
D ☐ Hepatitis
E ☐ Abflussbehinderung des Pankreassaftes

20. Ursachen einer Gastritis acuta: (4)

A ☐ Alkohol in höherer Konzentration und größerer Menge
B ☐ ätzende Flüssigkeiten
C ☐ Bakterien
D ☐ Toxine
E ☐ Ösophagusvarizen
F ☐ Ösophagusdivertikel
G ☐ Gärungsdyspepsie

---

17 B, C, E   18 A, B, D   19 C, E   20 A, B, C, D

21. Häufigste Ursache der Ösophagusvarizen-Bildung: (1)

A ☐ Ösophagustumoren
B ☐ Ösophagusdivertikel
C ☐ Leberzirrhose
D ☐ Ösophagitis
E ☐ Pulsionsdivertikel der Speiseröhre
F ☐ Cholelithiasis

22. Welche Transaminasen sind bei der akuten Hepatitis wesentlich erhöht: (2)

A ☐ CPK
B ☐ GLDH
C ☐ SGPT
D ☐ SGOT

23. 50 % aller Darmkarzinome befallen: (1)

A ☐ das Zökum
B ☐ den Dünndarm
C ☐ das Colon ascendens
D ☐ das Colon transversum
E ☐ das Colon descendens
F ☐ das Colon sigmoides
G ☐ das Rektum

24. Welche Gallensteine sind röntgenologisch ohne Kontrastmittel nachweisbar: (2)

A ☐ sehr kleine, maulbeerförmige Bilirubin-Kalk-Steine
B ☐ kleine fazettierte Cholesterin-Kalk-Steine
C ☐ große Solitärsteine aus Cholesterin

25. Sicherstes klinisches Zeichen für eine freie Magenperforation: (1)

A ☐ heftiger Schmerz
B ☐ Abwehrspannung
C ☐ subphrenische Luftsichel
D ☐ Hämatemesis
E ☐ Melaena

---

21 C   22 C, D   23 G   24 A, B   25 C

26. Welche Komplikation verursacht ein Steinverschluss des Ductus cysticus: (1)

A ☐ Verschlussikterus
B ☐ Hepatitis
C ☐ Gallenblasenhydrops

27. Welche Transaminasen zeigen bei Steinverschluss der Gallengänge im Vergleich zur Hepatitis höhere Werte an: (2)

A ☐ AP
B ☐ GLDH
C ☐ CPK
D ☐ SGPT
E ☐ SGOT

28. Bei welchen Erkrankungen tritt ein nichtentzündlicher Aszites (Transsudat) auf: (3)

A ☐ Herzinsuffizienz
B ☐ Eiweißmangelschaden
C ☐ tuberkulöse Peritonitis
D ☐ Perforationsperitonitis
E ☐ Leberzirrhose

29. Welche typischen Beschwerden werden durch Gallensteinkoliken verursacht: (3)

A ☐ Übelkeit
B ☐ Erbrechen
C ☐ Rückenschmerzen, die zur Genitalgegend oder zum Oberschenkel ausstrahlen
D ☐ Oberbauchschmerzen, die zum Rücken oder in die rechte Schulter ausstrahlen
E ☐ Schüttelfrost
F ☐ Hämaturie

---

26 C   27 A, B   28 A, B, E   29 A, B, D

30. **Welche akuten Komplikationen treten beim Ulcus ventriculi auf: (2)**

A ☐ narbige Stenosen
B ☐ Pylorusstenose
C ☐ Blutung
D ☐ Penetration
E ☐ Perforation
F ☐ karzinomatöse Entartung

31. **Erstes Symptom beim Ösophaguskarzinom: (1)**

A ☐ Hämatemesis
B ☐ Megaösophagus
C ☐ Tachykardie
D ☐ Bradykardie
E ☐ Dysphagie
F ☐ Dyspnoe

32. **Symptome bei Achalasie: (3)**

A ☐ Schluckbeschwerden
B ☐ lehmfarbener Stuhl
C ☐ Regurgitieren unverdauter Speisen
D ☐ Nüchternschmerz
E ☐ retrosternale Schmerzen
F ☐ Erbrechen großer Mengen angedauter Speisereste vom Vortage

33. **Anazidität bedeutet: (1)**

A ☐ Erhöhung der Gesamtazidität des Magensaftes bei vorhandener freier Salzsäure
B ☐ verminderter Gehalt an freier Salzsäure im Magensaft
C ☐ Fehlen von freier Salzsäure im Magensaft
D ☐ Fehlende Magensaftbildung
E ☐ normale Säureproduktion der Magenschleimhaut

---

30 C, E   **31** E   **32** A, C, E   **33** C

34. Welche Komplikationen können beim Ulcus duodeni auftreten: (3)

A ☐ Penetration in den Pankreaskopf
B ☐ Penetration in die Nieren
C ☐ Pylorusstenose
D ☐ Ösophagusvarizen
E ☐ Perforation
F ☐ Colitis ulcerosa

35. Zum funktionellen Ileus gehören: (2)

A ☐ der Okklusionsileus
B ☐ der paralytische Ileus
C ☐ der spastische Ileus
D ☐ der Strangulationsileus

36. Bei der chronischen Pankreatitis können im Stuhl nachgewiesen werden: (2)

A ☐ Blut
B ☐ Fett-Tröpfchen
C ☐ Würmer
D ☐ Wurmeier
E ☐ Stärkekörner

37. Bei welchen Erkrankungen tritt entzündlicher Aszites (Exsudat) auf: (2)

A ☐ Perforationsperitonitis
B ☐ Leberzirrhose
C ☐ tuberkulöse Peritonitis
D ☐ prähepatischer Gefäßverschluss
E ☐ Herzinsuffizienz
F ☐ Eiweißmangelschaden

---

34 A, C, E   **35** B, C   **36** B, E   **37** A, C

38. Welche Diagnose kann gesichert werden durch eine Röntgenübersichtsaufnahme des Abdomens im Stehen: (1)

A ☐ Magenblutung
B ☐ Magenperforation
C ☐ Kolonkarzinom
D ☐ Colitis ulcerosa
E ☐ Ösophagusvarizen

39. Unter Cholangitis versteht man: (1)

A ☐ Gallengangentzündung
B ☐ Gallenwegkarzinom
C ☐ Gallensteinleiden
D ☐ Gallenblasenentzündung

40. Welche Aussagen treffen auf ein Transsudat zu: (4)

A ☐ spezifisches Gewicht unter 1015
B ☐ spezifisches Gewicht über 1015
C ☐ Rivalta-Probe positiv
D ☐ Rivalta-Probe negativ
E ☐ Eiweißgehalt bis 2,5 %
F ☐ Eiweißgehalt über 3,0 %
G ☐ zellreich
H ☐ zellarm

41. Häufigste angeborene Missbildung des Ösophagus: (1)

A ☐ Ösophagusektasie
B ☐ Ösophagusatresie
C ☐ Ösophagusvarizen
D ☐ Ösophagusdivertikel

42. Welche Symptome treten beim Verschlussikterus nicht auf: (2)

A ☐ Verdinikterus
B ☐ Milzvergrößerung
C ☐ Juckreiz
D ☐ brauner Urin
E ☐ Kephalinreaktion

---

38 B   39 A   40 A, D, E, H   41 B   42 B, E

43. Bei der Fäulnisdyspepsie: (3)

A ☐ liegt ein Trypsinmangel vor
B ☐ können im Stuhl Muskelfasern nachgewiesen werden
C ☐ können im Stuhl Stärkekörner nachgewiesen werden
D ☐ liegt ein Amylasemangel vor
E ☐ sollten dem Patienten leicht verdauliche Kohlenhydrate zugeführt werden
F ☐ werden voluminöse, hellgelbe Stühle mit stechend-säuerlichem Geruch ausgeschieden

44. Hauptsymptom der akuten Pankreatitis: (1)

A ☐ Ikterus
B ☐ Schock
C ☐ Anurie
D ☐ vernichtender Schmerz im rechten Oberbauch
E ☐ vernichtender Schmerz im linken Oberbauch

45. Ursachen der Diarrhoe: (3)

A ☐ schlackenarme Kost
B ☐ schlaffes, ausgeweitetes Kolon
C ☐ Hämorrhoiden
D ☐ Fieber und Bettruhe
E ☐ Hyperthyreose
F ☐ Darmparasiten
G ☐ Colitis mucosa

46. Ein mechanischer Ileus wird verursacht durch: (3)

A ☐ eine Peritonitis
B ☐ eine Strangulation
C ☐ eine Invagination
D ☐ einen Volvulus
E ☐ einen Mesenterialinfarkt
F ☐ eine Pankreatitis

---

43 A, B, E   44 E   45 E, F, G   46 B, C, D

47. **Welche Erkrankung wird nur konservativ behandelt: (1)**

A ☐ mechanischer Ileus
B ☐ akute Appendizitis
C ☐ akute Pankreatitis
D ☐ Perforation der Gallenblase
E ☐ Tubarruptur

48. **Aus welchen Erkrankungen kann eine chronische Hepatitis entstehen: (2)**

A ☐ toxischer Fettleber
B ☐ akuter Hepatitis
C ☐ akuter Cholezystitis
D ☐ akuter Cholangitis

49. **Ursachen für ein akutes Abdomen: (5)**

A ☐ mechanischer Ileus
B ☐ Colitis ulcerosa
C ☐ akute Appendizitis
D ☐ Perforation der Gallenblase
E ☐ akute Hepatitis
F ☐ Hydronephrose
G ☐ Mesenterialinfarkt
H ☐ Leberzirrhose
J ☐ Tubarruptur

50. **Direktes Bilirubin ist: (4)**

A ☐ erhöht bei der Hämolyse
B ☐ erhöht bei mechanischem Ikterus
C ☐ erhöht bei Verschluss der Gallenwege
D ☐ wasserlöslich
E ☐ nicht wasserlöslich
F ☐ harngängig
G ☐ nicht harngängig

---

47 C   48 A, B   49 A, C, D, G, J   50 B, C, D, F

51. Meteorismus bedeutet: (1)

    A ☐ vermehrter Abgang von Darmgasen
    B ☐ vermehrter Gasgehalt im Magen-Darmtrakt
    C ☐ Plätschergeräusch im Darm

52. Welche Folgen hat die Verklemmung eines Gallensteines im Ductus choledochus: (4)

    A ☐ Ikterus
    B ☐ Urobilinogen im Harn erhöht
    C ☐ Urobilinogen im Harn nicht vorhanden
    D ☐ direktes Bilirubin im Serum vermindert
    E ☐ direktes Bilirubin im Serum erhöht
    F ☐ alkalische Phosphatase erhöht
    G ☐ direktes Bilirubin im Stuhl vermehrt

53. Das Ulcus pepticum jejuni: (1)

    A ☐ entsteht durch die Gärungsdyspepsie
    B ☐ entsteht durch die Fäulnisdyspepsie
    C ☐ entsteht durch die Achylie des Magens
    D ☐ tritt nur nach Anastomosenulcus auf

54. Worin besteht die Behandlung der akuten Hepatitis: (2)

    A ☐ Penicillingaben
    B ☐ Kortikosteroide bis 100 mg/die
    C ☐ Bettruhe
    D ☐ Diät

55. Symptome der Colitis ulcerosa: (3)

    A ☐ Fieber
    B ☐ Bradykardie
    C ☐ Obstipation
    D ☐ schleimig-blutige Durchfälle
    E ☐ Leukozytose
    F ☐ Gärungsstühle wechselnd mit Fäulnisstühlen

---

51 B   52 A, C, E, F   53 D   54 C, D   55 A, D, E

56. Welche Symptome weisen auf ein Ulcus duodeni hin: (2)

A ☐ Nüchternschmerz
B ☐ Sofort- oder Spätschmerz
C ☐ Anazidität des Magensaftes
D ☐ Hyperazidität des Magensaftes

57. Komplikationen einer Gallensteinkolik: (3)

A ☐ Diabetes mellitus
B ☐ Colitis ulcerosa
C ☐ Anurie
D ☐ Perforation
E ☐ Ikterus
F ☐ Cholangitis

58. Superazidität bedeutet: (1)

A ☐ normale Säureproduktion der Magenschleimhaut
B ☐ fehlende Magensaftbildung
C ☐ Erhöhung der Gesamtazidität des Magensaftes bei vorhandener freier Salzsäure
D ☐ verminderter Gehalt an freier Salzsäure im Magensaft
E ☐ Fehlen von freier Salzsäure im Magensaft

59. Tenesmus ani tritt auf bei: (2)

A ☐ Blasenkatarrh
B ☐ Meteorismus
C ☐ Proktitis
D ☐ Diarrhoe
E ☐ Gärungsdyspepsie
F ☐ Luftschlucken
G ☐ fehlendem Gallensaft
H ☐ Hämatemesis
J ☐ akuter Cholezystitis

---

56 A, D   57 D, E, F   58 C   59 A, C

60. Glutenfreie Kost, parenterale Zufuhr von Vitaminen und fettarme Ernährung gehören zur Therapie bei: (1)

A ☐ Enteritis regionalis Crohn
B ☐ Sprue
C ☐ Divertikulitis
D ☐ Colitis ulcerosa
E ☐ chronischer Obstipation
F ☐ Diabetes mellitus
G ☐ Cholangitis
H ☐ Meteorismus
J ☐ Gärungsdyspepsie
K ☐ Fäulnisdyspepsie

61. Welche Symptome sind nicht typisch für einen Verschlussikterus: (2)

A ☐ Ödeme
B ☐ brauner Stuhl
C ☐ brauner Urin
D ☐ Juckreiz
E ☐ acholischer Stuhl
F ☐ Ikterus

62. Unter Cholelithiasis versteht man: (1)

A ☐ Gallengangentzündung
B ☐ Gallengangkarzinom
C ☐ Gallensteinleiden
D ☐ Gallenblasenentzündung
E ☐ verminderte Ausscheidung von Gallensaft
F ☐ vermehrte Ausscheidung von Gallensaft

---

60 B   61 A, B   62 C

63. **Welche Komplikationen treten bei der Leberzirrhose auf: (3)**

A ☐ Ösophagusvarizen
B ☐ Blutungsneigung
C ☐ Juckreiz
D ☐ Aszites
E ☐ Lähmungen
F ☐ brauner Stuhl
G ☐ Ulcus duodeni
H ☐ akute Appendizitis

64. **Der »Nüchternschmerz« ist typisch für: (1)**

A ☐ ein Ulcus ventriculi
B ☐ ein Ulcus duodeni
C ☐ eine Nierenkolik
D ☐ eine Pankreasentzündung
E ☐ eine akute Appendizitis
F ☐ eine Colitis ulcerosa
G ☐ eine Divertikulitis

65. **Der »Sofortschmerz« und der »Spätschmerz« sind typisch für: (1)**

A ☐ Ulcus ventriculi
B ☐ Ulcus duodeni
C ☐ eine Nierenkolik
D ☐ eine Pankreasentzündung

66. **Meteorismus kann folgende Ursachen haben: (4)**

A ☐ Luftschlucken
B ☐ Abführmittel
C ☐ Behinderung der Darmpassage
D ☐ blähende Speisen
E ☐ gesteigerte nervöse Erregbarkeit
F ☐ Leberzirrhose
G ☐ Hyperthyreose

---

63 A, B, D   **64** B   **65** A   **66** A, C, D, F

67. Ein posthepatischer Ikterus entsteht durch: (2)

A ☐ Hepatitis
B ☐ Leberzirrhose
C ☐ Hämolyse
D ☐ Gallensteine
E ☐ Tumoren der Gallengänge

68. Welche Faktoren können zur Fettleber führen: (3)

A ☐ chronischer Alkoholabusus
B ☐ Cholelithiasis
C ☐ Fettsucht
D ☐ akute Virushepatitis
E ☐ hämolytischer Ikterus
F ☐ Diabetes mellitus
G ☐ Perforation der Gallenblase
H ☐ Mesenterialinfarkt
J ☐ Colitis mucosa

69. Welches Symptom gehört nicht zum klassischen Bild der Hepatitis: (1)

A ☐ Durchfall
B ☐ Hautjucken
C ☐ dunkelbrauner Urin
D ☐ acholischer Stuhl

70. Welche Komplikationen können beim Ulcus duodeni auftreten: (3)

A ☐ Penetration
B ☐ Perforation
C ☐ starke Blutung
D ☐ Colitis ulcerosa
E ☐ Ösophagusvarizen
F ☐ Penetration in die linke Niere

---

67 D, E   **68** A, C, F   **69** A   **70** A, B, C

71. **Welche Erkrankungen führen zum Verschlussikterus: (2)**

A ☐ Hepatitis
B ☐ Konkrement im Ductus cysticus
C ☐ Konkrement im Ductus choledochus
D ☐ Pankreaskopf-Karzinom

72. **Indirektes Bilirubin ist: (3)**

A ☐ erhöht bei der Hämolyse
B ☐ vermindert bei der Hämolyse
C ☐ erhöht bei Verschluss der Gallenwege
D ☐ wasserlöslich
E ☐ nicht wasserlöslich
F ☐ harngängig
G ☐ nicht harngängig

73. **Symptomatologie der Hiatushernie: (3)**

A ☐ Schmerzen im Epigastrium
B ☐ verstärkte Schmerzen im Stehen
C ☐ verstärkte Schmerzen im Liegen
D ☐ Nüchternschmerz
E ☐ verstärkte Beschwerden nach reichlicher Nahrungsaufnahme
F ☐ Loslassschmerz

74. **Diarrhoen entstehen durch eine: (4)**

A ☐ verstärkte Darmperistaltik
B ☐ verminderte Darmperistaltik
C ☐ beschleunigte Magen-Darm-Passage
D ☐ verlangsamte Magen-Darm-Passage
E ☐ erhöhte Resorptionsleistung
F ☐ mangelhafte Resorptionsleistung
G ☐ verminderte Darmsekretion
H ☐ gesteigerte Darmsekretion

---

71 C, D   72 A, E, G   73 A, C, E   74 A, C, F, H

75. Komplikationen nach einer $^2/_3$-Resektion des Magens: (3)

A ☐ Stumpfgastritis
B ☐ Ulcus pepticum jejuni
C ☐ Cholelithiasis
D ☐ Dumping-Syndrom

76. Komplikationen eines Ulcus ventriculi: (4)

A ☐ Blutung
B ☐ Kolitis
C ☐ Penetration
D ☐ Perforation
E ☐ Ösophagusvarizen
F ☐ maligne Entartung
G ☐ Divertikulitis

77. Der Körper wird bei schweren Durchfällen am stärksten geschädigt durch: (1)

A ☐ Eiweißmangel
B ☐ verminderte Nährstoffresorption
C ☐ Wasser- und Elektrolytverlust
D ☐ Fermentverlust

78. Ursachen der Obstipation: (3)

A ☐ schlackenarme Kost
B ☐ Typhus, Ruhr
C ☐ Intoxikationen (Alkohol, Blei)
D ☐ Hämorrhoiden
E ☐ Hyperthyreose
F ☐ Fieber und Bettruhe
G ☐ Reizung durch Radiumstrahlen

---

75 A, B, D   76 A, C, D, F   77 C   78 A, D, F

79. Für den Morbus Crohn trifft zu: (2)

A ☐ es handelt sich um eine Überempfindlichkeitsreaktion der Dünndarmschleimhaut auf Gluten

B ☐ es handelt sich um eine granulomatöse Erkrankung, die alle Abschnitte des Speiseröhren-Magen-Darm-Kanals befallen kann

C ☐ diätische Behandlung mit schlackenarmer Kost, in schweren Fällen parenterale Ernährung

D ☐ diätische Behandlung mit glutenfreier Kost

80. Komplikationen beim chronischen Magengeschwür: (3)

A ☐ Perforation

B ☐ Blutung

C ☐ perniziöse Anämie

D ☐ maligne Entartung

81. Sicheres Zeichen für einen paralytischen Ileus: (1)

A ☐ heftige Peristaltik und klingende Darmgeräusche

B ☐ krampfartige Leibschmerzen

C ☐ »Totenstille« über dem Abdomen

D ☐ tastbare eingeklemmte Schenkelhernie

E ☐ brettharter Bauch

F ☐ Abwehrspannung

82. Sicherstes klinisches Zeichen für eine freie Magenperforation: (1)

A ☐ subphrenische Luftsichel im Röntgenbild auf der Abdomenübersichtsaufnahme

B ☐ Hämatemesis

C ☐ Spiegelbildungen auf der Abdomenübersichtsaufnahme

D ☐ Abwehrspannung

E ☐ brettharter Bauch

F ☐ heftige Schmerzen

G ☐ Melaena

---

79 B, C   80 A, B, D   81 C   82 A

83. **Was ist eine Achalasie:** (1)

A ☐ fehlender Gallensaft
B ☐ fehlende Magensaftproduktion
C ☐ Sodbrennen durch Reflux
D ☐ funktionelle Passagebehinderung der Speiseröhre
E ☐ Magenausgangstenose

84. **Die Kolonkarzinome:** (2)

A ☐ sitzen zu 80 % im Colon ascendens
B ☐ sind besonders häufig im Sigma-Bereich
C ☐ führen schon frühzeitig zum mechanischen Ileus
D ☐ werden meist erst spät durch Blutbeimengungen im Stuhl auffällig
E ☐ neigen nicht zu einer frühzeitigen lymphogenen Metastasierung
F ☐ sitzen zu 75 % im Colon transversum
G ☐ befallen am häufigsten Jugendliche

85. **Hauptursachen einer Melaena:** (3)

A ☐ Ösophagusvarizen
B ☐ Hämorrhoiden
C ☐ peptische Ulzera
D ☐ Magenkarzinom
E ☐ Rektumkarzinom
F ☐ Sigmafissuren

---

83 D   84 B, D   85 A, C, D

97

5. Erkrankungen des Stoffwechsels

1. Mögliche Ursachen eines Coma diabeticum: (3)

   A ☐ Auslassen von Mahlzeiten bei gleichbleibender Insulindosis

   B ☐ Diätfehler mit erheblicher Überschreitung der verordneten Kohlenhydratmenge

   C ☐ schwere psychische Belastungen eines vorher gut eingestellten Diabetikers

   D ☐ eigenmächtige Erhöhung der Insulindosis oder der oral wirksamen Antidiabetika

   E ☐ absoluter Insulinmangel

2. Therapie bei Gicht: (4)

   A ☐ purinreiche Diät

   B ☐ Abbau von Übergewicht

   C ☐ harnsäuresenkende Medikamente (Allopurinol, Zyloric)

   D ☐ kein Alkohol

   E ☐ Gabe von Colchicin im akuten Gichtanfall

   F ☐ eingeschränkte Flüssigkeitszufuhr

3. Osteoporose: (4)

   A ☐ ist eine Erkrankung des Skelettsystems mit Verlust bzw. Verminderung der Knochensubstanz

   B ☐ kann bei fortgeschrittener Erkrankung zu Spontanfrakturen führen

   C ☐ Männer im Alter zwischen 50 und 60 Jahren sind vorwiegend betroffen

   D ☐ bei Frauen in der Postmenopause werden prophylaktisch Östrogene verabreicht

   E ☐ eine Therapie mit Glukokortikoiden ist angezeigt

   F ☐ eine ausreichende Calcium- und Vitamin-D-Zufuhr ist als vorbeugende Maßnahme wichtig

---

1 B, C, E   2 B, C, D, E   3 A, B, D, F

4. Vitamin B$_{12}$ Mangelerscheinungen: (3)

A ☐ Hunter-Glossitis
B ☐ perniziöse Anämie
C ☐ funikuläre Myelose
D ☐ hämorrhagische Diathesen
E ☐ gestörte Thrombopoese

5. Vitamin K: (1)

A ☐ ist für die Bildung von Prothrombin in der Leber erforderlich
B ☐ ist an der Galleproduktion beteiligt
C ☐ löst frischgebildete Fibringerinnsel auf

6. Aufgaben des Vitamin D: (2)

A ☐ Verstärkung der Phosphatausscheidung im Harn
B ☐ Förderung der Resorption von Calcium aus dem Darm
C ☐ Neubildung des Sehpurpurs
D ☐ Beteiligung am Einbau der Calciumsalze in die Knochenmatrix

7. Calcium-Gaben sind kontraindiziert: (1)

A ☐ bei der Tetanie
B ☐ bei Allergien
C ☐ beim Morbus Recklinghausen
D ☐ in der Schwangerschaft

8. Vitamin D-Mangel im Erwachsenenalter: (2)

A ☐ Patienten klagen über Skelettschmerzen und Muskelschwäche
B ☐ führt zu einer gesteigerten Calcium- und Phosphatabsorption aus dem Dünndarm
C ☐ zeigt sich am Knochen als Osteomalazie

9. Bei einem Vitamin-B$_1$-Mangel können auftreten: (1)

A ☐ Rachitis
B ☐ perniziöse Anämie
C ☐ Störungen der Nervenerregung
D ☐ Blutungsneigungen

---

4 A, B, C   5 A   6 B, D   7 C   8 A, C   9 C

10. Die Rachitis: (2)

A □ geht mit einer Störung des Calcium-Phosphor-Haushaltes einher
B □ tritt meistens in Sommermonaten auf
C □ wird mit Calcium behandelt
D □ beruht auf einem Vitamin-D_3-Mangel

11. Vitamin-K-Mangelsymptome: (2)

A □ Hypoprothrombinämien
B □ hämorrhagische Diathesen
C □ Infektanfälligkeit
D □ depressive Reizbarkeit

12. Vitamin K wird therapeutisch angewendet: (2)

A □ zur Blutstillung bei der Hämophilie A
B □ als Antidot bei Behandlung mit Cumarin-Derivaten
C □ bei der Hypoprothrombinämie
D □ bei der perniziösen Anämie

13. Ein Calciummangel besteht: (3)

A □ beim Morbus Recklinghausen
B □ bei der Tetanie
C □ bei der Osteomalazie
D □ bei der Rachitis
E □ bei der Nephrolithiasis

14. Aufschluss über die Stoffwechselsituation der vergangenen 4–8 Wochen eines Diabetikers gibt die nachfolgende Untersuchung: (1)

A □ Durchführung des Koller-Tests
B □ Feststellung des Grundumsatzes
C □ Feststellung des Leistungsumsatzes
D □ Kontrolle des HbA_1-Wertes
E □ Anfertigung eines Blutzuckertagesprofils
F □ Nachweis der noch vorhandenen Insulin-Reserven im Pankreas
G □ regelmäßige Kontrolle des Säure-Basen-Haushaltes

---

10 A, D   **11** A, B   **12** B, C   **13** B, C, D   **14** D

15. Auf einen Vitamin-B$_{12}$-Mangel reagiert besonders: (1)

A ☐ der Dünndarm
B ☐ der Magen
C ☐ das Leberparenchym
D ☐ das blutbildende Knochenmark
E ☐ die Knochenzellen

16. Beim Koller-Test (Vitamin-K-Test): (3)

A ☐ wird die Vitamin-K-Bildung in den Leberzellen geprüft
B ☐ wird das Prothrombinbildungsvermögen der Leberzellen
geprüft
C ☐ wird Vitamin K verabreicht und anschließend die Thromboplastinzeit bestimmt
D ☐ handelt es sich um eine Leberfunktionsprobe zur Differential-
diagnostik von Parenchym- und Verschlussikterus
E ☐ wird Vitamin K per os verabreicht und so die Resorptionsfähigkeit des Dünndarmes geprüft

17. Der Grundumsatz ist erhöht: (2)

A ☐ im Alter
B ☐ bei der Hyperthyreose
C ☐ beim Myxödem
D ☐ bei erhöhter Körpertemperatur (Fieber)
E ☐ bei Unterernährung

18. Physiologische Funktion des Vitamin B$_1$: (1)

A ☐ Verstärkung der Acetylcholinwirkung
B ☐ Umwandlung von Fett in Eiweiß
C ☐ Umwandlung der Monosaccharide in Glykogen

---

15 D   16 B, C, D   17 B, D   18 A

19. **Bei der metabolischen Azidose: (3)**

A ☐ kommt es zu einer Abnahme des Standardbikarbonates im Blut
B ☐ kommt es zu einer Abnahme der Kohlensäurekonzentration des Blutes
C ☐ kommt es zu einer Verschiebung des Blut-pH-Wertes zur sauren Seite
D ☐ liegt eine mechanische Atemstörung vor
E ☐ handelt es sich um eine stoffwechselbedingte Störung

20. **Welche Erscheinungen treten bei Vitamin-A-Mangel auf: (2)**

A ☐ verzögerte Dunkeladaption
B ☐ hämorrhagische Diathesen
C ☐ Abnahme des Riechvermögens (Atrophie der Schleimhäute)
D ☐ Hyperhidrosis

21. **Vitamin-A-Mangel kann entstehen durch: (2)**

A ☐ enterale Fettresorptionsstörungen
B ☐ gestörte Umwandlung von Karotin
C ☐ gestörte Umwandlung von Ergosterin
D ☐ starken Flüssigkeits- und Elektrolytverlust

22. **Bei der Gicht: (3)**

A ☐ besteht eine Vermehrung der Harnsäure im Blut
B ☐ handelt es sich um eine Purinstoffwechselstörung
C ☐ kommt es zu starken Schmerzen in beiden Unterschenkeln
D ☐ ist eine kalorien- und purinarme Kost angezeigt
E ☐ kann die Ursache eine Mangelernährung sein

---

19 A, C, E   20 A, C   21 A, B   22 A, B, D

23. Symptome der Gicht: (2)

A ☐ Schmerzen im Schultergelenk mit Druckschmerzhaftigkeit der Kapsel

B ☐ ziehende Schmerzen in beiden Hüftgelenken

C ☐ betroffene Gelenke sind im Anfall hochrot, teigig geschwollen und durckschmerzhaft

D ☐ heftige Schmerzen im Großzehen-Grundgelenk

E ☐ die Gelenke sind während des Anfalles sehr druckschmerzhaft, weisen aber sonst keine äußerlichen Veränderungen auf

24. Auslösungsursachen eines Gichtanfalles können sein: (2)

A ☐ Unterernährung

B ☐ eine üppige, eiweißreiche Mahlzeit

C ☐ erhöhter Alkoholkonsum

D ☐ längere Ruhigstellung eines Gelenkes

E ☐ Genuss von Speise-Eis

25. Komplikationen der Gicht: (3)

A ☐ aszendierende Pyelonephritis

B ☐ deformierende Gelenkveränderungen

C ☐ Nephrolithiasis

D ☐ hämorrhagische Diathesen

E ☐ Cholelithiasis

26. Folgen des Vitamin-C-Mangels: (3)

A ☐ Trägheit der Magen-Darmfunktion

B ☐ hämorrhagische Diathese

C ☐ Herabsetzung der Infektionsresistenz

D ☐ Haarausfall

E ☐ Osteoporose

F ☐ gestörte Erythropoese

---

23 C, D   24 B, C   25 A, B, C   26 A, B, C

27. Für eine Malabsorption sind charakteristisch: (3)

A ☐ Vitaminmangelsymptome
B ☐ hartnäckige Obstipation
C ☐ chronische Durchfälle
D ☐ voluminöse Fettstühle
E ☐ Ösophagusvarizenblutungen
F ☐ Teerstühle

28. Durch einen Mangel an Parathormon kommt es zu Störungen des: (2)

A ☐ Kalium-Haushaltes
B ☐ Calcium-Haushaltes
C ☐ Phosphat-Haushaltes
D ☐ Natriumchlorid-Haushaltes
E ☐ Magnesium-Haushaltes

29. Bei einem Kaliummangel können auftreten: (4)

A ☐ Herzrhythmusstörungen
B ☐ eine verstärkte Magen-Darm-Peristaltik
C ☐ paralytischer Ileus
D ☐ Bewusstlosigkeit
E ☐ gesteigerte Reflexe
F ☐ Isosthenurie

30. Ursachen einer Hypokaliämie: (3)

A ☐ Hämolyse
B ☐ Crush-Niere
C ☐ Morbus Addison
D ☐ chronische Niereninsuffizienz mit Polyurie
E ☐ gastrointestinaler Flüssigkeitsverlust
F ☐ Laxanzienabusus
G ☐ Kaliumausschwemmung aus der Zelle

---

27 A, C, D   28 B, C   29 A, C, D, F   30 D, E, F

31. Ein starker Flüssigkeits- und Kaliumverlust kann entstehen: (2)

A ☐ bei der Leberzirrhose
B ☐ durch Laxanzienabusus
C ☐ bei Verabreichung von Aldactone
D ☐ durch starkes Erbrechen
E ☐ beim Morbus Cushing

32. Bei der Zöliakie können durch ungenügende Resorption der Vitamine folgende Komplikationen entstehen: (2)

A ☐ Osteoporose
B ☐ hämolytische Anämie
C ☐ Obstipation
D ☐ Magenulzera
E ☐ Nachtblindheit

33. Ursachen eines Magnesium-Mangelsyndroms: (2)

A ☐ chronischer Alkoholabusus
B ☐ Oligurie
C ☐ Diarrhoe

34. Ursachen der Avitaminosen: (2)

A ☐ Speicherung der fettlöslichen Vitamine (A,D,E,K)
B ☐ Störung der Resorption nach Darmresektionen
C ☐ Zerstörung der Darmflora durch Antibiotika

35. Kardiovaskuläre und nervale Symptome der Hyperkaliämie: (4)

A ☐ Tachykardie
B ☐ Bradykardie
C ☐ Paraesthesien
D ☐ Herzrhythmusstörungen
E ☐ schlaffe Lähmungen
F ☐ spastische Lähmungen

36. **Funktionsprüfungen zur Erkennung einer diabetischen Stoffwechsel-störung: (2)**

A ☐ Phenolrot-Test
B ☐ Glukose-Toleranz-Test
C ☐ Tolbutamid-Test
D ☐ Schilling-Test
E ☐ Galaktose-Test

37. **Symptome eines ketoazidotischen Komas: (6)**

A ☐ starke Exsikkose
B ☐ Hyperreflexie
C ☐ Kussmaul-Atmung
D ☐ schwer unterdrückbarer, bradykarder Puls
E ☐ leicht unterdrückbarer, tachykarder Puls
F ☐ weite, träge reagierende Pupillen
G ☐ erhöhter Hautturgor
H ☐ hypotoner Blutdruck mit kleiner Amplitude
J ☐ hypertoner Blutdruck mit großer Amplitude
K ☐ Ausatmungsluft riecht nach Aceton

38. **Therapie des Coma diabeticum: (1)**

A ☐ sofortige Verabreichung von Depot-Insulin (über 100 I.E.)
B ☐ sofortige Alt-Insulin-Gaben
C ☐ Diuretika-Gaben
D ☐ intravenöse Injektionen von 40–60 ml einer 20 %igen Glukose-lösung

39. **Ein absoluter Insulinmangel bewirkt: (3)**

A ☐ eine mangelhafte Glykogeneinlagerung in der Leber
B ☐ eine Steigerung der Lipolyse und somit eine Erhöhung der freien Fettsäuren im Blut
C ☐ ein Absinken des Blutzuckerspiegels
D ☐ eine vermehrte Glukoseeinlagerung in die Zellen
E ☐ eine metabolische Azidose

---

36 B, C   37 A, C, E, F, H, K 38 B   39 A, B, E

40. Acetongeruch in der Ausatmungsluft des Patienten ist hinweisend auf: (2)

A ☐ ein beginnendes Coma diabeticum
B ☐ eine Fäulnisdyspepsie
C ☐ eine Insulinüberdosierung
D ☐ einen Hungerzustand

41. Zu den Ketonkörpern, die beim Coma diabeticum mit dem Harn ausgeschieden werden, gehören: (3)

A ☐ 17-Ketosteroide
B ☐ Aceton
C ☐ Acetessigsäure
D ☐ Kreatinin
E ☐ Harnsäure
F ☐ Beta-Hydroxybuttersäure

42. Risikofaktoren der Arteriosklerosis obliterans: (4)

A ☐ Adipositas
B ☐ Hypolipidämie
C ☐ Hypothyreose
D ☐ Hyperthyreose
E ☐ Diabetes mellitus
F ☐ Nikotinabusus

43. Welche Aussage über die Hyperlipoproteinämie ist falsch: (1)

A ☐ sie gehört zu den Fettstoffwechselstörungen
B ☐ sie wird nach Fredrickson in fünf Typen eingeteilt
C ☐ sie ist kein Risikofaktor für Herz- und Kreislauferkrankungen
D ☐ sie wird typenspezifisch, diätetisch und medikamentös behandelt

---

40 A, D   41 B, C, F   42 A, C, E, F   43 C

44. Ursachen einer Hyperkalzämie: (3)

A ☐ Steigerung der Calciumfreisetzung aus den Knochen
B ☐ Verminderung der intestinalen Calciumabsorption
C ☐ Steigerung der intestinalen Calciumabsorption
D ☐ Verminderung der Calciumfreisetzung aus den Knochen
E ☐ Verminderung der renalen Calciumsekretion
F ☐ Steigerung der renalen Calciumsekretion

45. Risikofaktoren der Adipositas: (2)

A ☐ Hyperurikämie
B ☐ Diabetes mellitus Typ I
C ☐ Hypertonie
D ☐ Ulcus ventriculi

46. Vitamin B_{12} wird als Therapeutikum gegeben bei: (1)

A ☐ Hyperemesis
B ☐ Hämophilie
C ☐ perniziöser Anämie
D ☐ Osteomalazie
E ☐ hämolytischer Anämie

6. Krankheiten des endokrinen Systems

1. Diabetes mellitus: Typ I: (2)
   A ☐ ist ein insulinunabhängiger Diabetes mellitus
   B ☐ es besteht ein absoluter Insulinmangel
   C ☐ wird auch als juveniler Diabetes bezeichnet
   D ☐ wird auch als Altersdiabetes bezeichnet
   E ☐ es liegt ein relativer Insulinmangel vor

2. Symptome eines Myxödems: (4)
   A ☐ Tachykardie
   B ☐ teigige gedunsene, trockene und kühle Haut
   C ☐ Lidödeme
   D ☐ Gewichtsabnahme
   E ☐ Durchfall
   F ☐ niedriger Blutdruck, kleine Amplitude
   G ☐ verlangsamter Jodstoffwechsel
   H ☐ lebhafte Reflexe

3. Anorexia nervosa: (4)
   A ☐ ist eine chronische Erkrankung mit psychopathologischer
       Abwehrreaktion gegen Nahrungsaufnahme
   B ☐ es besteht oft eine Hypothyreose
   C ☐ sie betrifft vor allem Mädchen und junge Frauen im Alter von
       10 bis 25 Jahren
   D ☐ Ursachen sind immer endokrine Erkrankungen
   E ☐ es kommt oft zur Hypokaliämie durch Laxanzienabusus und
       Erbrechen
   F ☐ betroffen sind auch Jungen im Alter von 14 bis 17 Jahren
   G ☐ zur Symptomatik gehört die primäre oder die sekundäre
       Amenorrhoe

---

1 B, C   2 B, C, F, G   3 A, C, E, G

4. Endokrine Ursachen der Kachexie: (1)

A ☐ Nebennierenrindeninsuffizienz
B ☐ Hyperthyreose
C ☐ Cushing-Syndrom

5. Welche Hormone werden von der Schilddrüse gebildet: (2)

A ☐ Parathormon
B ☐ Thyroxin (T_4)
C ☐ Triiodthyronin (T_3)
D ☐ thyreotropes Hormon

6. Nach der Geburt des Kindes mit einem Gewicht von über 5 kg besteht bei der Mutter Verdacht auf: (1)

A ☐ einen Hypophysentumor
B ☐ einen Diabetes mellitus
C ☐ eine Nebennierenrindeninsuffizienz

7. Typ II-Diabetiker: (2)

A ☐ sind meist älter als 40 Jahre
B ☐ erkranken meist in der Jugend
C ☐ haben labile Blutzuckerwerte
D ☐ neigen zur Ketoazidose
E ☐ sind fast immer übergewichtig

8. Das Szintigramm der Schilddrüse gibt Auskunft über: (2)

A ☐ Lage und Gestalt des funktionell aktiven Drüsengewebes
B ☐ die Höhe des Grundumsatzes
C ☐ die Stoffwechselfunktion der Schilddrüse
D ☐ die Verteilung von radioaktivem Jod im Schilddrüsengewebe

9. Die Gewebeveränderung der Struma nodosa ist vorwiegend: (1)

A ☐ entzündlich
B ☐ zystisch-degenerativ
C ☐ karzinomatös

| 4 B | 5 B, C | 6 B | 7 A, E | 8 A, D | 9 B |

10. Eine Unterfunktion der Nebennierenrinde führt zum: (1)

A ☐ Morbus Cushing
B ☐ Waterhouse-Friderichsen-Syndrom
C ☐ Morbus Addison
D ☐ adrenogenitalen Syndrom
E ☐ Diabetes insipidus

11. Welche Laborwerte sprechen für ein Coma diabeticum: (3)

A ☐ hohe Blutzuckerwerte
B ☐ Erhöhung des Blut-pH-Wertes
C ☐ Abnahme des Standardbikarbonats
D ☐ starke Ketonurie
E ☐ Erhöhung des Standardbikarbonats
F ☐ normale Blutzuckerwerte

12. Leitsymptome des Morbus Basedow (Merseburger Trias): (3)

A ☐ Hypotonie
B ☐ Flapping-Tremor
C ☐ Bradykardie
D ☐ Struma
E ☐ Tachykardie
F ☐ Exophthalmus

13. Komplikationen des Diabetes mellitus: (4)

A ☐ Furunkulose
B ☐ Gangränbildung
C ☐ Gallensteine
D ☐ Retinopathie
E ☐ Magenperforation
F ☐ Bronchiektasen
G ☐ Kimmelstiel-Wilson-Syndrom

---

10 C   11 A, C, D   12 D, E, F   13 A, B, D, G

14. **Bei der euthyreoten Struma: (3)**

A ☐ besteht eine Struma und eine Hyperthyreose
B ☐ wird mit Thyreostatika behandelt
C ☐ kann es zu inspiratorischer Dyspnoe mit Stridor kommen
D ☐ besteht eine normale Schilddrüsenfunktion
E ☐ handelt es sich um einen exogenen Nahrungsjodmangel

15. **Aldosteron: (2)**

A ☐ ist ein Mineralokortikoid
B ☐ wird im Nebennierenmark gebildet
C ☐ bewirkt eine Retention von Natrium und eine Ausscheidung von Kalium
D ☐ bewirkt eine vermehrte Ausscheidung von Natrium und eine Retention von Kalium

16. **Die Glukokortikoide: (3)**

A ☐ regulieren den Kohlenhydratstoffwechsel
B ☐ bewirken eine Zuckerneubildung aus Eiweiß
C ☐ regulieren den Mineralstoffwechsel
D ☐ bewirken eine Retention von Natrium und eine Ausscheidung von Kalium
E ☐ bewirken einen Anstieg des Leberglykogens

17. **Symptome eines tetanischen Anfalls: (3)**

A ☐ Geburtshelferstellung der Hände (Pfötchenstellung)
B ☐ Bewusstlosigkeit
C ☐ tonisch-klonische Zuckungen
D ☐ Karpopedalspasmen
E ☐ Parästhesien
F ☐ Flapping-Tremor

---

14 C, D, E   **15** A, C   **16** A, B, E   **17** A, D, E

18. Welche Gefäßkomplikationen kommen beim Diabetes vor: (3)

A ☐ Aortenisthmusstenose
B ☐ Pulmonalstenose
C ☐ Koronarsklerose
D ☐ Retinopathie
E ☐ Morbus Raynaud
F ☐ Kimmelstiel-Wilson-Syndrom

19. Welche Aussage ist falsch: (1)

A ☐ Ziel der Diabetestherapie ist die Verhütung metabolischer
    Komplikationen
B ☐ Typ II-Diabetiker haben häufig eine Hyperlipoproteinämie
C ☐ Diabetes-Typ I ist insulinunabhängig

20. Krampfanfälle mit Pfötchenstellung der Hände sind charakteristisch
    für: (1)

A ☐ Epilepsie
B ☐ Coma hepaticum
C ☐ Coma diabeticum
D ☐ Tetanie
E ☐ Eklampsie

21. Typische Symptome des weiblichen adrenogenitalen Syndroms: (4)

A ☐ Dysmenorrhoe
B ☐ Hirsutismus
C ☐ vorzeitiger Epiphysenschluss
D ☐ Klitorishypertrophie
E ☐ tiefe Stimme
F ☐ Riesenwuchs
G ☐ Makroglossie

---

18 C, D, F   **19** C   **20** D   **21** B, C, D, E

22. Welche Erkrankungen können beim Hyperparathyreoidismus auftreten: (2)

A □ Tetanie
B □ Nierensteinbildung
C □ Morbus Recklinghausen
D □ Morbus Basedow
E □ Myxödem

23. Mögliche Ursachen eines hypoglykämischen Schocks: (2)

A □ eigenmächtige Erhöhung der Insulindosis oder der oral wirksamen Antidiabetika
B □ Auslassen von Mahlzeiten bei gleichbleibender Insulindosis
C □ Diätfehler mit erheblicher Überschreitung der verordneten Kohlenhydratmenge
D □ absoluter Insulinmangel

24. Erkrankung bei Hypoparathyreoidismus: (1)

A □ Morbus Recklinghausen
B □ Morbus Cushing
C □ Tetanie
D □ Morbus Basedow
E □ Myxödem

25. Bei der Entfernung von Epithelkörperchen kommt es zu: (2)

A □ einer Erhöhung des Grundumsatzes
B □ einem Morbus Basedow
C □ einer Hypokalzämie
D □ einer Hyperkalzämie
E □ einer Tetanie

26. Lerninhalte der Diabetes-Schulung: (2)

A □ Selbstkontrolle der Harn- und Blutzuckerwerte
B □ Selbstbehandlung von Hühneraugen und Druckstellen an den Füßen
C □ Sinn, Abmessung und Herstellung der Diät

---

22 B, C   23 A, B   24 C   25 C, E   26 A, C

27. Symptome eines Coma diabeticum: (5)

A ☐ Tachykardie
B ☐ weiche Augenbulbi
C ☐ voll gespannte Augenbulbi
D ☐ rotes Gesicht
E ☐ Areflexie
F ☐ Kussmaul-Atmung
G ☐ Hypoglykämie

28. Die Nebenschilddrüsen: (2)

A ☐ produzieren das thyreotrope Hormon
B ☐ regulieren den Calcium- und Phosphorhaushalt
C ☐ bilden das Parathormon
D ☐ werden vom Hypophysenvorderlappen stimuliert

29. Beim Diabetes insipidus: (3)

A ☐ besteht ein Mangel an antidiuretischem Hormon
B ☐ kommt es zu einer vermehrten Wasserausscheidung durch
      Störung der Rückresorption in den Tubuli
C ☐ besteht ein Mangel an Insulin
D ☐ besteht eine Polyurie mit hohem spezifischem Gewicht des Harns
E ☐ ist der Urin wasserklar und hat ein niedriges spezifisches
      Gewicht

30. Insulinom: (3)

A ☐ von den B-Zellen der Langerhans-Inseln ausgehendes endokrin
      aktives Adenom, das zu einer Hyperinsulinämie führt
B ☐ von den A-Zellen der Langerhans-Inseln ausgehendes endokrin
      aktives Adenom
C ☐ Therapie ist die chirurgische Entfernung des Insulinoms
D ☐ infolge der Insulinüberproduktion kommt es zu einer Hypo-
      glykämie
E ☐ infolge einer Insulinmangelproduktion kommt es zu einer
      Hyperglykämie
F ☐ therapeutisch werden Antidiabetika (Sulfonylharnstoffe) verab-
      reicht

---

27 A, B, D, E, F   28 B, C   29 A, B, E   30 A, C, D

31. **Bei der Akromegalie: (2)**

A ☐ handelt es sich um eine Unterfunktion des Hypophysenvorder-lappens

B ☐ kommt es zu einer Vergrößerung von Ohren, Kinn, Nase, Händen und Füßen

C ☐ ist die Ursache eine Vermehrung (der Produktion) von somato-tropem Hormon

D ☐ kommt es zu einem verzögerten Epiphysenschluss (und dadurch zu einem extremen Längenwachstum)

32. **Symptome des Morbus Cushing: (4)**

A ☐ Akromegalie
B ☐ Stammfettsucht
C ☐ Hirsutismus
D ☐ blau-rote Striae
E ☐ Hypermenorrhoe
F ☐ Exsikkose
G ☐ Vollmondgesicht

33. **Die oralen Antidiabetika: (2)**

A ☐ enthalten Insulin

B ☐ können nur parenteral verabreicht werden, da sie durch die Verdauungsfermente inaktiviert werden

C ☐ verstärken die Aufnahme und Ausnutzung der Glukose im Gewebe

D ☐ bewirken eine Mobilisierung des Insulins

34. **Ein Phäochromozytom: (3)**

A ☐ ist eine Erkrankung der Nebennierenrinde
B ☐ ist ein Tumor des Nebennierenmarkes
C ☐ führt zu anfallsweise auftretenden Bluthochdruckkrisen
D ☐ muss operativ entfernt werden
E ☐ führt zu einer Unterfunktion des Nebennierenmarkes
F ☐ führt zu einer Überfunktion der Nebennierenrinde

---

31 B, C   **32** B, C, D, G   **33** C, D   **34** B, C, D

35. Die Bestimmung der 17-Ketosteroide: (3)

A ☐ ist ein Acetonnachweis im Harn
B ☐ erfolgt im 24-Stunden-Sammelurin
C ☐ kann nur in heparinisiertem Blut vorgenommen werden
D ☐ gibt Aufschluss über die Nebennierenrinden-Androgene
E ☐ ermöglicht eine Beurteilung der täglichen Steroidproduktion

36. Bei der blanden Struma: (2)

A ☐ ist die Stoffwechsellage hyperthyreot
B ☐ besteht eine Schilddrüsenvergrößerung, die nicht maligne oder entzündlich ist
C ☐ ist die Hauptursache ein exogener Jodmangel

37. Hormone des Hypophysenvorderlappens: (4)

A ☐ Adiuretin
B ☐ adrenokortikotropes Hormon
C ☐ Thyroxin
D ☐ gonadotropes Hormon
E ☐ Prolaktin
F ☐ somatotropes Hormon
G ☐ Parathormon

38. Die Addison Krise: (1)

A ☐ entsteht, wenn es im Verlaufe einer chronischen Nebennieren-rinden-Insuffizienz zu einem gesteigerten Hormonbedarf kommt
B ☐ entsteht durch eine akute hämorrhagische Nekrose der Nebennierenrinde bei vorheriger normaler Funktion

39. Klinische Zeichen eines beginnenden Diabetes mellitus: (5)

A ☐ Polyurie
B ☐ Urin ist dunkel und hat ein niedriges spezifisches Gewicht
C ☐ Polydipsie
D ☐ Gewichtsverlust
E ☐ Appetitlosigkeit
F ☐ Hypoglykämie
G ☐ Glukosurie
H ☐ Pruritus vulvae

---

35 B, D, E   **36** B, C   **37** B, D, E, F   **38** A   **39** A, C, D, G, H

40. Insulin: (4)

A □ wirkt blutzuckersenkend
B □ bildet Fettdepots
C □ baut das Glykogen ab
D □ wird in den Langerhans-Inseln des Pankreas gebildet
E □ muss parenteral verabreicht werden
F □ kann bei Bewusstlosen durch eine Duodenalsonde verabreicht werden
G □ spielt eine Rolle beim Glykogenaufbau

41. Eine Hyperthyreose: (2)

A □ wird auch als Myxödem bezeichnet
B □ kann sich durch Unruhe, Exophthalmus und Tachykardie bemerkbar machen
C □ geht mit einem verminderten Grundumsatz einher
D □ wird auch als Morbus Basedow bezeichnet
E □ ist ein anderer Ausdruck für Struma

42. Ein Mangel an STH (Somatotropin) führt: (1)

A □ zum Gigantismus
B □ zum hypophysären Zwergwuchs
C □ zum hypothyreoten Zwergwuchs

43. Durch einen Mangel an Adiuretin: (2)

A □ kommt es zu einer Addison-Krise
B □ verlieren die distalen Nierentubuli ihre Fähigkeit, Wasser rückzuresorbieren und den Harn zu konzentrieren
C □ kommt es zum Diabetes insipidus
D □ können die Monosaccharide nicht in Glykogen umgewandelt und in der Leber gespeichert werden

---

40 A, D, E, G   41 B, D   42 B   43 B, C

44. Welche Erkrankung tritt bei Überfunktion der Nebennierenrinde auf:
(1)
A ☐ Myxödem
B ☐ Sheehan-Syndrom
C ☐ Cushing-Syndrom
D ☐ Diabetes insipidus

45. Symptome der Hyperthyreose: (4)
A ☐ Bradykardie
B ☐ Exophthalmus
C ☐ Erhöhung des systolischen Blutdrucks und Vergrößerung der Blutdruckamplitude
D ☐ Glanzauge
E ☐ Lidödeme
F ☐ Obstipation
G ☐ feinschlägiger Tremor
H ☐ Hypohidrosis

46. Eine Kussmaul-Atmung tritt auf: (1)
A ☐ im Coma hepaticum
B ☐ im Coma diabeticum
C ☐ beim tetanischen Anfall
D ☐ bei einer Phrenikuslähmung

47. Zu den diabetische Spätkomplikationen zählt nicht: (1)
A ☐ ischämisches Fußsyndrom
B ☐ Retinopathie
C ☐ Infektanfälligkeit
D ☐ arterielle Hypertonie
E ☐ Diabetes insipidus

---

44 C   **45** B, C, D, G   **46** B   **47** E

48. **Das somatotrope Hormon: (2)**

A ☐ wird gebildet vom Hypophysenvorderlappen
B ☐ reguliert den Wasserhaushalt
C ☐ beeinflusst das Wachstum
D ☐ stimuliert die Nebenschilddrüse
E ☐ steuert die Nebennierenrindenfunktion

49. **Das eosinophile Hypophysenadenom: (2)**

A ☐ führt zum Diabetes insipidus
B ☐ führt zur Akromegalie
C ☐ ist hormonell inaktiv
D ☐ beruht auf einer Wucherung STH produzierender Zellen

50. **Symptome der Hypoglykämie: (4)**

A ☐ Bradykardie
B ☐ Tachykardie
C ☐ Schweißausbruch
D ☐ Exsikkose
E ☐ Hautblässe
F ☐ hochroter Kopf
G ☐ Areflexie
H ☐ Kopfschmerzen

51. **Ein kalter Solitärknoten der Schilddrüse: (1)**

A ☐ ist nicht malignomverdächtig
B ☐ ist ein Gewebebezirk ohne Nuklidanreicherung im Szintigramm
C ☐ wird verursacht durch einen exogenen Jodmangel

52. **Ursache eines Adrenogenitalen Syndroms (AGS): (1)**

A ☐ Überproduktion von Aldosteron
B ☐ Überproduktion von Cortisol
C ☐ Minderproduktion von Androgenen
D ☐ Überproduktion von Androgenen der Nebennierenrinde

---

48 A, C   **49** B, D   **50** B, C, E, H   **51** B   **52** D

7. Krankheiten der Niere

1. Indikationen für eine Dialysebehandlung: (2)
   A ☐ Nephrolithiasis
   B ☐ akutes Nierenversagen
   C ☐ Nephroblastom
   D ☐ Nephroptose
   E ☐ chronische Niereninsuffizienz (Urämie)

2. Gefürchtete Komplikationen der akuten, diffusen Glomerulonephritis: (4)
   A ☐ Peritonitis
   B ☐ paralytischer Ileus
   C ☐ Nierenbecken-Perforation
   D ☐ akute Anurie
   E ☐ Lungenödem
   F ☐ Herzversagen
   G ☐ Hirnödem mit Krampfanfällen

3. Leitsymptom des akuten Nierenversagens: (1)
   A ☐ Hämaturie
   B ☐ Oligurie/Anurie
   C ☐ Proteinurie

4. Dialyse-Membranen sind undurchlässig für: (5)
   A ☐ Salze
   B ☐ Wasser
   C ☐ Harnstoff
   D ☐ Harnsäure
   E ☐ Kreatinin
   F ☐ Erythrozyten
   G ☐ Albumine
   H ☐ Globuline
   J ☐ Lipoide
   K ☐ Bakterien

---

1 B, E   2 D, E, F, G   3 B   4 F, G, H, J, K

5. Welche Symptome treten beim schweren Verlauf der akuten diffusen Glomerulonephritis auf: (3)

A ☐ Sehstörungen
B ☐ Bakteriurie
C ☐ Übelkeit, Erbrechen
D ☐ Oligurie
E ☐ septische Temperatur

6. Zur Messung der Konzentrationsleistung der Nieren eignet sich am besten: (1)

A ☐ die Messung des spezifischen Gewichtes
B ☐ die Messung der Eiweißausscheidung
C ☐ die Messung der Osmolarität
D ☐ die Messung der Glukosekonzentration

7. Dialyse-Membranen sind durchlässig für: (3)

A ☐ Bakterien
B ☐ Leukozyten
C ☐ Harnstoff
D ☐ Säuren und Basen
E ☐ Salze
F ☐ Fibrinogen
G ☐ Globuline

8. Durch welche Erregergruppe wird die Pyelonephritis verursacht: (1)

A ☐ Bakterien
B ☐ Würmer
C ☐ Viren
D ☐ Spirochäten
E ☐ Pilze
F ☐ Protozoen

---

5 A, C, D   6 C   7 C, D, E   8 A

9. Die Hämodialyse arbeitet nach folgenden Prinzipien: (3)

A ☐ Diffusion
B ☐ Osmose
C ☐ Ultrafiltration
D ☐ Resorption

10. Als Folgewirkungen eines Nierenversagens kommt es durch Ausscheidungsstörungen und bei abnehmender innersekretorischer Funktion der Niere: (4)

A ☐ zum Anstieg der harnpflichtigen Substanzen im Blut
B ☐ zu niedrigen Kaliumwerten im Blut
C ☐ zu Störungen des Calcium-Phosphathaushaltes
D ☐ zur Anämie
E ☐ zum Blutdruckanstieg
F ☐ zum Blutdruckabfall

11. Bei welchen Erkrankungen der Niere besteht eine Proteinurie: (4)

A ☐ Glomerulonephritis
B ☐ Herdnephritis
C ☐ Glomerulo-Sklerose
D ☐ Glomerulo-Nephrose
E ☐ akute Pyelonephritis

12. Symptomenkomplex des nephrotischen Syndroms: (3)

A ☐ Hyperkalzurie
B ☐ Proteinurie
C ☐ weiches, teigiges Ödem
D ☐ Hyperlipidämie

13. Bei welchen Erkrankungen der Niere besteht eine Hämaturie: (2)

A ☐ Glomerulonephritis
B ☐ Herdnephritis
C ☐ Glomerulo-Sklerose
D ☐ Glomerulo-Nephrose

---

9 A, B, C   **10** A, C, D, E   **11** A, B, C, D   **12** B, C, D   **13** A, B

14. **Symptome des akuten Nierenversagens: (4)**

A ☐ Hyperkaliämie
B ☐ Hypokaliämie
C ☐ Harnstoffanstieg
D ☐ Polyurie
E ☐ Oligo-Anurie
F ☐ flache Atmung
G ☐ vertiefte Atmung
H ☐ septisches Fieber

15. **Welche Komplikationen können bei einer chronischen Pyelonephritis auftreten: (2)**

A ☐ nekrotisierende Papillitis
B ☐ Pyonephrose
C ☐ Ren mobile
D ☐ Nephrosklerose

16. **Eine tägliche Urinmenge unter 100 ml wird bezeichnet als: (1)**

A ☐ Anurie
B ☐ Isosthenurie
C ☐ Polyurie
D ☐ Nykturie
E ☐ Oligurie

17. **Ursachen des akuten, prärenalen Nierenversagens: (1)**

A ☐ Prostatahypertrophie
B ☐ akute diffuse Glomerulonephritis
C ☐ akute Nierenrindennekrose
D ☐ Sklerose der Nierengefäße
E ☐ Mangel an intravaskulärem Volumen

---

14 A, C, E, G   **15** A, B   **16** A   **17** E

18. Kardinalsymptome der akuten Glomerulonephritis: (4)

A ☐ Hypertonie
B ☐ Polyurie
C ☐ Hämaturie
D ☐ Proteinurie
E ☐ Bakteriurie
F ☐ Schmerzen in der Blase
G ☐ Ödeme

19. Symptome der akuten Zystitis: (3)

A ☐ Hämaturie
B ☐ Pollakisurie
C ☐ Dysurie
D ☐ Erbrechen
E ☐ Pyurie
F ☐ Harnstrahlunterbrechungen

20. Bei welchen Erkrankungen der Nieren bestehen Ödeme: (2)

A ☐ Glomerulonephritis
B ☐ Herdnephritis
C ☐ Glomerulo-Sklerose
D ☐ Glomerulo-Nephrose

21. Ursachen des akuten, postrenalen Nierenversagens: (3)

A ☐ Mangel an intravaskulärem Volumen
B ☐ akute, diffuse Glomerulonephritis
C ☐ Nierennekrosen
D ☐ Prostatahypertrophie
E ☐ Kompression der Ureteren
F ☐ Ureterenfibrose
G ☐ Thrombosen der Nierengefäße

---

22. Welche therapeutischen Maßnahmen sind bei der akuten Glomerulonephritis notwendig: (4)

A ☐ absolute Bettruhe
B ☐ Antibiotikagaben
C ☐ natriumarme Diät
D ☐ natriumreiche Diät
E ☐ eiweißreiche Diät
F ☐ eiweißarme Diät

23. Eine tägliche Urinmenge über 2000 ml wird bezeichnet als: (1)

A ☐ Isosthenurie
B ☐ Anurie
C ☐ Nykturie
D ☐ Oligurie
E ☐ Polyurie

24. Ursachen des akuten, primärrenalen Nierenversagens: (3)

A ☐ Mangel an intravaskulärem Volumen
B ☐ Ureterenfibrose
C ☐ direkte Einwirkung von Tetrachlorkohlenstoff auf die Nieren
D ☐ direkte Einwirkung von Quecksilber auf die Nieren
E ☐ obstruktive Uropathien
F ☐ akute, diffuse Glomerulonephritis

25. Zu welcher abakteriellen Nierenerkrankung kann es ein bis drei Wochen nach einer hämolysierenden Streptokokkeninfektion (Angina, Scharlach, Sinusitis) kommen: (1)

A ☐ akuten, diffusen Glomerulonephritis
B ☐ akuten Pyelonephritis
C ☐ Herdnephritis

---

2 A, B, C, F   23 E   24 C, D, F   25 A

26. Bei einem Patienten mit einem Cimino-Shunt am Arm (subkutane Fistel) darf: (3)

A ☐ an dem Arm kein Blutdruck gemessen werden
B ☐ an dem Arm keine venöse Stauung angelegt werden
C ☐ an dem Arm kein fester Verband angelegt werden
D ☐ an dem Arm keine Infusion angelegt werden

27. Wo treten die Ödeme der akuten Glomerulonephritis bevorzugt auf: (1)

A ☐ in den abhängenden Körperpartien
B ☐ im Nierenlager
C ☐ im lockeren Bindegewebe um die Augen

28. Die Pyelonephritis entsteht: (2)

A ☐ über aszendierende Infektionswege
B ☐ über deszendierende Infektionswege
C ☐ als hämatogene Infektion
D ☐ durch Intoxikation
E ☐ auf der Grundlage einer Allergie

29. Wenn bei der Peritonealdialyse die Flüssigkeit nicht aus dem Bauchraum abläuft, kann das folgende Ursachen haben: (2)

A ☐ es besteht eine Peritonitis
B ☐ es besteht ein Aszites
C ☐ der Katheter ist verstopft
D ☐ der Katheter liegt nicht richtig
E ☐ es fehlt Kochsalz in der Spüllösung

30. Bei der akuten Glomerulonephritis handelt es sich pathogenetisch um: (2)

A ☐ eine direkte Streptokokkenschädigung am Glomerulus
B ☐ eine direkte Staphylokokkenschädigung am Glomerulus
C ☐ eine abakterielle, postinfektiöse Nephritis
D ☐ die Auswirkungen einer Antigen-Antikörperreaktion

---

26 A, B, D   27 C   28 A, C   29 C, D   30 C, D

31. **Symptome der akuten Pyelonephritis: (4)**

A ☐ Pollakisurie
B ☐ Harnsediment: reichlich Leukozyten
C ☐ Harn: Urobilinogen negativ
D ☐ Isosthenurie
E ☐ Erbrechen
F ☐ Fieber - septischer Typ
G ☐ Harnstoff im Serum extrem erhöht

32. **Die Hämodialyse ist angebracht: (3)**

A ☐ beim akuten Nierenversagen
B ☐ zur Therapie schwerer exogener Vergiftungen
C ☐ zur Therapie des hypoglykämischen Komas
D ☐ bei der chronischen Niereninsuffizienz
E ☐ zur Therapie des Volumenmangelschocks

33. **Kardinalsymptome des nephrotischen Syndroms: (4)**

A ☐ Hyperproteinämie
B ☐ Hypoproteinämie
C ☐ Ödeme
D ☐ Exsikkose
E ☐ Proteinurie
F ☐ Isosthenurie
G ☐ Hypolipämie
H ☐ Hyperlipämie

34. **Diät beim »Nephrotischen Syndrom«: (2)**

A ☐ eiweißreiche Kost
B ☐ eiweißarme Kost
C ☐ natriumreiche Kost
D ☐ natriumarme Kost

---

31 A, B, E, F   32 A, B, D   33 B, C, E, H   34 A, D

35. Die Pflege eines Patienten mit dekompensierter Niereninsuffizienz erfordert: (2)

A ☐ eine streng zeitlich festgelegte Blutdruck-Kontrolle
B ☐ eine reichliche Vitaminzufuhr in Form von Obst und frischen Säften
C ☐ eine sorgfältige Überwachung von Herzfrequenz und Herzrhythmus
D ☐ eine regelmäßige Blutdruckkontrolle mit zusätzlicher Messung, wenn der Patient über Kopfschmerzen klagt
E ☐ eine ständige Überwachung von Pulsqualität und Atmung

36. Mit welcher Medikamentengruppe sollte die akute Pyelonephritis behandelt werden: (1)

A ☐ Antibiotika
B ☐ Kortikoide
C ☐ Diaphoretika
D ☐ Diuretika

37. Unter Dialyse versteht man: (1)

A ☐ die Diffusion von NaCl in das Gewebe
B ☐ das Unvermögen, in den Tubuli harnpflichtige Stoffe auszuscheiden
C ☐ die Retention von Mineralien im Gewebe
D ☐ die Möglichkeit, harnpflichtige Stoffe über semipermeable Membranen abzugeben

38. Urinuntersuchungen sind wegen einer möglichen Nierenbeteiligung notwendig bei: (3)

A ☐ Keuchhusten
B ☐ Pocken
C ☐ Masern
D ☐ Grippe
E ☐ Sinusitis
F ☐ Scharlach

---

35 C, D   36 A   37 D   38 D, E, F

129

39. **Behandlung der akuten Niereninsuffizienz: (4)**

A □ Peritonealdialyse
B □ Hämodialyse
C □ Diuretika
D □ reichliche Flüssigkeitszufuhr
E □ maximal 40g Eiweißzufuhr pro Tag
F □ Natriumbicarbonat

40. **In welche Erkrankungen kann eine Pyelonephritis im weiteren Verlauf übergehen: (2)**

A □ Herdnephritis
B □ chronische Niereninsuffizienz
C □ Glomerulo-Sklerose
D □ Glomerulo-Nephrose
E □ Schrumpfnieren

41. **Welche Erkrankungen der Nieren können ein nephrotisches Syndrom auslösen: (2)**

A □ Glomerulonephritis
B □ Nierenarterienstenose
C □ Nierenvenenthrombose

42. **Bei welchen Erkrankungen der Nieren besteht eine Hypertonie: (2)**

A □ Glomerulonephritis
B □ Herdnephritis
C □ Glomerulo-Sklerose
D □ Glomerulo-Nephrose

---

39 A, B, E, F   **40** B, E   **41** A, C   **42** A, C

43. Therapie der akuten Pyelonephritis: (3)

A ☐ Bettruhe
B ☐ Einschränkung der Eiweißzufuhr
C ☐ verminderte Flüssigkeitszufuhr
D ☐ reichliche Flüssigkeitszufuhr
E ☐ gezielte antibiotische Behandlung
F ☐ Kortikoide

44. Eine Peritonealdialyse darf nicht durchgeführt werden: (2)

A ☐ bei chronischer Niereninsuffizienz
B ☐ bei diffuser Peritonitis
C ☐ beim Lungenödem
D ☐ bei frischen Bauchtraumen

45. Worauf sind die Ödeme bei der akuten Glomerulonephritis hauptsächlich zurückzuführen: (1)

A ☐ Harnstoffanstieg
B ☐ Proteinmangel
C ☐ Hyperproteinämie
D ☐ Kapillarschädigung

46. Welche gefürchtete Komplikation tritt beim akuten Nierenversagen durch eine Hyperkaliämie auf: (1)

A ☐ Herzkammerflimmern
B ☐ Ödeme
C ☐ Hypotonie
D ☐ Isosthenurie

---

43 A, D, E   44 B, D   45 D   46 A

XIII. Pädiatrie

1. Entwicklung des Kindes

1. Wann hat ein gesunder Säugling sein Geburtsgewicht verdreifacht: (1)
   A ☐ mit vier bis fünf Monaten
   B ☐ mit sieben bis acht Monaten
   C ☐ mit einem Jahr
   D ☐ mit zwei Jahren

2. Wann ist das Längenwachstum des Kindes abgeschlossen: (1)
   A ☐ mit Verknöcherung der Epiphysenfuge
   B ☐ mit Beginn der Pubertät
   C ☐ mit Beendigung der Pubertät

3. Ab welcher Lebenswoche reagiert der gesunde Säugling auf Zuwendung mit einem Lächeln: (1)
   A ☐ zweiter
   B ☐ sechster
   C ☐ zehnter
   D ☐ sechzehnter

4. Wann kann ein gesunder Säugling den Kopf in Bauchlage hochheben und ihn längere Zeit so halten: (1)
   A ☐ ab dritter bis vierter Lebenswoche
   B ☐ ab siebter bis achter Lebenswoche
   C ☐ mit Beginn des dritten Lebensmonats
   D ☐ erst im vierten Lebensmonat

5. Die kleine Fontanelle schließt sich: (1)
   A ☐ sofort nach der Geburt
   B ☐ im Alter von sechs Wochen
   C ☐ im Alter von sechs Monaten
   D ☐ im Alter von achtzehn Monaten

| 1 C | 2 A | 3 B | 4 B | 5 B |

6. Die große Fontanelle schließt sich: (1)

A ☐ mit sechs Wochen
B ☐ mit sechs Monaten
C ☐ im dritten Lebensjahr
D ☐ im dritten Lebenshalbjahr

7. In welchem Alter verläuft das Wachstum des Kindes beschleunigt: (2)

A ☐ vom ersten bis vierten Lebensjahr
B ☐ vom fünften bis siebten Lebensjahr
C ☐ vom achten bis zehnten Lebensjahr
D ☐ vom elften bis fünfzehnten Lebensjahr

8. Das Somatogramm gibt tabellarisch festgelegte, der Altersstufe entsprechende Durchschnittswerte an für: (2)

A ☐ Gewicht
B ☐ Länge
C ☐ Kopfumfang
D ☐ Brustumfang
E ☐ Bauchumfang

9. Im Alter von einem Jahr kann ein Kind normalerweise: (3)

A ☐ nur mit Unterstützung stehen
B ☐ einige Schritte selbstständig laufen
C ☐ kurze, einfache Worte wie »Mama« und »Papa« sprechen
D ☐ einige Worte zu einfachen Sätzen zusammenfügen
E ☐ einfache Bauten aus Bauklötzen herstellen
F ☐ nach verbaler Aufforderung einstudierte Bewegungen ausführen (z. B. »winke-winke«)

---

6 D   7 B, D   8 A, B   9 B, C, F

10. Welche Aussagen treffen auf einen normal entwickelten, sechs Monate alten Säugling zu: (3)

A ☐ er hat vier Zähne
B ☐ er hat sein Geburtsgewicht verdreifacht
C ☐ er kann sich aus der Rückenlage in die Bauchlage rollen und umgekehrt
D ☐ er hat sein Geburtsgewicht verdoppelt
E ☐ er spricht nur kurze Worte
F ☐ er hat eine ausgeprägte Angst vor fremden Personen
G ☐ er greift nach vorgehaltenen Gegenständen

11. Unter Akzeleration versteht man: (1)

A ☐ eine enge Mutter-Kind-Beziehung
B ☐ die Entwicklungsbeschleunigung der heutigen Jugend im Vergleich zu früheren Generationen
C ☐ das Zurückbleiben des Körperwachstums im Verhältnis zur geistigen Entwicklung

12. Ab wann kann ein gesunder Säugling kurzfristig ohne Unterstützung sitzen: (1)

A ☐ mit vier bis fünf Monaten
B ☐ mit sechs bis sieben Monaten
C ☐ mit acht bis neun Monaten
D ☐ mit zehn bis elf Monaten

13. Die durchschnittliche tägliche Gewichtszunahme eines Säuglings im ersten Vierteljahr beträgt: (1)

A ☐ 20 g
B ☐ 10 g
C ☐ 25–30 g
D ☐ 15 g

---

10 C, D, G   11 B   12 B   13 C

14. Wie viele Zähne besitzt das vollständige Milchgebiss: (1)

A ☐ sechszehn Zähne
B ☐ achtzehn Zähne
C ☐ zwanzig Zähne
D ☐ zweiundzwanzig Zähne
E ☐ vierundzwanzig Zähne

15. Das erste Pubertätszeichen beim Mädchen ist im Allgemeinen: (1)

A ☐ die Menarche
B ☐ die Aknebildung
C ☐ die Axillarbehaarung
D ☐ das Knospen der Brustwarzen

16. Das erste Pubertätszeichen beim Jungen ist im Allgemeinen: (1)

A ☐ die Axillarbehaarung
B ☐ die Aknebildung
C ☐ der Stimmbruch
D ☐ das Wachstum der Genitalien

17. Liegt die Körperlänge eines Kindes unterhalb der 3. Perzentile, so spricht man definitionsgemäß von: (1)

A ☐ Normalwuchs
B ☐ Minderwuchs
C ☐ Kleinwuchs
D ☐ Riesenwuchs
E ☐ Hochwuchs

18. Welche Angaben zu den Körperproportionen treffen auf ein reifes Neugeborenes zu: (2)

A ☐ die Körpermitte liegt etwas oberhalb des Nabels
B ☐ die Körperlänge entspricht drei Kopfhöhen
C ☐ der Kopfumfang ist größer als der Brustumfang
D ☐ der Brustumfang ist kleiner als der Bauchumfang

---

14 C   15 D   16 D   17 B   18 A, C

19. Das Milchgebiss ist bei normaler Entwicklung vollständig im Alter von: (1)

A ☐ 1 $^1/_2$ Jahren
B ☐ 2 $^1/_2$ Jahren
C ☐ 3 $^1/_2$ Jahren
D ☐ 4 Jahren

20. Wann hat ein gesunder Säugling sein Geburtsgewicht verdoppelt: (1)

A ☐ mit zwei bis drei Monaten
B ☐ mit vier bis fünf Monaten
C ☐ mit sieben bis acht Monaten
D ☐ mit einem Jahr

21. Bei einem Schulkind liegt das ermittelte Gewicht auf der 20. Perzentile und die Körperlänge auf der 60. Perzentile; es handelt sich um ein: (1)

A ☐ sehr großes, dickes Kind
B ☐ sehr schlankes Kind
C ☐ ausgesprochen kleines Kind mit ausgewogenen Proportionen
D ☐ dickes, untersetztes Kind

---

19 B   20 B   21 B

2. Perinatal- und Neonatalperiode

1. Gegen welche Erkrankung richtet sich die Credè-Prophylaxe: (1)
   - A ☐ Gonorrhoe
   - B ☐ Blennorrhoe
   - C ☐ retrolentale Fibroplasie
   - D ☐ Lues connata

2. Bei einer IGM-Erhöhung im Blut des Neugeborenen: (2)
   - A ☐ spricht das für mütterliche Antikörper im kindlichen Blut
   - B ☐ besteht der Verdacht auf eine durchgemachte intauterine Infektion
   - C ☐ sollten weitere Serumuntersuchungen z. B. auf Toxoplasmose, Röteln erfolgen
   - D ☐ muss man an eine beginnende postpartale Infektion denken
   - E ☐ ist das Kind für ca. 3 Monate vor Infektionen geschützt (»Leihimmunität«)

3. Welche Aussagen zur perinatalen Asphyxie sind richtig: (3)
   - A ☐ sie ist gekennzeichnet durch Dyspnoe, Zyanose oder Hautblässe und Bradykardie
   - B ☐ die Beurteilung des Schweregrades erfolgt u. a. nach dem Apgar-Index
   - C ☐ die Neugeborenen haben eine respiratorische Alkalose
   - D ☐ als therapeutische Erstmaßnahmen sind Absaugen, Sauerstoffzufuhr und Beutel-Maskenbeatmung angezeigt
   - E ☐ sie entsteht ausschließlich in Folge von Fruchtwasseraspiration

---

1 B   2 B, C   3 A, B, D

4. **Welche Aussagen zur Ichthyosis congenita sind richtig: (3)**

A ☐ die angeborene »Fischschuppenkrankheit« hat immer einen
letalen Ausgang

B ☐ die panzerartige Hornschicht der Haut neigt zu tiefen Einrissen
und ist infektionsgefährdet

C ☐ die Erkrankung wird autosomal dominant vererbt

D ☐ zur Behandlung werden Glukokortikoide eingesetzt und eine
Infektionsprophylaxe durchgeführt

E ☐ die verhornte Schicht muss mit Salicylvaseline abgelöst werden

F ☐ zum Krankheitsbild gehören nach außen gestülpte Augenlider
(Lidektropie) und Nageldeformierungen

5. **Das Atemnotsyndrom (RDS): (2)**

A ☐ betrifft Reifgeborene genauso häufig wie Frühgeborene

B ☐ entsteht durch einen Mangel an hyalinen Membranen

C ☐ wird mit Atemhilfe (CPAP) oder mechanischer Beatmung
(PEEP) behandelt

D ☐ hat eine gute Prognose bei Surfactant-Gabe durch den Tubus

E ☐ heilt immer komplikationslos aus

6. **Der Apgar-Index enthält folgende Kriterien zur Bewertung der
Vitalität des Neugeborenen: (5)**

A ☐ Hautfarbe

B ☐ Ausscheidungsfähigkeit der Niere

C ☐ Herzaktion

D ☐ Ösophagusdurchgängigkeit

E ☐ Muskeltonus

F ☐ Reflexe

G ☐ Körpertemperatur

H ☐ Atemtätigkeit

---

4 B, D, F   **5** C, D   **6** A, C, E, F, H

7. Der Kopfumfang eines reifen Neugeborenen beträgt bei der Geburt: (1)

   A ☐ 28–30 cm

   B ☐ 34–35 cm

   C ☐ 38–40 cm

8. Ein ausgetragenes gesundes Neugeborenes hat eine Körperlänge von: (1)

   A ☐ 46–48 cm

   B ☐ 50–52 cm

   C ☐ 53–55 cm

9. Zu den Merkmalen einer Frühgeburt rechnet man: (3)

   A ☐ Neigung zur Ödembildung

   B ☐ fehlende Lanugobehaarung

   C ☐ gut ausgebildetes Unterhautfettgewebe

   D ☐ noch nicht ausgebildete Ohrmuscheln

   E ☐ eine klaffende Vulva

10. Die Geburtsgeschwulst: (2)

    A ☐ ist von teigiger Beschaffenheit

    B ☐ wird in ihrer Ausdehnung durch die Schädelknochen begrenzt

    C ☐ bildet sich in wenigen Tagen spontan zurück

    D ☐ ist eine Blutung zwichen Knochen und Knochenhaut

    E ☐ muss sofort nach der Geburt punktiert werden

11. Ein Kephalhämatom entsteht durch: (1)

    A ☐ Blutungen zwischen Schädelknochen und harter Hirnhaut

    B ☐ Blutungen zwischen Schädelknochen und Periost

    C ☐ Blutungen in die Großhirnrinde

    D ☐ Blutungen in den Kopfnickermuskel

---

7 B   8 B   9 A, D, E   10 A, C   11 B

12. **Risikokinder sind: (2)**

A ☐ Kinder von diabetischen Müttern
B ☐ Kinder mit Fazialisparese
C ☐ Frühgeborene
D ☐ Kinder mit Icterus neonatorum
E ☐ Kinder mit Kephalhämatom

13. **Bei einem Frühgeborenen kann eine retrolentale Fibroplasie entstehen durch: (1)**

A ☐ Mangel an Luftfeuchtigkeit
B ☐ übermäßige Sauerstoffzufuhr
C ☐ Sauerstoffmangel
D ☐ Unterkühlung

14. **Der BM-Test (Mekonium-Test): (2)**

A ☐ ist ein Nachweis von Globulinen im Blut (Schnelltest)
B ☐ wird zur Früherkennung der Mukoviszidose durchgeführt
C ☐ ist bei Albumin-Erhöhung im Mekonium positiv
D ☐ ist ab fünftem Lebenstag durchzuführen

15. **Die unkomplizierte Oberarmfraktur des Neugeborenen wird behandelt durch: (1)**

A ☐ Marknagelung
B ☐ Anlegen eines Thorax-Abduktionsgipses
C ☐ Anwickeln des Oberarmes an den Körper

16. **Typische Neugeborenen-Reflexe sind: (3)**

A ☐ Schreitphänomen
B ☐ Brudzinski-Zeichen
C ☐ Plantar-Reflex
D ☐ Galant-Reflex

---

17. Die Perinatalperiode umfasst die Zeit: (1)
   A ☐ von der Geburt bis zum Abfall des Nabelschnurrestes
   B ☐ von der Geburt bis zum 28. Lebenstag
   C ☐ von der 28. Schwangerschaftswoche bis zum 7. Lebenstag

18. Welche Erkrankungen können durch das Neugeborenen-Screening (Guthrie-Test) erkannt werden: (4)
   A ☐ Zöliakie
   B ☐ Morbus Down
   C ☐ Phenylketonurie
   D ☐ Galaktosämie
   E ☐ Melaena neonatorum
   F ☐ Ahornsirupkrankheit
   G ☐ Hüftgelenkdysplasie
   H ☐ Hypothyreose

19. Der Schiefhals beim Neugeborenen: (1)
   A ☐ ist eine angeborene Missbildung
   B ☐ ist Folge eines Geburtstraumas
   C ☐ ist ein typisches Symptom bei hämorrhagischer Diathese

20. Wichtigste pflegerische Maßnahme unmittelbar nach der Geburt eines Kindes: (1)
   A ☐ Abnabelung
   B ☐ Absaugen der oberen Luftwege
   C ☐ Bestimmung der Blutgasanalyse
   D ☐ Reinigung des Kindes von Käseschmiere

21. Die Pulsfrequenz des gesunden Neugeborenen beträgt: (1)
   A ☐ 60–80
   B ☐ 120–140
   C ☐ 160–180

---

22. **Die physiologische Gewichtsabnahme des Neugeborenen beträgt: (1)**

A ☐ 4–6 % des Geburtsgewichtes
B ☐ 5–10 % des Geburtsgewichtes
C ☐ 10–12 % des Geburtsgewichtes
D ☐ 15–20 % des Geburtsgewichtes

23. **Subkonjunktivale Blutungen: (1)**

A ☐ sind Folgen einer Hirnblutung
B ☐ führen zu einer bleibenden Schädigung der Augen
C ☐ entstehen durch den Geburtsvorgang

24. **Eine Brustdrüsenschwellung beim Neugeborenen: (1)**

A ☐ muss operiert werden
B ☐ muss mit Rotlicht behandelt werden
C ☐ bildet sich selbstständig zurück
D ☐ ist eine Infektion der Brustdrüsen

25. **Eine geburtstraumatische Lähmung des oberen Armplexus nennt man: (1)**

A ☐ Klumpke-Lähmung
B ☐ Fazialisparese
C ☐ Erb-Lähmung

26. **Welches Symptom ist charakteristisch für eine obere Plexuslähmung: (1)**

A ☐ Flossenstellung der Hand
B ☐ Herabhängen der Hand
C ☐ aufgehobene Supination des Unterarmes
D ☐ Innenrotationsstellung des Oberarmes

---

22 B   23 C   24 C   25 C   26 D

27. **Symptome einer peripheren Fazialislähmung: (2)**

A ☐ beim Schreien verzieht sich der Mund nach der erkrankten Seite

B ☐ kein Stirnrunzeln auf der erkrankten Seite möglich

C ☐ kein vollständiger Lidschluss auf der erkrankten Seite möglich

D ☐ keine Saugbewegung möglich

28. **Eine geburtstraumatische Klavikulafraktur: (1)**

A ☐ erfordert eine Ruhigstellung des betreffenden Armes in Gips

B ☐ führt zu einer bleibenden Deformierung

C ☐ heilt spontan ohne Behandlung

29. **Die Behandlung der Erb-Lähmung in den ersten vier Lebenswochen besteht in: (1)**

A ☐ Lagerung des Oberarmes in Abduktion und Außenrotationsstellung und rechtwinkliger Beugung des Unterarmes

B ☐ Lagerung des Oberarmes in Adduktionsstellung und Innenrotationsstellung und rechtwinkliger Beugung des Unterarmes

30. **Ursachen des physiologischen Ikterus: (2)**

A ☐ Ausfall der mütterlichen Leber für die Bilirubinausscheidung

B ☐ Abbau überschüssiger Erythrozyten im kindlichen Kreislauf

C ☐ Leberunreife

D ☐ Resorption geburtstraumatischer Blutungen

31. **Der physiologische Neugeborenenikterus tritt auf am: (1)**

A ☐ ersten Lebenstag

B ☐ dritten bis vierten Lebenstag

C ☐ sechsten bis siebten Lebenstag

---

27 B, C   28 C   29 A   30 B, C   31 B

32. **Frühgeborene sind in der Säuglingsperiode besonders gefährdet durch: (2)**

A ☐ Rachitisneigung
B ☐ Neigung zu Harnweginfektionen
C ☐ Eisenmangelanämie
D ☐ Mangel an Verdauungsfermenten

33. **Als Ursachen für eine Frühgeburt kommen in Frage: (4)**

A ☐ Mehrlingsschwangerschaft
B ☐ Erstgeburt
C ☐ mütterlicher Diabetes mellitus
D ☐ Missbildungen
E ☐ Mongolismus des Föten
F ☐ Hydramnion

34. **Mangelgeburten sind: (1)**

A ☐ Frühgeborene mit geringer Lebenschance
B ☐ Frühgeborene mit mangelhaft ausgebildetem Atem- und Wärmezentrum
C ☐ hypotrophe Reifgeborene
D ☐ durch perinatalen Sauerstoffmangel geschädigte Neugeborene

35. **Welche der genannten angeborenen Missbildungen erfordern eine Operation sofort nach der Geburt: (4)**

A ☐ pleuroperitoneale Zwerchfellhernie
B ☐ Ösophagusatresie
C ☐ Nabelschnurbruch
D ☐ Syndaktylie
E ☐ Ventrikelseptum-Defekt
F ☐ Myelomeningozele
G ☐ Hasenscharte
H ☐ Choanalatresie
J ☐ Morbus Hirschsprung
K ☐ Spina bifida occulta

---

32 A, C   33 A, C, D, F   34 C   35 A, B, C, F

36. In der Neugeborenenperiode kann es zu folgenden hormonell bedingten Veränderungen kommen: (2)

A ☐ physiologische Gewichtsabnahme
B ☐ Brustdrüsenschwellung
C ☐ physiologischer Ikterus
D ☐ Temperaturlabilität
E ☐ Neugeborenenakne

37. Welches der aufgeführten Symptome gehört nicht zu den Schwangerschaftsreaktionen beim Neugeborenen: (1)

A ☐ Melaena
B ☐ Milien
C ☐ Brustdrüsenschwellung
D ☐ Blutungen aus der Scheide des Neugeborenen

38. Entscheidend für das Entstehen eines Kernikterus ist: (1)

A ☐ die Reife der Leber
B ☐ die Höhe des Antikörpertiters
C ☐ Zeitpunkt der Gelbfärbung
D ☐ die Höhe des Serumbilirubinspiegels, Alter und Reife des Neugeborenen

39. Anhaltendes »Speichelschäumen« bei einem Neugeborenen ist Symptom: (1)

A ☐ einer Ösophagusatresie
B ☐ eines starken Schnupfens
C ☐ einer Aspiration
D ☐ eines mangelnden Schluckreflexes

40. Erbrechen am ersten Lebenstag ist verdächtig auf: (1)

A ☐ Meningitis
B ☐ Ileus
C ☐ Ösophagusstenose
D ☐ Pylorospasmus
E ☐ Hirnblutung

---

36 B, E   37 A   38 D   39 A   40 C

41. Ursachen für einen verlängerten Neugeborenenikterus: (3)

A ☐ Leberunreife bei Frühgeborenen
B ☐ Hypothyreose
C ☐ Mobus Hirschsprung
D ☐ Eiweißmangel im Nahrungsangebot
E ☐ Galaktosämie

42. Nichtinfektiöse Hautveränderungen beim Neugeborenen: (3)

A ☐ Erythema toxicum neonatorum
B ☐ Pemphigoid
C ☐ Epidermolysis bullosa
D ☐ Ritter-Krankheit
E ☐ Naevus flammeus
F ☐ Impetigo contagiosa

43. Bei Verdacht auf intrakranielle Blutungen beim Neugeborenen sind die wichtigsten pflegerischen Maßnahmen: (2)

A ☐ schonende Pflege
B ☐ Fontanellenpunktion
C ☐ Sondenernährung
D ☐ Bluttransfusion

44. Der Begriff »neonatale Mortalität« gibt Auskunft über die Säuglingssterblichkeit: (1)

A ☐ unmittelbar nach der Geburt
B ☐ bis zum 28. Lebenstag
C ☐ in der ersten Lebenswoche
D ☐ von unmittelbar vor der Geburt bis zur Plazentaablösung

45. Mongolismus ist eine: (1)

A ☐ Genopathie
B ☐ Gametopathie
C ☐ Embryopathie
D ☐ Fetopathie

---

41 A, B, E   **42** A, C, E   **43** A, C   **44** B   **45** B

46. Wann sollte die erste Mekoniumausscheidung beim Neugeborenen erfolgen: (1)

A ☐ sofort nach der Geburt
B ☐ in den ersten 24 Stunden
C ☐ nach der ersten Flaschenmahlzeit
D ☐ nach 48 Stunden

47. Bestandteile des Mekoniums: (3)

A ☐ Darmepithelien
B ☐ Lanugohärchen
C ☐ Kolibakterien
D ☐ eingedickte Verdauungssäfte
E ☐ Zellulose
F ☐ Muskelfasern

48. Zu den Fetopathien rechnet man: (2)

A ☐ Morbus Down
B ☐ Gregg-Syndrom
C ☐ angeborene Toxoplasmose
D ☐ angeborene Syphilis

49. Neugeborene diabetischer Mütter sind gefährdet durch: (3)

A ☐ Atemstörung
B ☐ Hypoglykämie
C ☐ Hyperglykämie
D ☐ sekundäre Azidose
E ☐ Insulinmangel

50. Ursachen für Embryopathien sind: (2)

A ☐ Prädiabetes mellitus der Mutter
B ☐ Röteln
C ☐ Placenta praevia
D ☐ chemische Noxen (z. B. Medikamente)

---

46 B   47 A, B, D   48 C, D   49 A, B, D   50 B, D

51. **Tetanus neonatorum kann auftreten bei: (1)**

A ☐ Sauerstoffmangel unter der Geburt
B ☐ unzureichender Nabelpflege
C ☐ Hypokalzämie

52. **Folgen des Morbus haemolyticus neonatorum können sein: (2)**

A ☐ Hydrops congenitus
B ☐ Hyperkalzämie
C ☐ Kernikterus
D ☐ Mikrozephalus

53. **Symptome des Kernikterus sind: (3)**

A ☐ Krämpfe
B ☐ schrilles Schreien
C ☐ abnorme Blässe
D ☐ verminderter Muskeltonus
E ☐ Opisthotonus

54. **Die Blutdruckwerte beim Neugeborenen: (1)**

A ☐ sind mit den Normwerten für Erwachsene identisch
B ☐ liegen höher als beim Erwachsenen
C ☐ liegen bei ca. 70/40 mm Hg
D ☐ liegen bei ca. 45/25 mm Hg

55. **Die angeborene Toxoplasmose hat folgende Symptome: (3)**

A ☐ Mikrozephalus
B ☐ Icterus gravis
C ☐ Krämpfe
D ☐ Hepatosplenomegalie
E ☐ Hautgranulome

---

51 B   52 A, C   53 A, B, E   54 C   55 B, C, D

56. Bei der Melaena neonatorum: (2)

A ☐ treten Blutungen im Magen-Darm-Trakt auf
B ☐ sind immer Petechien vorhanden
C ☐ besteht die Behandlung in Vitamin-C-Gaben
D ☐ wird Vitamin K injiziert

57. Symptome der Neugeborenen-Lues: (3)

A ☐ Ikterus
B ☐ syphilitischer Primäraffekt an den äußeren Genitalien
C ☐ blutig-eitriger Schnupfen
D ☐ syphilitischer Pemphigus
E ☐ Dysmelie

58. Unter »Vernix caseosa« versteht man: (1)

A ☐ die Hautabschilferung bei übertragenen Neugeborenen
B ☐ eine von den Talgdrüsen in der Haut des Föten abgesonderte Schutzschicht
C ☐ Aknebildung im Bereich der Nase und der Stirn des Neugeborenen

59. Zeichen einer Frühgeburt: (3)

A ☐ Geburtsgewicht unter 2500 Gramm
B ☐ Geburtsgewicht über 2500 Gramm
C ☐ fehlende Lanugobehaarung
D ☐ mangelhafte Ausbildung des Fettpolsters
E ☐ Geburtslänge unter 48 cm
F ☐ fehlende Pupillarmembran

60. Wann sollte ein gesundes Neugeborenes erstmals an der mütterlichen Brust angelegt werden: (1)

A ☐ 6–8 Stunden p.p.
B ☐ nach dem Milcheinschuss
C ☐ 30–60 Minuten p.p.
D ☐ 12 Stunden p.p.

---

56 A, D   **57** A, C, D   **58** B   **59** A, D, E   **60** C

61. Die intrauterine Dystrophie wird verursacht durch: (1)

A ☐ einen Vitaminmangel der Mutter in der Schwangerschaft
B ☐ einen mütterlichen Diabetes mellitus
C ☐ eine Plazentainsuffizienz
D ☐ eine Pyelitis der Mutter

62. Autosomal-rezessiv erbliche Krankheiten sind: (2)

A ☐ Mukoviszidose
B ☐ Leukämie
C ☐ Hämophilie A
D ☐ Fruktoseintolerenz

63. Der Mekoniumileus ist ein Symptom bei: (1)

A ☐ hypertrophischer Pylorusstenose
B ☐ Zöliakie
C ☐ Mukoviszidose
D ☐ Kuhmilchallergie

64. Der Stuhl eines mit Frauenmilch ernährten Säuglings: (2)

A ☐ ist weich und gelb
B ☐ enthält vorwiegend Kolibakterien
C ☐ enthält vorwiegend Bifidobakterien
D ☐ ist hart und knollig
E ☐ heißt Mekonium

65. Spätfolgen einer unbehandelten Lues connata: (3)

A ☐ Schwerhörigkeit
B ☐ Mikrozephalus
C ☐ Kondylombildung am Anus und im Genitalbereich
D ☐ Deformierung der Zähne
E ☐ Knochenbrüchigkeit

---

61 C   62 A, D   63 C   64 A, C   65 A, C, D

66. Neugeborene diabetischer Mütter: (3)

A ☐ neigen zu Apnoeanfällen
B ☐ haben überdurchschnittliche Größe und Gewicht
C ☐ haben eine Hyperglykämie
D ☐ werden als Risikokinder bezeichnet

67. Ursachen für Neugeborenen-Krämpfe können sein: (2)

A ☐ Melaena neonatorum
B ☐ Hypokalzämie
C ☐ Hypoglykämie
D ☐ Hypokaliämie

68. Welche Angaben zu den Körperproportionen treffen auf ein reifes Neugeborenes zu: (2)

A ☐ die Körpermitte liegt etwas oberhalb des Nabels
B ☐ die Körperlänge entspricht drei Kopfhöhen
C ☐ der Kopfumfang ist größer als der Brustumfang
D ☐ der Brustumfang ist kleiner als der Bauchumfang

3. Erkrankungen der Atmungsorgane

1. Welche Maßnahmen sind beim akuten asthmatischen Anfall angezeigt: (4)

   A ☐ flache Lagerung des Patienten
   B ☐ Quincke-Hängelage
   C ☐ Gabe von Bronchospasmolytika
   D ☐ Aerosol-Inhalationen
   E ☐ Oberkörperhochlagerung des Patienten
   F ☐ Frischluftzufuhr
   G ☐ Atemtraining mit dem Giebel-Rohr
   H ☐ Tracheotomie

2. Zu welchem Krankheitsbild passen folgende Beschwerden eines Schulkindes, bei dem ein Jahr zuvor eine Tonsillektomie durchgeführt wurde: Schluckbeschwerden, zu den Ohren ausstrahlende Schmerzen, Trockenheitsgefühl und Kratzen im Hals, druckschmerzhafte Lymphknoten im Kiefernwinkel: (1)

   A ☐ chronische Sinusitis maxillaris
   B ☐ hyperplastische Adenoide
   C ☐ Retropharyngealabszess
   D ☐ Seitenstrangangina
   E ☐ Angina lacunaris
   F ☐ akute Laryngitis

3. Pertussis im Säuglingsalter: (3)

   A ☐ kommt wegen der 100 %igen Durchimpfung der Bevölkerung in Deutschland nicht vor
   B ☐ erfordert gute Beobachtung mit EKG- und Atemmonitoring
   C ☐ ist keine Indikation zur Krankenhausaufnahme
   D ☐ kann mit Komplikationen wie Bronchopneumonie und Encephalopathie einhergehen
   E ☐ kann mit Erythromycin-Gabe im Prodromalstadium verkürzt werden
   F ☐ wird durch Anzüchtung von Pertussis-Erregern im Sputum nachgewiesen

---

1 C, D, E, F   2 D

4. Welche der folgenden Testverfahren werden zur Diagnostik bei Asthma bronchiale eingesetzt: (3)

A ☐ Bestimmung von IGE-Antikörpern im Blut durch RAST-Test
B ☐ Pilocarpin-Iontophorese
C ☐ Desensibilisierungs-Test
D ☐ Inhalations-Provokations-Test
E ☐ Hauttestungen als Skarifikations- oder Prick-Test

5. Die lobäre Pneumonie ist charakterisiert durch: (3)

A ☐ eine leichte Verlaufsform
B ☐ langsam schleichenden Beginn nach einer Sinubronchitis
C ☐ plötzlichen Beginn mit hohem Fieber
D ☐ Schmerzen beim Atmen
E ☐ röntgenologisch nachweisbare Verschattungen im Hilusbereich
F ☐ röntgenologisch nachweisbare Verschattungen eines Lungen-segmentes oder Lungenlappens

6. Welche Aussage trifft auf die Kussmaul-Atmung zu: (1)

A ☐ Anschwellen und Abschwellen mit Pausen
B ☐ vertieft, regelmäßig
C ☐ flache Atmung mit Atempause
D ☐ tiefe Atmung mit Atempause
E ☐ flache Atmung ohne Atempause

7. Die normale Atemfrequenz des Neugeborenen beträgt: (1)

A ☐ 50–60
B ☐ 35–45
C ☐ 20–25
D ☐ 16–20
E ☐ 12–16

---

3 B, D, E   4 A, D, E   5 C, D, F   6 B   7 B

8. Die normale Atemfrequenz eines Schulkindes beträgt: (1)

A ☐ 50–60
B ☐ 35–45
C ☐ 20–25
D ☐ 16–20
E ☐ 12–16

9. Das Atemzentrum erhält seine Erregungen: (3)

A ☐ refloktorisch durch zentripetale Nerven
B ☐ durch die Kohlensäurespannung im Blut
C ☐ direkt von der Atemhilfsmuskulatur
D ☐ durch die H-Ionenkonzentration im Blut
E ☐ durch nasale Rezeptoren, die den O_2-Gehalt der Einatmungs-luft registrieren

10. Als Tachypnoe wird bezeichnet: (1)

A ☐ die beschleunigte Atmung
B ☐ der atemlose Zustand
C ☐ die normale, ungestörte Atmung
D ☐ die gestörte, erschwerte Atmung

11. Ein Pyopneumothorax: (2)

A ☐ entsteht durch Verletzungen von außen
B ☐ ist ein mit Blut gefüllter Pleuraerguss
C ☐ ist eine Komplikation der primär abszedierenden Pneumonie
D ☐ wird mittels Pleuradrainage behandelt

12. Die Sinobronchitis: (2)

A ☐ befällt vorwiegend Frühgeborene
B ☐ ist eine akute Erkrankung mit Brochialspasmen
C ☐ ist eine chronische Entzündung der Nebenhöhlen und Bronchien
D ☐ geht mit Kopfschmerzen, Schnupfen und Husten einher

---

8 D   9 A, B, D   10 A   11 C, D   12 C, D

13. Symptome einer Säuglingspneumonie: (3)

A ☐ inspiratorischer Stridor
B ☐ exspiratorisches Keuchen
C ☐ Bradykardie
D ☐ Nasenflügelatmung
E ☐ thorakale Einziehungen

14. Welche Aussagen treffen auf Atelektasen zu: (2)

A ☐ es sind überblähte Lungenbezirke
B ☐ sie können durch äußeren Druck auf das Lungengewebe entstehen
C ☐ es werden dabei große Mengen Sputum entleert
D ☐ es handelt sich dabei um kollabierte Alveolarbezirke

15. Welche Aussage trifft auf die Cheyne-Stokes-Atmung zu: (1)

A ☐ Anschwellen und Abschwellen mit Pausen
B ☐ vertieft, regelmäßig
C ☐ flache Atmung mit Atempause
D ☐ tiefe Atmung mit Atempause
E ☐ flache Atmung ohne Atempause

16. Bronchiektasen sind: (1)

A ☐ Aussackungen der Bronchienwand
B ☐ Entzündungen der Bronchialschleimhaut
C ☐ Verschlüsse der Bronchien
D ☐ Verkrampfungen der kleinen Bronchien

17. Die Rivalta-Probe: (1)

A ☐ dient zur Diagnosesicherung beim Lungenriss
B ☐ wird bei der Pleuritis sicca angewandt
C ☐ ist eine qualitative Atemfunktionsprobe
D ☐ dient zur Unterscheidung von Transsudat und Exsudat

---

13 B, D, E   14 B, D   15 A   16 A   17 D

18. **Als Apnoe wird bezeichnet: (1)**

A ☐ die beschleunigte Atmung
B ☐ der atemlose Zustand
C ☐ die normale, ungestörte Atmung
D ☐ die gestörte, erschwerte Atmung

19. **Als Dyspnoe wird bezeichnet: (1)**

A ☐ die beschleunigte Atmung
B ☐ der atemlose Zustand
C ☐ die normale, ungestörte Atmung
D ☐ die gestörte, erschwerte Atmung

20. **Zeichen der Pleuritis sicca: (3)**

A ☐ Pleurareiben
B ☐ kein Pleurareiben
C ☐ keine Schmerzen beim Atmen
D ☐ Schmerzen beim Atmen
E ☐ Patient liegt meist auf der erkrankten Seite
F ☐ perkutorisch: Dämpfung

21. **Zeichen der Pleuritis exsudativa: (3)**

A ☐ Pleurareiben
B ☐ kein Pleurareiben
C ☐ keine Schmerzen beim Atmen
D ☐ Schmerzen beim Atmen
E ☐ Patient liegt meist auf der erkrankten Seite
F ☐ perkutorisch: Dämpfung

22. **Charakteristische Symptome der stenosierenden Laryngitis: (4)**

A ☐ Stakkato-Husten
B ☐ inspiratorischer Stridor
C ☐ Heiserkeit
D ☐ rauher, bellender Husten
E ☐ Dyspnoe
F ☐ verlängertes Exspirium
G ☐ Bradykardie

---

18 B   19 D   20 A, D, E   21 B, C, F   22 B, C, D, E

23. **Ein exspiratorischer Stridor kann verursacht sein durch: (2)**

A ☐ Verlegung der Atemwege im Bereich des Kehlkopfes
B ☐ Spasmus der Bronchiolen
C ☐ Asthma bronchiale
D ☐ Rhinitis
E ☐ Laryngitis acuta

24. **Welche Symptome sprechen für ein Lungenödem: (4)**

A ☐ zunehmende Dyspnoe
B ☐ inspiratorischer Stridor
C ☐ rasselnde Atemgeräusche
D ☐ zunehmende Atem- und Pulsfrequenz
E ☐ trockener, bellender Husten
F ☐ schaumiger Auswurf

25. **Welches Symptom ist nicht typisch für die Broncho-Pneumonie: (1)**

A ☐ inspiratorische Nasenflügelatmung
B ☐ inspiratorischer Stridor
C ☐ interkostale Einziehungen
D ☐ Dyspnoe
E ☐ Leukozytose im Blut

26. **Ursache des Stridor congenitus: (1)**

A ☐ Virusinfektion
B ☐ Fremdkörper im Bereich des Kehlkopfes
C ☐ angeborene Weichheit des Kehlkopfes und des Kehlkopfdeckels
D ☐ Entzündung der Kehlkopfschleimhaut

27 **Die akute Epiglottitis: (2)**

A ☐ ist eine Entzündung der Kehlkopfschleimhaut
B ☐ geht mit bellendem Husten und Heiserkeit einher
C ☐ erfordert häufig eine Intubation oder Tracheotomie
D ☐ ist eine bedrohliche Entzündung des Kehldeckels

---

23 B, C   24 A, C, D, F   25 B   26 C

28. **Die primär abszedierende Pneumonie: (3)**

A ☐ ist eine Viruspneumonie
B ☐ wird durch Staphylokokken hervorgerufen
C ☐ wird durch Pneumokokken hervorgerufen
D ☐ ist durch eine schwere Verlaufsform gekennzeichnet
E ☐ kann zu einem Pneumothorax führen

29. **Im Verlauf welcher Erkrankungen kann es zum Pleuraempyem kommen: (2)**

A ☐ chronische, spastische Bronchitis
B ☐ lobäre Pneumonie
C ☐ Aspirationspneumonie
D ☐ interstitielle, plasmazelluläre Pneumonie
E ☐ Bronchiektasie
F ☐ primär abszedierende Pneumonie

30. **Die Therapie der pulmonalen Form der Mukoviszidose beinhaltet: (3)**

A ☐ Infektionsbekämpfung mit Antibiotika
B ☐ hochdosierte Kortikosteroid-Gaben
C ☐ Physiotherapie mit Thoraxklopfmassage
D ☐ Sekretolyse durch Inhalationen und Nebelzelttherapie
E ☐ Hyposensibilisierung durch subkutane Injektionen

31. **Die Stauungsbronchitis ist eine Begleiterscheinung bei: (1)**

A ☐ Mukoviszidose
B ☐ angeborenen Herzfehlern
C ☐ Pertussis
D ☐ stenosierender Laryngitis

32. **Symptome der spastischen Bronchitis: (3)**

A ☐ lautes Giemen und Brummen im Exspirium
B ☐ starkes, ziehendes Geräusch beim Inspirium
C ☐ anfallsweiser Stakkatohusten
D ☐ Fieber
E ☐ beschleunigte, oberflächliche Atemzüge
F ☐ schaumiges Sputum

---

27 C, D   28 B, D, E   29 B, F   30 A, C, D   31 B   32 A, D, E

33. **Beim Lungenemphysem besteht: (1)**

A ☐ eine Eiteransammlung im Pleuraspalt
B ☐ eine Überblähung der Alveolen
C ☐ ein eitriger Abszess im Lungengewebe
D ☐ ein Spannungspneumothorax

34. **Ein Lungenemphysem kann entstehen im Verlauf: (2)**

A ☐ der Aspirationspneumonie
B ☐ der Bronchiolitis
C ☐ der lobären Pneumonie
D ☐ des Bronchialasthma
E ☐ der interstitiellen, plasmazellulären Pneumonie

35. **Bei der Aspiration von festen Fremdkörpern im Kleinkindalter: (4)**

A ☐ ist hartnäckiger, trockener Husten das Hauptsymptom
B ☐ werden Fieber und Rasselgeräusche über der Lunge diagnostiziert
C ☐ kann sich ein akutes Emphysem bilden
D ☐ können sich bei vollständiger Bronchusverlegung Atelektasen bilden
E ☐ wird der Fremdkörper immer durch eine Röntgenaufnahme des Thorax diagnostiziert
F ☐ ist schon im Verdachtsfall eine Bronchoskopie angezeigt

36. **Typische Luftwegerkrankungen des Säuglings: (3)**

A ☐ Sinobronchitis
B ☐ spastische Bronchitis
C ☐ primär abszedierende Pneumonie
D ☐ Bronchopneumonie
E ☐ lobäre Pneumonie
F ☐ Asthma bronchiale

---

33 B   34 B, D   35 A, C, D, F   36 B, C, D

37. **Bitonaler Husten ist ein Symptom bei:** (2)

A ☐ Bronchitis
B ☐ Bronchiolitis
C ☐ Fremdkörperaspiration
D ☐ Trachealkompression durch Gefäßanomalien oder Tumoren
E ☐ Bronchiektasen

38. **Ursachen für Bronchiektasen:** (2)

A ☐ Pseudokrupp
B ☐ chronisch rezidivierende Bronchitiden
C ☐ Mukoviszidose
D ☐ chronische Angina
E ☐ Nasenseptumdefekt

39. **Die akute, lobäre Pneumonie wird behandelt mit:** (4)

A ☐ Penicillin (Antibiotika)
B ☐ Moronal
C ☐ Sauerstoffzufuhr
D ☐ Digitalis
E ☐ Zytostatika
F ☐ Antipyretika

40. **Therapie der spastischen Bronchitis:** (3)

A ☐ Aerosolinhalation
B ☐ Freiluftbehandlung
C ☐ Antibiotika-Gabe
D ☐ Pleurapunktion zur Entlastung
E ☐ Bronchographie
F ☐ Tracheotomie

---

41. Welche Aussagen zur Rhinitis sind falsch: (2)

A ☐ im frühen Säuglingsalter kann ein akuter Schnupfen eine ernste Allgemeinerkrankung mit Fieber, Nahrungsverweigerung und Erbrechen darstellen

B ☐ einseitiger Schnupfen ist ein typisches Symptom bei angeborener Lues

C ☐ chronischer Schnupfen tritt auf bei Sinusitis

D ☐ bei allergisch bedingtem Schnupfen wird eitriges, zähes Sekret ausgeschieden

42. Symptome des akuten, asthmatischen Anfalls: (3)

A ☐ verlängertes Exspirium mit Pfeifen und Giemen

B ☐ plötzlich einsetzender Reizhusten

C ☐ pfeifendes Einatmungsgeräusch

D ☐ starke Dyspnoe

E ☐ brennende Schmerzen bei der Inspiration

F ☐ Zyanose

43. Eine Pneumatozele: (2)

A ☐ ist eine angeborene Erweiterung der Bronchialwand

B ☐ wird auch Waben- oder Zystenlunge genannt

C ☐ entsteht durch Entleerung eines Lungenabszesses in das Bronchialsystem

D ☐ ist eine Komplikation der abszedierenden Pneumonie

44. Ursachen einer Stauungsbronchitis: (3)

A ☐ Linksherzinsuffizienz

B ☐ Rechtsherzinsuffizienz

C ☐ Überdruckbeatmung

D ☐ Druckerhöhung im Pulmonalkreislauf

E ☐ Mitralstenose

F ☐ Trikuspidalinsuffizienz

---

41 B, D   42 A, D, F   43 C, D   44 A, D, E

45. Welche Symptome sind typisch für Bronchiektasen beim Säugling: (3)

A ☐ bellender, trockener Husten
B ☐ rezidivierende Fieberschübe
C ☐ Erbrechen von Schleim
D ☐ galliges Erbrechen
E ☐ Gedeihstörungen
F ☐ Nasenflügelatmung

46. Zur Therapie von Bronchiektasen gehören: (3)

A ☐ Aerosol-Inhalationen mit Sekretolytika
B ☐ Antibiotika-Gaben
C ☐ Antimykotika-Gaben
D ☐ Bronchospasmolytika-Gaben
E ☐ Durchführung einer Thorakozentese zur Entlastung
F ☐ Durchführung der Quincke-Hängelage zur Erleichterung der Expektoration

47. Die interstitielle plasmazelluläre Pneumonie: (2)

A ☐ befällt Frühgeborene und dystrophe Neugeborene
B ☐ entsteht durch Aspiration von mekoniumhaltigem Fruchtwasser
C ☐ tritt überwiegend bei Schulkindern auf
D ☐ geht mit hohem Fieber einher
E ☐ tritt unter Immunsuppressiva-Therapie auf

48. Welche Beschwerden verursacht ein Lungenemphysem: (2)

A ☐ heftige, stechende Schmerzen bei jedem Atemzug
B ☐ Kurzluftigkeit
C ☐ Husten bei Raumtemperaturwechsel
D ☐ hohes, remittierendes Fieber

---

45 B, C, E   46 A, B, F   47 A, E   48 B, C

49. Ein über längere Zeit bestehendes Lungenemphysem führt: (1)

A ☐ zur respiratorischen Alkalose
B ☐ zum Cor pulmonale
C ☐ zur Hypertonie im großen Kreislauf
D ☐ zu einer vermehrten Beanspruchung der linken Herzkammer

50. Beim Status asthmaticus: (3)

A ☐ werden Kortikosteroide verabreicht
B ☐ besteht eine inspiratorische Dyspnoe
C ☐ besteht eine exspiratorische Dyspnoe
D ☐ besteht eine Zyanose
E ☐ werden Antipyretika verabreicht
F ☐ bestehen stärkste Schmerzen beim Einatmen

51. Welche Symptome sprechen für eine Rachenmandelhyperplasie beim Kleinkind: (3)

A ☐ Schluckbeschwerden
B ☐ Mundatmung mit stumpfem Gesichtsausdruck
C ☐ rezidivierende Luftwegsinfekte
D ☐ exspiratorischer Stridor
E ☐ nächtliches Schnarchen

---

49 B   50 A, C, D   51 B, C, E

4. Blut- und Kreislauferkrankungen

1. Bei einer Linksherzinsuffizienz kommt es primär zu Stauungen: (2)

    A ☐ im rechten Lungenlappen
    B ☐ im linken Lungenlappen
    C ☐ in der Leber
    D ☐ im Magen-Darm-Bereich

2. Bei einer Rechtsherzinsuffizienz kommt es primär zu Stauungen: (2)

    A ☐ im rechten Lungenlappen
    B ☐ im linken Lungenlappen
    C ☐ in der Leber
    D ☐ im Magen-Darm-Bereich

3. Blut welcher Blutgruppe wird bei einer Rh-Inkompatibilität für die Austauschtransfusion benötigt: (1)

    A ☐ Blutgruppe des Kindes mit negativem Rh-Faktor
    B ☐ Blutgruppe des Kindes mit positivem Rh-Faktor
    C ☐ Blutgruppe der Mutter mit negativem Rh-Faktor
    D ☐ Blutgruppe der Mutter mit positivem Rh-Faktor

4. Symptome der Leukämie: (4)

    A ☐ Anämie
    B ☐ Hepatomegalie
    C ☐ Haut- und Schleimhautblutungen
    D ☐ Thrombozytose
    E ☐ rasche Ermüdbarkeit
    F ☐ verstärkte Erythropoese

---

1 A, B   2 C, D   3 A

5. Das Krankheitsbild der Purpura Schoenlein-Henoch: (2)

A ☐ gehört zu den Verbrauchskoagulopathien und kommt im schweren Schockzustand vor

B ☐ wird mit Substitution von Thrombozytenkonzentrat behandelt

C ☐ geht mit Petechien und flächenhaften Hautblutungen im Extremitäten- und Gesäßbereich einher

D ☐ kann von kolikartigen Bauchschmerzen, Schleimhautblutungen und Hämaturie begleitet sein

E ☐ ist ein angeborener Mangel der Gerinnungsfaktoren VIII und IX

F ☐ verläuft immer chronisch und erfordert lebenslange Gabe von Gerinnungsfaktoren

6. Welche der folgenden Medikamente gehören zu den Zytostatika: (5)

A ☐ Vincristin

B ☐ Natriumhydrogencarbonat

C ☐ Puri-Nethol

D ☐ Endoxan

E ☐ Methotrexat

F ☐ Adriblastin

G ☐ Allopurinol

H ☐ Diazepam

7. Welche Aussagen zur akuten lymphoblastischen Leukämie sind richtig: (2)

A ☐ es handelt sich dabei um die häufigste maligne Erkrankung im Kindesalter

B ☐ sie hat nach anfänglicher Remission immer einen letalen Ausgang

C ☐ die Therapie unterteilt sich in: Induktionsphase, Konsolidierungsphase, Dauerbehandlung

D ☐ als Standardtherapie wird die Knochenmarktransplantation eingesetzt

---

4 A, B, C, E   5 C, D   6 A, C, D, E, F   7 A, C

8. Bei welchen Herzfehlern tritt eine Zyanose schon kurz nach der Geburt auf: (2)

A ☐ offenes Foramen ovale
B ☐ Trikuspidalatresie
C ☐ Transposition der großen Gefäße
D ☐ Ventrikelseptumdefekt
E ☐ Pulmonalstenose
F ☐ Aortenisthmusstenose

9. Symptome bei angeborenen Herzfehlern können sein: (3)

A ☐ Dyspnoe
B ☐ Zyanose
C ☐ Krampfanfälle
D ☐ Trinkschwäche
E ☐ Bradykardie

10. Wirkung einer Blutaustauschtransfusion beim Neugeborenen: (2)

A ☐ Senkung des Bilirubinspiegels im kindlichen Kreislauf
B ☐ Entfernung mütterlicher Erythrozyten aus dem kindlichen Kreislauf
C ☐ Verminderung mütterlicher Antikörper im kindlichen Kreislauf

11. Zu einer Polyglobulie kommt es bei: (3)

A ☐ längerer Zytostatikatherapie
B ☐ längerem Aufenthalt in Bergeshöhen
C ☐ angeborenen Herzfehlern (mit Zyanose)
D ☐ längerem Aufenthalt unterhalb des Meeresspiegels
E ☐ längerer Kortikosteroidtherapie

12. Als Hypoxämie wird bezeichnet: (1)

A ☐ eine Überladung des Blutes mit Kohlensäure
B ☐ eine Verminderung des Sauerstoffgehaltes im Blut
C ☐ eine Verminderung des Kohlensäuregehaltes im Blut
D ☐ eine Überladung des Blutes mit Sauerstoff

---

8 B, C   9 A, B, D   10 A, C   11 B, C, E   12 B

13. Als Hyperkapnie wird bezeichnet: (1)

A ☐ eine Überladung des Blutes mit Kohlensäure
B ☐ eine Verminderung des Sauerstoffgehaltes im Blut
C ☐ eine Verminderung des Kohlensäuregehaltes im Blut
D ☐ eine Überladung des Blutes mit Sauerstoff

14. Zur Fallot-Tetralogie gehören folgende Anomalien: (4)

A ☐ Pulmonalstenose
B ☐ Vorhofseptumdefekt
C ☐ Ventrikelseptumdefekt
D ☐ Dextroposition der Aorta
E ☐ Aortenisthmusstenose
F ☐ offener Ductus Botalli
G ☐ Hypertrophie des rechten Ventrikels

15. Große Differenzen des systolischen Blutdrucks zwischen oberer und unterer Extremität weisen hin auf: (1)

A ☐ Pulmonalstenose
B ☐ Aortenisthmusstenose
C ☐ Ventrikel-Septum-Defekt
D ☐ offenen Ductus Botalli

16. Die Frühgeborenenanämie beruht auf: (1)

A ☐ einer Hämolyse
B ☐ relativem Eisenmangel
C ☐ Vitamin-K-Mangel
D ☐ dem Fehlen des Intrinsic-Faktors

17. Erworbene Herzklappenfehler: (2)

A ☐ Mitralinsuffizienz
B ☐ Pulmonalstenose
C ☐ Aortenklappeninsuffizienz
D ☐ Trikuspidalatresie
E ☐ Aortenisthmusstenose

---

13 A   14 A, C, D, G   15 B   16 B   17 A, C

18. Bei der Pulmonalklappenstenose wird besonders belastet: (1)

A ☐ die linke Herzkammer
B ☐ die rechte Herzkammer
C ☐ der linke Herzvorhof
D ☐ der rechte Herzvorhof

19. Bei der Trikuspidalstenose wird besonders belastet: (1)

A ☐ die linke Herzkammer
B ☐ die rechte Herzkammer
C ☐ der linke Herzvorhof
D ☐ der rechte Herzvorhof

20. Welche Ursachen kann das Auftreten eines Icterus gravis haben: (3)

A ☐ Rh-Inkompatibilität
B ☐ ABO-Inkompatibilität
C ☐ Hypothyreose
D ☐ Frühgeburt
E ☐ Myelomeningozele

21. Bei welchen der aufgeführten Herzfehler tritt keine Zyanose auf: (2)

A ☐ Transposition der großen Gefäße
B ☐ Aortenstenose
C ☐ Aortenisthmusstenose
D ☐ Fallot-Tetralogie

22. Nasenbluten ist ein häufiges Symptom bei: (1)

A ☐ Aortenstenose
B ☐ Aortenisthmusstenose
C ☐ Pulmonalstenose

23. Angeborene Herzfehler mit Rechts-Links-Shunt sind: (2)

A ☐ offener Ductus Botalli
B ☐ Ventrikelseptumdefekt
C ☐ Fallot-Tetralogie
D ☐ Transposition der großen Gefäße
E ☐ Vorhofseptumdefekt

| 18 B | 19 D | 20 A, B, D | 21 B, C | 22 B | 23 C, D |

24. Eine nach der Geburt weiterbestehende Verbindung zwischen Arteria pulmonalis und Aortenbogen nennt man: (1)

A ☐ Ventrikel-Septum-Defekt
B ☐ Aortenisthmusstenose
C ☐ Ductus Botalli persistens
D ☐ Foramen ovale

25. Zur Ödembildung kann es kommen bei: (3)

A ☐ Verbrennungen
B ☐ hypochromer Anämie
C ☐ Glomerulonephritis
D ☐ Nephrose
E ☐ Pyelonephritis

26. Die Chorea minor kann vorkommen im Verlauf: (1)

A ☐ des nephrotischen Syndroms
B ☐ des rheumatischen Fiebers
C ☐ der Säuglingsmyokarditis
D ☐ der Rh-Inkompatibilität

27. Symptome bei Kindern mit Fallot-Tetralogie: (3)

A ☐ auffallende Blässe der Haut
B ☐ Dyspnoe
C ☐ Hockerstellung
D ☐ Bradykardie
E ☐ Zyanose

28. Die Therapie einer Myokarditis beim Säugling besteht in: (3)

A ☐ Sondenernährung
B ☐ Atemgymnastik
C ☐ Bewegungstherapie
D ☐ Antibiotikagabe
E ☐ Digitalisierung

---

24 C   25 A, C, D   26 B   27 B, C, E   28 A, D, E

29. Welche Erkrankungen gehören nicht zu den hämorrhagischen Diathesen: (3)

A □ Morbus haemolyticus neonatorum
B □ Morbus Hodgkin
C □ Morbus Werlhof
D □ Schoenlein-Henoch-Syndrom
E □ Hämophilie A
F □ v. Willebrand-Jürgens-Syndrom
G □ Kawasaki-Syndrom

30. Symptome des akuten rheumatischen Fiebers: (3)

A □ Polyarthritis
B □ Erythema nodosum
C □ Erythema anulare
D □ Karditis
E □ Nephritis

31. Symptome der akuten lymphatischen Leukämie: (3)

A □ Anämie
B □ Haut- und Schleimhautblutungen
C □ verstärkte Thrombopoese
D □ Hepatosplenomegalie
E □ Lymphknotenverkleinerung

32. Eine große Blutdruckamplitude bei niedrigem diastolischem Wert findet man bei: (1)

A □ Volumenmangelschock
B □ Aorteninsuffizienz
C □ Mitralinsuffizienz
D □ Glomerulonephritis

---

29 A, B, G   30 A, C, D   31 A, B, D   32 B

33. Der Nachweis von Sternberg-Riesenzellen in einem Lymphknotenpunktat spricht für die Diagnose: (1)

A ☐ Wilms-Tumor
B ☐ Lymphadenitis
C ☐ Morbus Hodgkin
D ☐ Lymphosarkom

34. Zu den hämolytischen Anämieformen rechnet man die: (2)

A ☐ Eisenmangelanämie
B ☐ Infektanämie
C ☐ Erythroblastose
D ☐ Blutungsanämie
E ☐ Kugelzellenanämie

35. Ursachen einer Blutazidose: (2)

A ☐ mangelhafte Atemtätigkeit
B ☐ Hyperventilation
C ☐ Verlust von Darmsekreten bei starker Diarrhoe
D ☐ Verlust von Magensekreten durch starkes Erbrechen

36. Die Astrup-Werte: (1)

A ☐ bestimmen die Vitalität eines Neugeborenen
B ☐ geben Auskunft über den Blut-Eiweißgehalt
C ☐ bestimmen den Glukosegehalt des Blutes
D ☐ geben Aufschluss über den Säure-Basen-Haushalt

37. Die respiratorische Arrhythmie ist: (1)

A ☐ ein ernstes Symptom im Verlauf einer Myokarditis
B ☐ eine Pulsbeschleunigung während der Inspiration, die besonders bei nervösen Jugendlichen auftritt
C ☐ ein häufiges Begleitsymptom bei der Gabe von Digitalis
D ☐ eine Pulsverlangsamung bei steigender Körpertemperatur

| 33 C | 34 C, E | 35 A, C | 36 D | 37 B |

38. Ein Mangel des Blutgerinnungsfaktors VIII führt zum Krankheits-
    bild der: (1)

    A ☐ Melaena neonatorum
    B ☐ Hämophilie A
    C ☐ Hämophilie B
    D ☐ Schoenlein-Henoch-Purpura

39. Bei welchen Erkrankungen findet man eine Leukozytose im Blut: (2)

    A ☐ Typhus
    B ☐ Pertussis
    C ☐ Masern
    D ☐ Meningokokken-Meningitis

40. Ursachen für eine Methämoglobinbildung beim Säugling: (2)

    A ☐ mit nitrathaltigem Wasser zubereitete Flaschennahrung
    B ☐ Überangebot karotinhaltiger Säfte
    C ☐ Verzehr von aufgewärmtem Spinat
    D ☐ Überdosierung von Vitamin-C-Präparaten

41. Trommelschlegelfinger und Uhrglasnägel sind Symptome bei: (2)

    A ☐ Niereninsuffizienz
    B ☐ Linksherzinsuffizienz
    C ☐ zyanotischen Herzfehlern
    D ☐ angeborenen Hemmungsmissbildungen
    E ☐ Mukoviszidose

42. Die Agranulozytose: (2)

    A ☐ wird auch als Linksverschiebung bezeichnet
    B ☐ zeigt sich als schweres, akutes, hochfieberhaftes Krankheitsbild
    C ☐ ist bedingt durch eine toxische Schädigung des Knochenmarkes
    D ☐ ist eine Vermehrung der Leukozyten im peripheren Blut

---

| 38 B | 39 B, D | 40 A, C | 41 C, E | 42 B, C |

43. Das Auftreten einer Eosinophilie im Blutbild spricht für: (2)

A ☐ allergische Erkrankungen
B ☐ Leukämie
C ☐ Wurmbefall
D ☐ Harnweginfektionen
E ☐ hämolytische Anämie

44. Die Zyanose ist Zeichen einer: (2)

A ☐ respiratorischen Insuffizienz
B ☐ kardialen Insuffizienz
C ☐ Pulmonalklappeninsuffizienz
D ☐ Kohlenmonoxidvergiftung
E ☐ renalen Insuffizienz

45. Klinisches Bild der Linskherzinsuffizienz: (2)

A ☐ Atemnot
B ☐ gestaute Halsvenen
C ☐ Stauungsbronchitis
D ☐ Staungsgastritis
E ☐ Aszites
F ☐ Ösophagusvarizen

46. Eine Extrasystole ist ein: (1)

A ☐ schneller Herzschlag
B ☐ verlangsamter Herzschlag
C ☐ Blutdruckabfall
D ☐ erhöhter Blutdruck
E ☐ vorzeitig einfallender Sonderschlag

47. Behandlung der Herzmuskelinsuffizienz: (3)

A ☐ Digitalis
B ☐ Atropin
C ☐ Diuretika
D ☐ Analgetika
E ☐ vermehrte orale Flüssigkeitszufuhr
F ☐ verminderte orale Flüssigkeitszufuhr

---

43 A, C   44 A, B   45 A, C   46 E   47 A, C, F

48. Aschoff-Knötchen sind: (1)

A ☐ Reizleitungsbahnen

B ☐ rheumatische Granulome (u. a. im Myokard)

C ☐ Petechien im Verlauf des rheumatischen Fiebers

49. Wann kommt es zur Blutgruppen-Inkompatibilität: (1)

A ☐ bei Glukuronyltransferasemangel

B ☐ bei Blutgruppengleichheit

C ☐ bei negativem Rh-Faktor des Kindes

D ☐ beim Vorliegen mütterlicher Antikörper im kindlichen Blut

51. Welche Aussagen treffen auf die Fallot-Tetralogie zu: (3)

A ☐ bei Säuglingen kommt es zu hypoxischen Krisen mit extremer Dyspnoe und Zyanose

B ☐ ältere Kinder nehmen die typische Hockerstellung ein, um die Lungendurchblutung zu verbessern

C ☐ es kommt zu Trommelschlegelfingern und Uhrglasnägelbildung

D ☐ es handelt sich um eine Links-Rechts-Shunt-Bildung

E ☐ ausschlaggebend für die Schwere der Symptomatik ist der Vorhofseptumdefekt

52. Unter einer Endokarditisprophylaxe versteht man: (1)

A ☐ die frühzeitige Operation bei einem Ventrikelseptumdefekt

B ☐ einen palliativen Eingriff im Säuglingsalter bei zyanotischen Herzfehlern

C ☐ die hochdosierte Antibiotikagabe vor chirurgischen Eingriffen bei Kindern mit angeborenen Herzfehlern

---

48 B   49 D   51 A, B, C   52 C

53. Bei der infantilen Form der Aortenisthmusstenose: (2)

A ☐ kann es ohne Operation im ersten Lebensjahr zur Herzinsuffizienz und zum Tod kommen

B ☐ liegt die verengte Stelle vor der Mündungsstelle des Ductus
arteriosus Botalli

C ☐ liegt die verengte Stelle hinter der Mündungsstelle des Ductus
arteriosus Botalli

D ☐ werden die unteren Körperabschnitte besser mit Sauerstoff
versorgt als die oberen

E ☐ besteht die Therapie in schonender Pflege und Digitalisierung

54. Der angeborene Ventrikelseptumdefekt: (1)

A ☐ muss in den ersten Lebenswochen operiert werden, da sonst
eine Herzinsuffizienz droht

B ☐ ist erkennbar an einem lauten diastolischen Herzgeräusch

C ☐ erfordert keine kardiologischen Kontrollen

D ☐ verschließt sich in vielen Fällen in den ersten Lebensjahren von
allein

55. Extrasystolen werden häufig ausgelöst durch: (2)

A ☐ Digitalisüberdosierung

B ☐ Trikuspidalinsuffizienz

C ☐ Hypertrophie der rechten Kammer

D ☐ organische Herzschäden (z. B. Herznarben)

56. Hauptursache erworbener Herzklappenfehler im Kindesalter: (1)

A ☐ Perikarderguss

B ☐ rheumatische Endokarditis

C ☐ Linksherzinsuffizienz

D ☐ Lungenödem

57. Erreger der akuten rheumatischen Endokarditis: (1)

A ☐ Streptococcus viridans

B ☐ Staphylococcus aureus

C ☐ hämolysierende Streptokokken

---

53 A, B   **54** D   **55** A, D   **56** B   **57** C

58. Welche Leukämieform kommt im Kindesalter am häufigsten vor: (1)

A ☐ die akute lymphoblastische Leukämie
B ☐ die akute myeloische Leukämie
C ☐ die akute monozytäre Leukämie
D ☐ die chronische myeloische Leukämie

59. Bei welchen Krankheitsbildern werden Hautblutungen nicht durch Thrombozytenmangel hervorgerufen: (2)

A ☐ Schoenlein-Henoch
B ☐ Möller-Barlow
C ☐ Morbus Werlhof
D ☐ Leukämie

60. Koagulopathien sind: (1)

A ☐ hämolytische Anämien
B ☐ Blutgerinnungsstörungen
C ☐ Vitaminmangelkrankheiten
D ☐ entartete weiße Blutkörperchen

61. Die spezifische Therapie der Hämophilie A (Zufuhr von Faktor VIII) erfolgt mit: (2)

A ☐ Frischblutkonserven
B ☐ Kryopräzipitat
C ☐ AHF (Antihämophile Fraktion)
D ☐ Thrombozytenkonzentrat
E ☐ gewaschenen Erythrozyten

62. Kollagenosen = (Autoimmunkrankheiten): (2)

A ☐ werden mit Kortikoiden behandelt
B ☐ haben eine gute Prognose
C ☐ werden mit Antibiotika behandelt
D ☐ werden mit Immunsuppressiva behandelt

---

58 A   59 A, B   60 B   61 B, C   62 A, D

63. Welche Befunde sprechen für die hereditäre Sphärozytose: (2)

A ☐ Anstieg des Bilirubins im Blut
B ☐ verminderter Serumeisengehalt
C ☐ verminderte osmotische Resistenz der Erythrozyten
D ☐ gesteigerte Erythropoese im Knochenmark

64. Von einer Verbrauchskoagulopathie spricht man: (1)

A ☐ bei angeborenen Blutgerinnungsstörungen wie Hämophilie A
B ☐ bei Hautblutungen im Verlauf der Moeller-Barlow-Krankheit
C ☐ beim Fehlen neutrophiler Granulozyten im Verlauf einer
Agranulozytose
D ☐ bei Blutungsneigung durch verstärkte intravasale Gerinnung mit
mangelnder Neubildung von Gerinnungsfaktoren

65. Eine Splenomegalie tritt auf bei: (3)

A ☐ hereditärer Sphärozytose
B ☐ Thalassaemia major
C ☐ akuter lymphatischer Leukämie
D ☐ metabolischer Azidose
E ☐ angeborener Thrombopenie

66. Das Foramen ovale schließt sich funktionell: (1)

A ☐ durch Drehung des Herzens nach der Geburt
B ☐ durch Blutdruckabfall im Pulmonalkreislauf des Neugeborenen
C ☐ durch Steigerung der Blutmenge im linken Vorhof des Neuge-
borenen

67. Zur Therapie der Thalassaemia major gehört die Substitution von
Desferal, das dient: (2)

A ☐ dem Absenken des Serum-Bilirubinspiegels
B ☐ der Ausscheidung von Eisen im Urin
C ☐ der Verhinderung einer Hämochromatose des Herzmuskels
D ☐ der Verhinderung einer Pneumokokken-Infektion nach
Splenektomie

---

63 A, C   64 D   65 A, B, C   66 C   67 B, C

68. Ursachen für einen Ikterus prolongatus: (3)

A ☐ Asphyxie des Neugeborenen
B ☐ Kuhmilcheiweiß-Unverträglichkeit
C ☐ Hormonzufuhr durch Muttermilchernährung
D ☐ angeborene Hypothyreose
E ☐ Leberunreife bei Frühgeborenen

69. Bei welcher Blutgruppenkonstellation kann es zur ABO- oder Rh-Inkompatibilität kommen: (2)

A ☐ Kind A Rh positiv, Mutter O Rh positiv
B ☐ Kind O rh negativ, Mutter A rh negativ
C ☐ Kind AB Rh positiv, Mutter A rh negativ
D ☐ Kind B rh negativ, Mutter AB rh negativ
E ☐ Kind A rh negativ, Mutter B Rh positiv

70. Die Thalassaemia major: (3)

A ☐ ist eine Eisenmangelanämie
B ☐ ist eine Schädigung der Erythrozyten durch exogene Toxine
C ☐ ist durch eine verminderte Hämoglobinsynthese gekennzeichnet
D ☐ kommt vorwiegend bei der Bevölkerung des Mittelmeerraumes vor
E ☐ ist eine angeborene schwere hämolytische Anämieform

71. Angeborene Herzerkrankungen mit einem Links-Rechts-Shunt sind: (3)

A ☐ offener Ductus Botalli
B ☐ Pulmonalstenose
C ☐ Atrium-Septum-Defekt (ASD)
D ☐ Mitralstenose
E ☐ Ventrikel-Septum-Defekt (VSD)

72. Zur Perikarditis können führen: (2)

A ☐ rheumatisches Fieber
B ☐ bakterielle Infektion
C ☐ einseitiger Nierentumor
D ☐ Schilddrüsenüberfunktion

---

68 C, D, E   **69** A, C   **70** C, D, E   **71** A, C, E   **72** A, B

5. Krankheiten der Verdauungsorgane

1. Welche Befunde werden bei der Oxyuriasis erhoben: (4)
   A ☐ makroskopischer Nachweis der Würmer im Stuhl
   B ☐ mikroskopischer Nachweis der Wurmeier im Analabstrich
   C ☐ anhaltendes Erbrechen
   D ☐ blutig-schleimige Stuhlentleerung
   E ☐ Juckreiz im Analbereich
   F ☐ Fieberschübe
   G ☐ Eosinophilie im peripheren Blutbild

2. Symptome bei Bandwurmbefall: (2)
   A ☐ Heißhunger
   B ☐ Gewichtszunahme
   C ☐ hohes Fieber
   D ☐ Diarrhoe
   E ☐ blutiger Auswurf
   F ☐ Gewichtsabnahme

3. Welche Parasiten gelangen nach Durchdringen der Darmwand über Pfortader, Leber, Vena cava, Herz und Lunge wieder in den Magen-Darm-Trakt: (1)
   A ☐ Oxyuren
   B ☐ Zestoden
   C ☐ Askariden
   D ☐ Echinokokken
   E ☐ Lamblien

4. Die Diagnosesicherung einer Lambliasis erfolgt durch: (2)
   A ☐ fraktionierte Magenausheberung nach Lambling
   B ☐ Untersuchung von frisch gewonnenem Duodenalsaft
   C ☐ mikroskopische Untersuchung von frisch entleertem Stuhl
   D ☐ Blutausstrich
   E ☐ Sedimentbestimmung im Urin

---

1 A, B, E, G   2 A, F   3 C   4 B, C

5. Welche Aussagen zum acetonämischen Erbrechen sind richtig: (3)

A ☐ das Erbrechen kann ohne nachweisbare Ursache 30–40 mal in 24 Stunden auftreten

B ☐ Jungen sind häufiger betroffen als Mädchen

C ☐ die Ursache ist eine Entzündung der Magen- und Oesophagusschleimhaut

D ☐ die Therapie besteht in intravenöser Zufuhr von Glukose- und Elektrolytlösung

E ☐ die Therapie wird durch Milieuwechsel, Sedierung und Bettruhe unterstützt

F ☐ das Krankheitsbild ist eine Vorstufe der Bulimie

6. Wichtigste Ziele der Therapie beim coma dyspepticum (hyperpyretische Toxikose) sind: (3)

A ☐ schnellstmögliche orale Aufnahme von Glukose- und Elektrolytlösungen

B ☐ Ausgleich der metabolischen Alkalose

C ☐ intravenöse Volumen- und Elektrolytsubstitution mit Ausgleich des Säure-Basen-Haushaltes

D ☐ Stabilisierung des Kreislaufs

E ☐ Fiebersenkung

7. Symptome einer Atrophie: (4)

A ☐ greisenhaftes Aussehen

B ☐ Fieber

C ☐ graue Hautfarbe

D ☐ unnatürlich rote Wangen

E ☐ Untertemperaturen

F ☐ kühle, zyanotische Akren

---

5 A, D, E   **6** C, D, E   **7** A, C, E, F

8. Bei der Enterocolitis granulomatosa (Morbus Crohn): (3)

A ☐ wird die Diagnose durch Yersinien-Nachweis gesichert
B ☐ müssen in jedem Fall die befallenen Darmabschnitte operativ entfernt werden
C ☐ kann sich die Erkrankung schleichend über Jahre entwickeln
D ☐ können die chronisch-entzündlichen Veränderungen alle Abschnitte des Verdauungstraktes befallen
E ☐ kommt es häufig zu Fistelbildungen im Analbereich
F ☐ liegt das typische Erkrankungsalter zwischen dem 2. und 6. Lebensjahr

9. Komplikationen einer Hiatushernie: (3)

A ☐ Ulzeration des Ösophagus
B ☐ Invagination
C ☐ Ösophagusstrikturen
D ☐ Aspirationspneumonie

10. Symptome der hypertrophischen Pylorusstenose: (3)

A ☐ Singultus und schlaffes Erbrechen
B ☐ Hämatinerbrechen
C ☐ Retroperistaltik mit spastischem Erbrechen
D ☐ galliges Erbrechen
E ☐ Magensteifungen

11. Die Behandlung der Säuglingsdyspepsie erfolgt durch: (2)

A ☐ Flüssigkeits- und Elektrolytersatz
B ☐ Zufuhr gärfähiger Kohlenhydrate
C ☐ Gabe von Schleimen und Quellstoffen

12. Ursachen für Durchfallerkrankungen beim Säugling: (3)

A ☐ enterale Infektionen
B ☐ parenterale Infektionen
C ☐ Vitamin-C-Mangel
D ☐ Vitamin-K-Mangel
E ☐ Rachitis
F ☐ Malabsorption

---

8 C, D, E **9** A, C, D **10** B, C, E **11** A, C **12** A, B, F

13. Beim Neugeborenen kann Erbrechen folgende Ursachen haben: (3)

A ☐ Hiatushernie
B ☐ Hirnblutung
C ☐ Meckel-Divertikel
D ☐ Ösophagusatresie

14. Ursachen einer Dystrophie: (3)

A ☐ Malabsorption
B ☐ Maldigestion
C ☐ Obstipation
D ☐ Fehlernährung
E ☐ Vitamin-K-Mangel

15. Spastisches Erbrechen bei einem drei Wochen alten Säugling ist hinweisend auf: (2)

A ☐ hypertrophische Pylorusstenose
B ☐ Adrenogenitales-Syndrom
D ☐ Kuhmilchunverträglichkeit
D ☐ passagere Kardiainsuffizienz

16. Welche Aussagen zum Magen- und Duodenalulkus sind richtig: (2)

A ☐ das Magenulkus ist häufiger als das Duodenalulkus
B ☐ bei der Behandlung spielt die Beseitigung psychischer Konflikte eine große Rolle
C ☐ Jungen erkranken häufiger als Mädchen
D ☐ Die Behandlung besteht aus Bettruhe, Sedativa und parenteraler Ernährung

17. Welche Erkrankungen können eine Pankreatitis zur Folge haben: (2)

A ☐ Mumps
B ☐ Masern
C ☐ Röteln
D ☐ stumpfes Bauchtrauma
E ☐ Salmonellose
F ☐ Hiatushernie

---

13 A, B, D   14 A, B, D   15 A, B   16 B, C   17 A, D

18. Charakteristische Symptome der Säuglings-Toxikose (toxische Säuglingsenteritis): (4)

A ☐ Somnolenz
B ☐ Ödembildung
C ☐ flache Atmung mit Pausen
D ☐ in Falten abhebbare Haut
E ☐ Azidose-Atmung
F ☐ Exsikkose

19. Bei welchem Krankheitsbild beobachtet man peristaltische Wellen des Magens (Magensteifungen): (1)

A ☐ Duodenalstenose
B ☐ Hiatushernie
C ☐ Kardiainsuffizienz
D ☐ Adrenogenitales-Syndrom
E ☐ hypertrophische Pylorusstenose

20. Die Ursache der Hirschsprung-Krankheit ist: (1)

A ☐ ein Tumor im Rektum
B ☐ die chronische Obstipation
C ☐ eine Gliadin-Intoleranz
D ☐ Ganglienzellmangel in einem Dickdarmsegment

21. Das Ruminieren ist: (1)

A ☐ eine typische Neugeborenenkrankheit
B ☐ die Folge anatomischer Fehlbildungen
C ☐ die Folge einer Gastritis
D ☐ die Folge einer psychischen Störung

22. Bei der eingeklemmten Leistenhernie kommt es zu folgenden Symptomen: (2)

A ☐ Stuhlverhaltung
B ☐ Erbrechen
C ☐ eingesunkenes Abdomen
D ☐ Loslassschmerz an der befallenen Seite

---

18 A, D, E, F   19 E   20 D   21 D   22 A, B

23. **Die Zöliakie beruht auf einer: (1)**

A ☐ Galaktose-Intoleranz
B ☐ Glukose-Intoleranz
C ☐ Gliadin-Intoleranz
D ☐ Fruktose-Intoleranz

24. **Welche Befunde sprechen für eine zystische Pankreasfibrose: (4)**

A ☐ chronische Obstipation
B ☐ Neigung zu Durchfällen
C ☐ faulige, massige Stühle
D ☐ Steatorrhoe
E ☐ Meteorismus
F ☐ schafskotähnliche Stühle

25. **Symptome der Zöliakie: (2)**

A ☐ Heißhunger
B ☐ großes Abdomen
C ☐ Gewichtszunahme
D ☐ massige, fettglänzende Stühle

26. **Wozu können anhaltendes Erbrechen und Durchfälle beim Säugling führen: (3)**

A ☐ zu Lidödemen
B ☐ zum Brillenhämatom
C ☐ zu einer vorgewölbten Fontanelle
D ☐ zu einer eingefallenen Fontanelle
E ☐ zu reduziertem Hautturgor
F ☐ zu halonierten Augen

27. **Bei der Zöliakie: (2)**

A ☐ können die Nährstoffe wegen unzureichender fermentativer Spaltung nicht resorbiert werden
B ☐ kommt es durch Atrophie der Dünndarmzotten zu unzureichender intestinaler Resorption
C ☐ besteht eine Gliadinintoleranz
D ☐ besteht eine Glukoseintoleranz

---

23 C   24 B, C, D, E   25 B, D   26 D, E, F   27 B, C

28. Für welche Erkrankungen spricht das Auftreten von massigen, stark stinkenden, fetthaltigen, schaumigen Stühlen: (2)
   A ☐ Koli-Dyspepsie
   B ☐ Morbus Hirschsprung
   C ☐ Zöliakie
   D ☐ Mukoviszidose
   E ☐ Darminvagination
   F ☐ Leistenhernie

29. Zu einem Rektum-Prolaps kann es kommen bei: (2)
   A ☐ Zöliakie
   B ☐ Mukoviszidose
   C ☐ Ileus
   D ☐ Spina bifida
   E ☐ Peritonitis

30. Die Mukoviszidose ist eine: (2)
   A ☐ angeborene Krankheit
   B ☐ postnatal erworbene Krankheit
   C ☐ Systemerkrankung der exokrinen Drüsen
   D ☐ Systemerkrankung der endokrinen Drüsen

31. Typische Zeichen bei einer hypertrophischen Pylorusstenose: (4)
   A ☐ Erbrechen in den ersten Lebenstagen
   B ☐ spastisches Erbrechen
   C ☐ Stirnrunzeln
   D ☐ Entleerung substanzarmer Stühle
   E ☐ aufgetriebenes Abdomen
   F ☐ verstärkte Magenperistaltik
   G ☐ Wassereinlagerung in den unteren Extremitäten

---

28 C, D   29 B, D   30 A, C   31 B, C, D, F

32. Bei der spezifischen Behandlung des Pylorospasmus werden eingesetzt: (2)

A ☐ Psychopharmaka
B ☐ Laxanzien
C ☐ Sedativa
D ☐ Antiemetika
E ☐ Antibiotika
F ☐ Spasmolytika

33. Bei der Mukoviszidose sind vorwiegend folgende Organe betroffen: (3)

A ☐ Harnblase
B ☐ Nieren
C ☐ Lunge
D ☐ Herz
E ☐ Pankreas
F ☐ Gelenkmuskulatur
G ☐ Schweißdrüsen

34. Die Mukoviszidose ist charakterisiert durch: (3)

A ☐ Verdauungsinsuffizienz infolge von Fermentmangel
B ☐ erhöhte Schweißelektrolytabsonderung
C ☐ Ileumzottenatrophie
D ☐ rezidivierende Gastritis
E ☐ rezidivierende Bronchitis

35. Das Unvermögen der Dünndarmmukosa, gespaltene Nährstoffbausteine zu resorbieren, nennt man: (1)

A ☐ Maldigestion
B ☐ Malabsorption
C ☐ Malrotation
D ☐ Nonrotation

---

32 C, F   **33** C, E, G   **34** A, B, E   **35** B

36. Die Diagnosesicherung der Mukoviszidose erfolgt durch: (2)
   A ☐ Dünndarmbiopsie
   B ☐ Xylose-Test
   C ☐ Nachweis erhöhter Natrium- und Chlorwerte im Serum
   D ☐ Nachweis erhöhter Natrium- und Chlorwerte im Schweiß
   E ☐ Bromsulfalein-Test
   F ☐ BM-Mekonium-Test

37. Die Diagnosesicherung der Zöliakie erfolgt durch: (1)
   A ☐ Schweißtest
   B ☐ Xylose-Test
   C ☐ Dünndarmbiopsie
   D ☐ Lambliennachweis im Duodenalsaft
   E ☐ Fermentnachweis im Duodenalsaft

38. Symptome der Colitis ulcerosa: (3)
   A ☐ Durchfälle
   B ☐ chronische Obstipation
   C ☐ substanzarme Hungerstühle
   D ☐ blutig-schleimige Stuhlbeimengungen
   E ☐ starke Bauchschmerzen

39. Die Therapie der Colitis ulcerosa besteht aus: (4)
   A ☐ parenteraler Ernährung
   B ☐ Kortikosteroid-Gabe
   C ☐ kalorienreicher und schlackenreicher Kost
   D ☐ Bettruhe
   E ☐ reichlichem Angebot von Milch und Milchpräparaten
   F ☐ Psychotherapie

---

36 D, F   37 C   38 A, D, E   39 A, B, D, F

40. **Symptome des Megacolon congenitum: (3)**

A ☐ eingefallenes Abdomen
B ☐ massige, stinkende Stühle
C ☐ kolikartige Bauchschmerzen
D ☐ chronische Obstipation mit nachfolgenden Durchfällen
E ☐ großes, vorgewölbtes Abdomen
F ☐ Analprolaps

41. **Die Diagnosesicherung des Megacolon congenitum erfolgt durch: (2)**

A ☐ Breischluck vor dem Röntgenschirm
B ☐ Saugbiopsie aus dem Rektum
C ☐ Kolon-Kontrasteinlauf
D ☐ Untersuchung des Mekoniums auf Albumine

42. **Symptome einer Kardiainsuffizienz beim Säugling: (3)**

A ☐ schlaffes Erbrechen
B ☐ Erbrechen im Strahl
C ☐ Hämatinerbrechen bei Refluxösophagitis
D ☐ Gedeihstörungen
E ☐ sichtbare Magensteifungen

43. **Die konservative Therapie der Kardiainsuffizienz bei gleitender Hiatushernie erfolgt durch: (3)**

A ☐ Spasmolytika-Gabe
B ☐ Vitamin-K-Gabe
C ☐ Antazida-Gabe
D ☐ Angebot vieler, kleiner, angedickter Mahlzeiten
E ☐ parenterale Ernährung
F ☐ Steillagerung des Kindes
G ☐ Einlegen der Sengstaken-Blakemore-Sonde

---

40 C, D, E   **41** B, C   **42** A, C, D   **43** C, D, F

44. Die Diagnosesicherung der Kardiainsuffizienz erfolgt durch: (2)

A □ Sondierung des Magens
B □ Ösophagus-Magenbreipassage in Kopftieflage
C □ Untersuchung des Magensaftes
D □ Magenszintigraphie
E □ Ösophagoskopie zur Beurteilung der Schleimhaut

45. Bei welchen Krankheitsbildern sind im Stuhl Stärkemoleküle und Muskelfasern nachzuweisen: (2)

A □ Pylorospasmus
B □ zystische Pankreasfibrose
C □ Kardiainsuffizienz
D □ Mukoviszidose
E □ Ösophagusvarizen

46. Welche Aussagen treffen für die Ösophagusatresie des Neugeborenen zu: (4)

A □ bei der Mutter liegt ein Hydramnion vor
B □ die Ursache ist eine EPH-Gestose der Mutter
C □ es kommt zu spastischem Erbrechen eine Stunde nach der Mahlzeit
D □ es kommt kurz nach der Geburt zum Herauslaufen von schaumigem Speichel
E □ beim ersten Fütterungsversuch kommt es zu Hustenreiz und Zyanose
F □ beim Versuch, den Magen zu sondieren, trifft man auf einen Widerstand

47. Beim Fehlen des Intrinsic-Factors im Magensaft kommt es zu: (2)

A □ mangelhafter Einweißverdauung
B □ mangelhafter Vitamin-C-Resorption
C □ mangelhafter Vitamin-B_{12}-Resorption
D □ Darmblutungen
E □ mangelhafter Kohlenhydratspaltung
F □ perniziöser Anämie

---

44 B, E   45 B, D   46 A, D, E, F   47 C, F

48. **Von Maldigestion spricht man bei: (1)**

A ☐ Verdauungsinsuffizienz durch Mangel an Verdauungsfermenten
B ☐ Gedeihstörungen durch mangelhafte Resorptionsfähigkeit der Dünndarmschleimhaut
C ☐ mangelhafter Wasserrückresorption im Dickdarm
D ☐ ungenügender Emulgierung der Fette durch Mangel an Lebergalle

49. **Als Komplikationen im Verlauf einer Zöliakie können auftreten: (2)**

A ☐ hypovolämischer Schock
B ☐ hyperglykämischer Schock
C ☐ petechiale Hautblutungen
D ☐ Hypokaliämie mit paralytischem Ileus

50. **Symptome bei chronischer Obstipation: (3)**

A ☐ anfallsweise auftretende kolikartige Bauchschmerzen
B ☐ Leberschwellung
C ☐ Hämatinerbrechen
D ☐ schmerzhafte Defäkation
E ☐ Entleeren von hartem, trockenem Stuhl im Abstand von zwei bis drei Tagen

51. **Zur Stomatitis herpetica sind folgende Aussagen richtig: (3)**

A ☐ es ist eine Virusinfektion der Mundschleimhaut, die besonders Kleinkinder befällt
B ☐ es ist eine Pilzinfektion, die als Begleiterscheinung bei Antibiotikatherapie auftritt
C ☐ sie geht mit hohem Fieber und Nahrungsverweigerung einher
D ☐ es ist eine harmlose Entzündung des Zahnfleisches vor dem Zahndurchbruch
E ☐ die Zahnfleischdurchblutung muss durch starke Kautätigkeit angeregt werden
F ☐ die Behandlung besteht aus Mundspülungen, -Pinselung und Virustatika-Gabe

---

48 A   49 A, D   50 A, D, E   51 A, C, F

52. Bei der angeborenen Lippen-Kiefern-Gaumen-Spalte: (2)

A □ muss wegen der Aspirationsgefahr möglichst schnell nach der Geburt operiert werden

B □ wird unmittelbar nach der Geburt ein Guedel-Tubus eingelegt

C □ wird im Neugeborenalter eine Gaumenplatte eingelegt, die die Trinkfähigkeit verbessert und eine Spaltverkleinerung bewirkt

D □ sind mehrere Operationen im Säuglings- und Kleinkindalter notwendig

53. Welche Aussagen zur Invagination sind richtig: (2)

A □ typisch ist der Druckschmerz am McBurney-Punkt

B □ die Erkrankung beginnt plötzlich mit kolikartigen Schmerz-attacken, gefolgt von freien Intervallen

C □ das Kind erbricht und entleert blutig-schleimige Flüssigkeit aus dem Darm

D □ es sind vorwiegend Kinder ab 6 Jahren betroffen

E □ charakteristisch ist das Fehlen der Darmgeräusche (»Grabes-stille über dem Darm«)

54. Habituelles Erbrechen wird beobachtet bei: (1)

A □ Kardiainsuffizienz

B □ Duodenalstenose

C □ Pylorusstenose

D □ Säuglingen mit entsprechender Veranlagung

55. Eine angeborene spastische Verengung der unteren Speiseröhre wird bezeichnet als: (2)

A □ kongenitaler Megaösophagus

B □ Ösophagusdivertikel

C □ Achalasie

D □ Chalasie

---

52 C, D   53 B, C   54 D   55 A, C

56. Symptome der schweren Dyspepsie: (2)

A ☐ halonierte Augen
B ☐ dünne Stühle
C ☐ vorgewölbte Fontanelle
D ☐ heftiges Schreien

57. Ein mechanischer Ileus wird verursacht durch: (3)

A ☐ eine Peritonitis
B ☐ eine Strangulation
C ☐ eine Invagination
D ☐ einen Volvulus
E ☐ einen Mesenterialinfarkt
F ☐ eine Pankreatitis

58. Ursachen für ein akutes Abdomen: (5)

A ☐ mechanischer Ileus
B ☐ Colitis ulcerosa
C ☐ akute Appendizitis
D ☐ Perforation der Gallenblase
E ☐ akute Hepatitis
F ☐ Hydronephrose
G ☐ Mesenterialinfarkt
H ☐ Leberzirrhose
J ☐ Tubarruptur

---

56 A, B   **57** B, C, D   **58** A, C, D, G, J

6. Krankheiten der Niere und der ableitenden Harnwege

1. Mit der endogenen Kreatinin-Clearance: (1)

   A ☐ erhält man Aufschluss über die Konzentrationsfähigkeit der Niere

   B ☐ wird die glomeruläre Filtrations- und die tubuläre Sekretionsfähigkeit der Niere gemessen

   C ☐ kann eine einseitige Durchflussstörung der Nieren festgestellt werden

   D ☐ wird eine radioaktive Testsubstanz bei der Ausscheidung über die Nieren gemessen

2. Beim nephrotischen Syndrom haben Kinder: (2)

   A ☐ Miktionsschmerzen

   B ☐ häufigen Harndrang

   C ☐ generalisierte Ödeme

   D ☐ eine erhöhte Infektanfälligkeit

   E ☐ einen erhöhten Blutdruck

3. Typische Laborbefunde bei der Lipoidnephrose: (4)

   A ☐ Hyperlipidämie

   B ☐ Hyperproteinämie

   C ☐ Proteinurie

   D ☐ Hämaturie

   E ☐ Erhöhung der alpha-2-Fraktion in der Elektrophorese

   F ☐ hohes spezifisches Gewicht des Urins

   G ☐ erhöhte harnpflichtige Substanzen im Blutserum

   H ☐ Isosthenurie

4. Häufigste Nierenerkrankung im Säuglingsalter ist die: (1)

   A ☐ akute diffuse Glomerulonephritis

   B ☐ chronische Glomerulonephritis

   C ☐ Pyelonephritis

   D ☐ Lipoidnephrose

   E ☐ Hydronephrose

---

1 B   2 C, D   3 A, C, E, F   4 C

5. Welche Maßnahmen gehören nicht zur Diagnostik der neurogenen Blasenentleerungsstörung: (2)

A ☐ Uroflowmetrie
B ☐ Zystomanometrie
C ☐ i.v.-Pyelogramm
D ☐ Restharnbestimmung
E ☐ Beckenbodenelektromyogramm
F ☐ retrograder Ureterkatheterismus

6. Eine chronische Pyelonephritis wird häufig verursacht durch: (2)

A ☐ Insuffizienz der Nebennieren
B ☐ Abflusshindernisse im Harntrakt
C ☐ Streptokokken-Herde in anderen Organen
D ☐ einen vesiko-ureteralen Reflux

7. Die Glomerulonephritis: (2)

A ☐ ist eine Folgekrankheit nach Streptokokkeninfektionen
B ☐ ist die Folge einer Staphylokokkeninfektion
C ☐ ist eine bakterielle Entzündung der Nieren
D ☐ ist eine postinfektiöse allergische Reaktion an den Nierenrindenkapillaren

8. Bei der akuten diffusen Glomerulonephritis treten auf: (3)

A ☐ Ketonurie
B ☐ Hämaturie
C ☐ Oligurie
D ☐ Hypotonie
E ☐ Proteinurie

9. Ursachen für eine Hydronephrose können sein: (2)

A ☐ mangelnde Wasserrückresorption in den Tubuli
B ☐ angeborene Ureterstenose
C ☐ Uretersteine
D ☐ chronische Zystitis

---

5 C, F   **6** B, D   **7** A, D   **8** B, C, E   **9** B, C

10. **Ursachen für die Ödembildung beim nephrotischen Syndrom: (2)**

A ☐ Hypoproteinämie
B ☐ Insuffizienz der Tubuli
C ☐ Wasserundurchlässigkeit der Glomeruli
D ☐ Natriumretention

11. **Zeichen einer Urämie: (3)**

A ☐ Acetongeruch der Ausatmungsluft
B ☐ Erbrechen
C ☐ Somnolenz
D ☐ Obstipation
E ☐ Pyurie
F ☐ Kopfschmerzen

12. **Die Enuresis nocturna ist meist Ausdruck einer: (1)**

A ☐ akuten Glomerulonephritis
B ☐ Missbildung im Bereich der ableitenden Harnwege
C ☐ Nephrose
D ☐ neurotischen Fehlentwicklung
E ☐ Zystitis

13. **Die Diagnosesicherung eines vesiko-ureteralen Refluxes erfolgt durch: (2)**

A ☐ das retrograde Pyelogramm
B ☐ das intravenöse Pyelogramm
C ☐ die Miktionszystourethrographie
D ☐ die Zystoskopie
E ☐ die Szintigraphie

---

10 A, D   11 B, C, F   12 D   13 C, D

14. **Wichtige Maßnahmen bei der Behandlung der akuten Glomerulonephritis: (4)**

A ☐ reichliches Flüssigkeitsangebot
B ☐ Bettruhe bis zur Normalisierung der Laborbefunde
C ☐ Penicillin-Gaben
D ☐ Reduzierung der Kochsalzzufuhr
E ☐ reichliches Eiweißangebot
F ☐ Zufuhr von Wärme in der Nierengegend

15. **Typische Symptome der akuten Pyelonephritis: (2)**

A ☐ Fieber
B ☐ Ödeme
C ☐ häufiger Harndrang
D ☐ Anurie
E ☐ Entleerung großer Urinmengen

16. **Symptome einer Zystitis: (2)**

A ☐ Glukosurie
B ☐ Pollakisurie
C ☐ Brennen bei der Miktion
D ☐ Übelkeit
E ☐ Gewichtsabnahme

17. **Welche der folgenden Laborbefunde sind typisch bei Glomerulonephritis: (4)**

A ☐ hypochrome Anämie
B ☐ erhöhter Hämatokritwert
C ☐ erhöhter Antistreptolysintiter
D ☐ Hämaturie
E ☐ Glukosurie
F ☐ Bakteriurie
G ☐ erhöhte harnpflichtige Substanzen im Blutserum

---

14 B, C, D, F   15 A, C   16 B, C   17 A, C, D, G

18. Der im Kleinkindalter auftretende Wilms-Tumor ist ein/e: (1)

A ☐ Nephroblastom
B ☐ Hypernephrom
C ☐ Hydronephrose
D ☐ Adenokarzinom
D ☐ Zystenniere
F ☐ Nierenzyste

19. Therapeutische Maßnahmen bei Nephrose: (2)

A ☐ Kortikoide
B ☐ eiweißfreie Diät
C ☐ kochsalzarme Diät
D ☐ Peritonealdialyse
E ☐ Analgetika

20. Harnweginfektionen bei Säuglingen werden etwa zu 80 % verursacht durch: (1)

A ☐ Streptokokken
B ☐ Staphylokokken
C ☐ Escherichia coli
D ☐ Bacterium proteus
E ☐ Trichomonaden

21. Die Dialysebehandlung ist angezeigt bei: (3)

A ☐ akutem Nierenversagen
B ☐ chronischer Niereninsuffizienz
C ☐ Harnsperre durch Urethraverlegung
D ☐ Pyelitis
E ☐ endogenen Vergiftungen

---

18 A   19 A, C   20 C   21 A, B, E

22. Die semipermeable Membran bei der Platten- und Spulenniere (Dialyse) ist durchlässig für: (5)

A ☐ Wasser
B ☐ Elektrolyte
C ☐ Eiweißmoleküle
D ☐ Erythrozyten
E ☐ Leukozyten
F ☐ Bakterien
G ☐ Harnsäure
H ☐ Kreatinin
J ☐ Harnstoff

23. Eine Balanitis ist: (1)

A ☐ eine Entzündung des Hodens
B ☐ eine Verengung der Vorhaut
C ☐ eine Entzündung des Vorhautsackes
D ☐ eine Entzündung der Prostata

24. Die Pyelonephritis: (2)

A ☐ ist eine toxisch-allergische Reaktion am Nierengewebe
B ☐ befällt Jungen häufiger als Mädchen
C ☐ kann als Infektion auf hämatogenem Weg erfolgen
D ☐ kann die Folge einer aufsteigenden Harnweginfektion sein

25. Welche Aussagen treffen auf die kontinuierliche ambulante Peritonealdialyse (CAPD) zu: (2)

A ☐ Voraussetzung ist ein Arterio-venöser Shunt
B ☐ Kontraindikation: Heparinunverträglichkeit
C ☐ Kontraindikation: Verwachsungen im Unterbauch
D ☐ Gefährdung durch rezidivierende Peritonitiden
E ☐ die Kinder brauchen keine Diät einzuhalten

---

22 A, B, G, H, J   23 C   24 C, D   25 C, D

26. Welche Aussagen zum hämolytisch-urämischen Syndrom sind richtig: (2)

A ☐ das Krankheitsgeschehen beginnt akut ohne eine Vorerkrankung

B ☐ es kommt vorwiegend bei Schulkindern und Jugendlichen vor

C ☐ es ist die häufigste Ursache der akuten Niereninsuffizienz im Kindesalter

D ☐ charakteristisch sind Haut- und Schleimhaut- sowie Darm- und Hirnblutungen

E ☐ eine Dialysebehandlung bringt keine Verbesserung des schwerkranken Zustandes

27. Zu den prärenalen Ursachen eines akuten Nierenversagens gehören: (2)

A ☐ die Einwirkung exogener Nephrotoxine wie Blei, Quecksilber, Pilzgifte

B ☐ akute Entzündungen der Glomeruli und des Nierenparenchyms

C ☐ Urinstauungen durch Harnsteine oder Tumoren

D ☐ hypovolämischer Schock oder Transfusionszwischenfälle

28. Der vesiko – ureterale Reflux: (2)

A ☐ ist eine angeborene Missbildung, die im ersten Lebensquartal operiert werden muss

B ☐ wird mit Hilfe der Miktionszystourethrographie diagnostiziert

C ☐ ist nur mit dem i.v.-Pyelogramm erkennbar

D ☐ ist eine Ursache für rezidivierende Harnweginfekte

---

26 C, D   27 A, D   28 B, D

7. Erkrankungen des Stoffwechsels

1. Aufschluss über die Stoffwechselsituation der vergangenen 4−8 Wochen eines diabetischen Kindes gibt die nachfolgende Untersuchung: (1)

   A ☐ Durchführung des Koller-Tests
   B ☐ Feststellung des Grundumsatzes
   C ☐ Feststellung des Leistungsumsatzes
   D ☐ Kontrolle des HbA_1-Wertes
   E ☐ Anfertigung eines Blutzuckertagesprofils
   F ☐ Nachweis der noch vorhandenen Insulin-Reserven im Pankreas
   G ☐ regelmäßige Kontrolle des Säure-Basen-Haushaltes

2. Welche Aussagen zum Diabetes mellitus Typ I sind richtig: (3)

   A ☐ die Therapie besteht aus Diät und Gabe von oralen Antidiabetika
   B ☐ zur Therapie gehören Diät, Insulin, körperliche Aktivität, psychische Führung
   C ☐ bei adipösen Kindern bewirkt eine Gewichtsabnahme die Reaktivierung der körpereigenen Insulinproduktion
   D ☐ regelmäßige sportliche Aktivitäten wirken sich günstig auf die Stoffwechsellage aus
   E ☐ es müssen täglich Insulininjektionen, Blut- und Urinzuckerkontrollen vorgenommen werden
   F ☐ bei der Auswahl der Broteinheiten müssen mehr Disaccharide als Polysaccharide gegeben werden

3. Die Phenylketonurie: (3)

   A ☐ führt unbehandelt zu Schwachsinn
   B ☐ ist durch Medikamente heilbar
   C ☐ ist eine Störung des Kohlenhydratstoffwechsels
   D ☐ muss diätetisch behandelt werden
   E ☐ ist eine Störung des Eiweißstoffwechsels

---

1 D   2 B, D, E   3 A, D, E

4. Bei der Vitamin-D-Mangel-Rachitis: (2)

A ☐ steigt die Phosphorkonzentration im Blut an
B ☐ wird Phosphor vermehrt durch die Nieren ausgeschieden
C ☐ kommt es zu Calciumeinlagerungen in der Niere
D ☐ ist die alkalische Serumphosphatase erhöht

5. Geeignete Maßnahmen zur Rachitis-Prophylaxe: (2)

A ☐ tägliche Calciumgabe
B ☐ tägliche Gabe von 500–1000 I.E. Vitamin D_3
C ☐ Vitamin-D_3-Gabe als Stoßprophylaxe
D ☐ Vitaminisierung des Trinkwassers

6. Womit wird die Phenylketonurie nachgewiesen: (1)

A ☐ Rivalta-Probe
B ☐ Guthrie-Test
C ☐ BM-Test
D ☐ Tine-Test
E ☐ Xylose-Test

7. Symptome der Phenylketonurie: (3)

A ☐ Retardierung
B ☐ Glukosurie
C ☐ Krämpfe
D ☐ Sonnenuntergangsphänomen
E ☐ Pigmentarmut

8. Die Galaktosämie: (2)

A ☐ manifestiert sich im Alter von sechs Monaten
B ☐ führt zu Gehirnschäden mit Schwachsinn
C ☐ ist eine Kohlenhydratstoffwechselstörung
D ☐ ist eine Störung des Eiweißstoffwechsels

---

4 B, D   5 B, C   6 B   7 A, C, E   8 B, C

9. Eine postpartale Hypoglykämie beobachtet man hauptsächlich bei: (1)

A ☐ Fetopathia diabetica
B ☐ pränataler Asphyxie
C ☐ übertragenen Neugeborenen
D ☐ Mangelgeburten

10. Zu einer metabolischen Azidose kann es kommen bei: (2)

A ☐ Verlust von Magensekret über eine Ablaufsonde
B ☐ Anstieg harnpflichtiger Substanzen im Blut
C ☐ ketonämischem Erbrechen
D ☐ Hyperventilation psychisch labiler Kinder
E ☐ Anstieg von Bikarbonaten im Blut

11. Sichere rachitische Zeichen: (3)

A ☐ Kraniotabes
B ☐ Glockenthorax
C ☐ Harrison-Furche
D ☐ Verkalkungszonen an den Epiphysen
E ☐ Nephrocalcinose

12. Frühsymptome des jugendlichen Diabetes mellitus: (3)

A ☐ Polydipsie
B ☐ Polyurie
C ☐ Gewichtszunahme
D ☐ Abneigung gegen Süßigkeiten
E ☐ akute Bauchschmerzen
F ☐ Oligurie

13. Welche Symptome sprechen für eine Hypoglykämie: (3)

A ☐ Kussmaul-Atmung
B ☐ Muskelzittern
C ☐ Heißhunger
D ☐ trockene Haut
E ☐ Übelkeit
F ☐ Aceton-Geruch der Ausatmungsluft

---

9 A   10 B, C   11 A, B, C   12 A, B, E   13 B, C, E

14. Bei der Galaktosämie liegt eine: (2)

A ☐ Verwertungsstörung des Milchzuckers vor
B ☐ mangelhafte Glykogen-Speicherung vor
C ☐ intestinale Resorptionsstörung vor
D ☐ Speicherung von Galaktose-1-Phosphat in den Zellen vor
E ☐ Glukose-Unverträglichkeit vor

15. Symptome der Galaktosämie: (4)

A ☐ Obstipation
B ☐ Erbrechen
C ☐ Krämpfe
D ☐ Hyperglykämie
E ☐ Katarakt
F ☐ Ikterus
G ☐ Petechien

16. Beim acetonämischen Erbrechen: (2)

A ☐ ist der Blutzuckerspiegel erhöht
B ☐ liegt eine abnorme Reaktion des Körpers auf Kohlenhydrat-
mangel vor
C ☐ kommt es häufig zur metabolischen Azidose
D ☐ ist die Ursache ein latenter Diabetes mellitus

17. Die Galaktosämie wird behandelt mit: (1)

A ☐ Insulin-Injektionen
B ☐ Glukagon-Injektionen
C ☐ kohlenhydratarmer Diät
D ☐ glukosefreier Diät
E ☐ laktosefreier Diät
F ☐ eiweißreicher Diät

---

14 A, D   **15** B, C, E, F   **16** B, C   **17** E

18. Die Kontrolle des HbA_1-Wertes im Blut des Diabetikers gibt Aufschluss über: (1)

A ☐ die noch vorhandenen Insulin-Reserven des Pankreas
B ☐ die derzeitige Höhe des Blutzuckerspiegels
C ☐ den Säure-Basen-Haushalt des Patienten
D ☐ die Stoffwechselsituation der vergangenen 4–8 Wochen

19. Welche der folgenden Erkrankungen gehören zu den Störungen des Aminosäurestoffwechsels: (3)

A ☐ Morbus Gaucher
B ☐ Galaktosämie
C ☐ Histidinämie
D ☐ Phenylketonurie
E ☐ Ahornsirupkrankheit

20. Bei kindlicher Adipositas: (1)

A ☐ ist endokrinologische Behandlung notwendig
B ☐ besteht die Therapie aus Reduktionsdiät und körperlicher Bewegung
C ☐ ist die Verabreichung von Appetitzüglern angezeigt
D ☐ werden die Kinder drei Wochen lang auf Null-Diät gesetzt

21. Die Ursache des kindlichen Diabetes mellitus ist: (1)

A ☐ Glukagon-Mangel
B ☐ Glykogen-Mangel
C ☐ Insulin-Mangel
D ☐ Ferment-Mangel des Pankreas

22. Als Spätschäden des Diabetes mellitus können auftreten: (3)

A ☐ Angiopathie
B ☐ Hirntumor
C ☐ Katarakt
D ☐ Glomerulosklerose
E ☐ Leberzirrhose

---

18 D   19 C, D, E   20 B   21 C   22 A, C, D

23. Symptome des Coma diabeticum: (3)

A ☐ Kussmaul'-Atmung
B ☐ Biot-Atmung
C ☐ Hyperreflexie
D ☐ trockene, exsikkierte Haut
E ☐ Erbrechen
F ☐ herabgesetzte Reflexerregbarkeit
G ☐ Schweißausbruch

24. Welche Komplikationen können beim Diabetes mellitus auftreten: (3)

A ☐ hyperglykämischer Schock
B ☐ hypoglykämischer Schock
C ☐ Niereninsuffizienz
D ☐ Galaktosämie
E ☐ Azidose

25. Welche Folgen kann das Hungern bei der Anorexia nervosa haben: (3)

A ☐ Hormonstörungen
B ☐ Hypertonie
C ☐ Hypothermie
D ☐ Kachexie
E ☐ Fieber
F ☐ Hypermenorrhoe

26. Welche Symptome sprechen gegen ein diabetisches Koma: (3)

A ☐ Blutazidose
B ☐ Krämpfe
C ☐ Acetongeruch
D ☐ Schweißausbruch
E ☐ trockene Haut
F ☐ Blässe

---

23 A, D, F   24 A, B, E   25 A, C, D   26 B, D, F

27. **Die Pilokarpin-Iontophorese: (2)**

A ☐ ist ein Nachweis der Serumelektrolyte
B ☐ dient zur Diagnosesicherung der Rachitis
C ☐ dient zur Diagnosesicherung der Mukoviszidose
D ☐ ist eine Bestimmung des Schweiß-Elektrolytgehalts

28. **Welche Erkrankung kann beim Auftreten von Polydipsie, Polyurie und Gewichtsabnahme bei gesteigertem Appetit vorliegen: (1)**

A ☐ Leukose
B ☐ Hyperthyreose
C ☐ Zöliakie
D ☐ Diabetes mellitus
E ☐ Glomerulonephritis

29. **Die Ursache der Rachitis ist: (1)**

A ☐ Kalkmangel
B ☐ Phosphormangel
C ☐ Vitamin-D-Mangel
D ☐ Vitamin-C-Mangel
E ☐ Vitamin-A-Mangel

30. **Großer Wasserverlust beim Säugling bewirkt das: (2)**

A ☐ Einsinken der großen Fontanelle
B ☐ Einsinken der kleinen Fontanelle
C ☐ Vorwölben der großen Fontanelle
D ☐ Vorwölben der kleinen Fontanelle

31. **Welchen Atemtypus findet man bei einer Azidose: (1)**

A ☐ Kussmaul-Atmung
B ☐ Cheyne-Stokes-Atmung
C ☐ Biot-Atmung
D ☐ Nasenflügelatmung

---

27 C, D   28 D   29 C   30 A, B   31 A

32. Beim Prädiabetes mellitus: (3)

A ☐ sind die Zuckerbelastungsproben ohne Befund
B ☐ treten Durst und Harnflut auf
C ☐ ist Glukose im Urin nachzuweisen
D ☐ sind keine typischen Symptome erkennbar
E ☐ zeigt die Familienanamnese eine Häufung von Diabetes-Fällen

33. Welche Aussagen zum Vitamin-B_1-Mangel sind richtig: (3)

A ☐ er kann entstehen durch einseitigen Verzehr von Süßigkeiten und Weißmehlprodukten
B ☐ es kommt zu Appetitlosigkeit, Abgeschlagenheit und Affektlabilität
C ☐ es kommt zur perniziösen Anämie
D ☐ es kommt zur Veränderung von Lippen, Zungen- und Mundschleimhaut
E ☐ er tritt auf, wenn tierische Nahrungsmittel in der Nahrung fehlen
F ☐ die Mangelkrankheit heißt Beri-Beri und geht mit Nervenlähmungen einher

34. Die ketotische Hypoglykämie: (2)

A ☐ wird durch Insulininjektion verursacht
B ☐ beruht auf einer Überempfindlichkeit gegen Tolbutamid
C ☐ beruht auf einer ungenügenden Adrenalingegenregulation bei Blutzuckerabfall
D ☐ ist charakterisiert durch morgendliche Hypoglykämieattacken beim Kleinkind
E ☐ ist die Vorstufe des Diabetes mellitus

35. Die Fruktoseintoleranz: (3)

A ☐ beruht auf einem Fermentmangel der Leber
B ☐ beruht auf einer Resorptionsstörung im Dünndarm
C ☐ führt unbehandelt zur Leberzirrhose
D ☐ wird mit fruchtzuckerfreier Diät behandelt
E ☐ wird mit milchzuckerfreier Diät behandelt
F ☐ führt unbehandelt zu Schwachsinn

---

32 A, D, E   33 A, B, F   34 C, D   35 A, C, D

36. Die Ahornsirupkrankheit beruht auf einer Abbaustörung folgender Aminosäuren: (3)

A ☐ Phenylalanin
B ☐ Histidin
C ☐ Methionin
D ☐ Valin
E ☐ Leucin
F ☐ Isoleucin
G ☐ Tryptophan
H ☐ Tyrosin

37. Bei der Therapie des Diabetes mellitus müssen drei Hauptkriterien berücksichtigt werden: (3)

A ☐ Insulinsubstitution
B ☐ Infusionstherapie
C ☐ Fermentanalyse
D ☐ Kostregulierung
E ☐ Muskelarbeit

38. Bei der Behandlung der Phenylketonurie ist darauf zu achten, dass: (2)

A ☐ große Mengen Phenylalanin in Form von besonderen Präparaten zugeführt werden
B ☐ im Blut kein Phenylalanin nachzuweisen ist
C ☐ der Phenylalaninspiegel im Blut nicht über 8 mg% ansteigt
D ☐ phenylalaninfreie Diät gegeben wird
E ☐ phenylalaninarme Diät gegeben wird

39. Die Hurler-Krankheit beruht auf einer Stoffwechselstörung der: (1)

A ☐ Disaccharide
B ☐ Mukopolysaccharide
C ☐ Lipoide
D ☐ Proteine
E ☐ Aminosäuren

---

36 D, E, F   37 A, D, E   38 C, E   39 B

40. Die Phenylketonurie wird: (1)

A ☐ autosomal-rezessiv vererbt
B ☐ X-chromosomal-rezessiv vererbt
C ☐ autosomal-dominant vererbt
D ☐ X-chromosomal-dominant vererbt

41. Die Vitamin-C-Avitaminose (Moeller-Barlow-Erkrankung) hat folgende Symptome: (4)

A ☐ Störung der Zahnentwicklung
B ☐ Nachtblindheit
C ☐ Zahnfleischblutungen
D ☐ petechiale Hautblutungen
E ☐ starke Schweißabsonderung
F ☐ Appetitlosigkeit
G ☐ Bewusstseinstrübung

42. Bei Vitamin-A-Überdosierung kommt es zu: (4)

A ☐ Erbrechen
B ☐ Benommenheit
C ☐ Opisthotonus
D ☐ Haarausfall
E ☐ Schleimhautentzündungen
F ☐ Hornhauttrübung
G ☐ Fettsucht

43. Symptome der Vitamin-D-Mangel-Rachitis: (3)

A ☐ erhöhter Muskeltonus
B ☐ vorspringender Bauch
C ☐ verzögerte Zahnentwicklung
D ☐ verfrühtes Verschließen der Schädelnähte
E ☐ Verdickungen an den Wachstumszonen der Knochen

40 A   41 A, C, D, F   42 A, B, C, D   43 B, C, E

44. **Die Spasmophilie: (2)**

    A ☐ ist ein Symptom der Vitamin-D-Überdosierung
    B ☐ ist eine Komplikation bei Rachitis
    C ☐ ist die Folge einer Hypokalzämie bei Rachitis
    D ☐ ist die Folge einer Hyperkalzämie bei Rachitis

45. **Symptome der Glykogenspeicherkrankheit Typ I sind: (4)**

    A ☐ hypoglykämische Krisen beim Neugeborenen
    B ☐ periodisch aufretende Hyperglykämien
    C ☐ Hepatomegalie
    D ☐ puppenhafte Gesichtszüge
    E ☐ Riesenwuchs
    F ☐ Einlagerung von Gichtknoten

---

44 B, C   **45** A, C, D, F

8. Erkrankungen des endokrinen Systems

1. Wann zeigen sich bei der angeborenen Hypothyreose die ersten Symptome: (1)
   A ☐ in den ersten Lebenswochen
   B ☐ bei Durchbruch der Milchzähne
   C ☐ am Ende des ersten Lebensjahres
   D ☐ im Einschulungsalter

2. Symptome des Diabetes insipidus: (4)
   A ☐ Polyurie
   B ☐ Polydipsie
   C ☐ Glukosurie
   D ☐ Durstfieber beim Säugling
   E ☐ hohes spezifisches Gewicht des Urins
   F ☐ Blutzuckeranstieg
   G ☐ Exsikkose
   H ☐ Ödembildung

3. Beim hypophysären Zwergwuchs: (3)
   A ☐ verläuft das Wachstum bis zum zweiten Lebensjahr normal
   B ☐ bleiben die kindlichen Körperproportionen bis ins Erwachsenenalter erhalten
   C ☐ sind nach dem zweiten Lebensjahr starke Intelligenzdefekte erkennbar
   D ☐ besteht ein (angeborener) Chromosomendefekt
   E ☐ besteht ein Mangel an Somatotropem-Hormon
   F ☐ sind die Gonaden normal entwickelt

4. Bei der Unterfunktion der Nebenschilddrüsen: (3)
   A ☐ kommt es zur Hypokalzämie
   B ☐ ist der Grundumsatz verlangsamt
   C ☐ wird die Diagnose mit dem TSH-Test gestellt
   D ☐ finden sich erhöhte Phosphatwerte im Blut
   E ☐ kann es zu tetanischen Krämpfen kommen

---

1 A   2 A, B, D, G   3 A, B, E   4 A, D, E

5. Durch vermehrte Ausschüttung von Samatotropem-Hormon kommt es zu: (2)

A ☐ Hypogenitalismus
B ☐ Akromegalie
C ☐ hypophysärem Zwergwuchs
D ☐ hypophysärem Riesenwuchs
E ☐ eunuchoidem Hochwuchs

6. Beim Hypothyreose-Syndrom haben Kinder: (3)

A ☐ eine normale Skelettentwicklung
B ☐ einen verspäteten Durchbruch der Zähne
C ☐ eine vergrößerte und verdickte Zunge
D ☐ Intelligenzdefekte
E ☐ übersteigerte Muskelaktivitäten
F ☐ eine Tachykardie

7. Wachstumsbeschleunigung im Kindesalter wird beobachtet bei: (1)

A ☐ adrenogenitalem Syndrom
B ☐ Hypothyreose
C ☐ Cushing-Syndrom
D ☐ Ullrich-Turner-Syndrom

8. Symptome bei angeborener Hypothyreose: (4)

A ☐ Trinkschwäche
B ☐ Icterus prolongatus
C ☐ Unruhe
D ☐ Diarrhoe
E ☐ Exophthalmus
F ☐ trockene, kühle Haut
G ☐ Obstipation

9. Die Diagnosesicherung der Hypothyreose erfolgt durch: (4)

A ☐ Serumbilirubinbestimmung
B ☐ Bestimmung des proteingebundenen Jods
C ☐ Thyroxinbestimmung
D ☐ Augenhintergrundspiegelung
E ☐ Gesamteiweißbestimmung im Blutserum
F ☐ Triiodthyroninbestimmung
G ☐ EKG

10. Der Diabetes insipidus entsteht durch: (1)

A ☐ Ausfall von Somatotropem-Hormon
B ☐ Überproduktion von Adiuretin
C ☐ Ausfall der Adiuretinproduktion
D ☐ Ausfall der Insulinproduktion
E ☐ Entzündung der Harnkanälchen

11. Welche Symptome können bei der Behandlung eines Säuglings mit Schilddrüsenhormonen Zeichen einer Überdosierung sein: (3)

A ☐ Bildung eines teigigen Ödems
B ☐ Durchfall, Erbrechen
C ☐ verlangsamte Sehnenreflexe
D ☐ Gelbfärbung der Skleren
E ☐ Pulsbeschleunigung
F ☐ Gewichtsabnahme

12. Die szintigraphische Darstellung der Schilddrüse erfolgt mit: (1)

A ☐ radioaktivem Thyroxin
B ☐ radioaktivem Triiodthyronin
C ☐ radioaktivem Jod

13. Der Morbus Addison ist eine Erkrankung: (1)

A ☐ der Schilddrüse
B ☐ der Nebenschilddrüse
C ☐ der Nebennierenrinde
D ☐ der Thymusdrüse

---

9 B, C, F, G   10 C   11 B, E, F   12 C   13 C

14. Unter Pubertas praecox versteht man: (1)

A ☐ eine gesteigerte Hormonaktivität der Schilddrüse während der Pubertät

B ☐ eine Verzögerung der Geschlechtsentwicklung

C ☐ eine vorzeitige Geschlechtsentwicklung im Kleinkind- und Vorschulalter

15. Der einseitige Hodenhochstand: (1)

A ☐ wird mit Glukokortikoiden behandelt

B ☐ wird mit Aldosteron behandelt

C ☐ wird mit Gonadotropinen behandelt

D ☐ führt immer zur Sterilität

16. Das Adrenogenitale-Syndrom wird verursacht durch: (1)

A ☐ Nebennierenrindenhyperplasie

B ☐ Thymushyperplasie

C ☐ Unterfunktion der Keimdrüsen

D ☐ Überfunktion der Keimdrüsen

E ☐ Enzymdefekt bei der Nebennierenrindenhormonproduktion

17. Bei chronischem Hypoparathyreoidismus kommt es zu: (2)

A ☐ Knochen- und Gelenkschäden

B ☐ Hypogonadismus

C ☐ Fettsucht

D ☐ tetanischen Anfällen

18. Eine Unterfunktion der Nebennierenrinde wird diagnostiziert durch: (3)

A ☐ Bestimmung der 17-Ketosteroide im 24-Stunden-Sammelurin

B ☐ Bestimmung des Calciumgehaltes im Morgenurin

C ☐ den Verdünnungs- und Konzentrationsversuch nach Volhard

D ☐ den Wassertest nach Kepler

E ☐ den Thorn-Test

---

14 C   15 C   16 E   17 A, D   18 A, D, E

19. Beim unbehandelten Adrenogenitalen-Syndrom kommt es zu: (3)

A ☐ Pseudopubertas praecox
B ☐ Kryptorchismus
C ☐ Klitorishypertrophie
D ☐ Makroglossie
E ☐ vorzeitigem Epiphysenschluss

20. Mit dem Insulin-Toleranz-Test wird: (2)

A ☐ der Diabetes mellitus vom Diabetes insipidus abgegrenzt
B ☐ die Glykogenreserve mobilisiert
C ☐ die Insulinempfindlichkeit bei hypophysärem Zwergwuchs geprüft
D ☐ eine vermehrte STH-Ausschüttung provoziert

21. Wie lange muss die Schilddrüsen-Hormon-Behandlung bei der angeborenen Hypothyreose erfolgen: (1)

A ☐ bis zur völligen Symptomfreiheit
B ☐ bis zum Beginn der Pubertät
C ☐ bis zum Abschluss des Skelettwachstums
D ☐ lebenslänglich

22. Typische Befunde beim Adrenogenitalen-Syndrom mit Salzverlust: (5)

A ☐ spastisches Erbrechen ab zweiter Lebenswoche
B ☐ Heißhunger
C ☐ Durchfälle
D ☐ Gewichtsverlust
E ☐ erhöhte Natrium- und Chlorausscheidung im Urin
F ☐ erhöhte Natrium- und Chlorausscheidung im Schweiß
G ☐ Alkalose im Blut
H ☐ EKG-Veränderungen

---

19 A, C, E   20 C, D   21 D   22 A, C, D, E, H

23. Symptome des Ullrich-Turner-Syndroms: (3)

A ☐ funktionslose Gonaden
B ☐ Minderwuchs
C ☐ Hautfalten an der seitlichen Halspartie und »Fettpolster« an Hand und Fuß
D ☐ vorzeitiges Einsetzen der Geschlechtsreife
E ☐ Riesenwuchs

24. Symptome des Klinefelter-Syndroms: (3)

A ☐ funktionslose Hoden
B ☐ Minderwuchs
C ☐ Gynäkomastie
D ☐ kurze Extremitäten
E ☐ Hautfalte von der Schulter bis hinter die Ohren
F ☐ eunuchoider Hochwuchs

25. Das Cushing-Syndrom entsteht durch: (2)

A ☐ Zytostatika-Langzeitbehandlung
B ☐ Kortikoid-Langzeitbehandlung
C ☐ Antiepileptika-Langzeitbehandlung
D ☐ Gonadotropin-Mangel
E ☐ einen hormonaktiven Nebennierenrindentumor

26. Symptome des Cushing-Syndroms: (4)

A ☐ Minderwuchs
B ☐ Stammfettsucht
C ☐ Anämie
D ☐ Adiposogigantismus
E ☐ Striae
F ☐ Hypotonie
G ☐ Infektanfälligkeit

---

23 A, B, C   24 A, C, F   25 B, E   26 A, B, E, G

9. Erkrankungen des Nervensystems und der Muskulatur

1. Welche Aussagen über die Paresen sind richtig: (2)
   A ☐ Hemiparese: beide Beine sind gelähmt
   B ☐ Paraparese: eine Körperseite ist gelähmt
   C ☐ Tetraparese: alle Extremitäten sind gelähmt
   D ☐ Monoparese: je ein Arm und ein Bein sind gelähmt
   E ☐ Hemiparese: eine Körperseite ist gelähmt
   F ☐ Paraparese: je ein Arm und ein Bein sind gelähmt

2. Bei der infantilen spinalen Muskelatrophie (M. Werdnig-Hoffmann): (3)
   A ☐ ist das Hauptsymptom eine Tetraspastik
   B ☐ sind die Sehnenreflexe übersteigert
   C ☐ kommt es zur fortschreitenden geistigen Retardierung
   D ☐ kommt es bei bestehendem Hypotonus zu unwillkürlich auftretenden kurzen Muskelfaserkontraktionen (Faszikulationen)
   E ☐ liegen Säuglinge mit abduzierten und außenrotierten Beinen (»Froschstellung«) im Bett
   F ☐ gibt es keine ursächliche Behandlung, um den Krankheitsprozess aufzuhalten

3. Welche Aussagen zur progressiven Muskeldystrophie (Duchenne-Typ) sind richtig: (3)
   A ☐ sie wird X-chromosomal rezessiv vererbt
   B ☐ die Manifestation der Erkrankung ist auf Jungen und Mädchen gleichmäßig verteilt
   C ☐ bei frühzeitiger Diagnose kann die Erkrankung geheilt werden
   D ☐ die Erkrankung besteht in fortschreitender Degeneration der quergestreiften Muskelfasern
   E ☐ sie geht mit starken Muskelschmerzen einher
   F ☐ zuerst werden Beckengürtel und Oberschenkelmuskulatur befallen, so dass die Kinder sich zum Aufrichten abstützen müssen

---

1 C, E   2 D, E, F   3 A, D, F

4. **Bei der Myasthenia gravis: (3)**

A ☐ kommt es zu schnell fortschreitendem Muskelzerfall, der im Schulkindalter zum Tod führt

B ☐ liegt eine Autoimmunerkrankung vor

C ☐ ist die Ursache eine Störung der Erregungsübertragung zwischen Nerven und Muskulatur

D ☐ kommt es zu abnormer Ermüdbarkeit einzelner Muskelabschnitte

E ☐ erkranken nur Jungen

5. **Welche Aussagen zur Ataxie sind richtig: (3)**

A ☐ sie ist Folge einer Fehlbildung oder Schädigung des Kleinhirns

B ☐ sie äußert sich in Koordinationsstörungen von Bewegungsabläufen

C ☐ sie geht mit einer spastischen Hemiplegie einher

D ☐ sie wird mit krankengymnastischen, heilpädagogischen und orthopädischen Maßnahmen behandelt

6. **Diagnostische Verfahren bei Erkrankungen der peripheren Muskulatur sind: (3)**

A ☐ Elektrokardiographie

B ☐ Elektromyographie

C ☐ Muskelbiopsie

D ☐ Röntgenaufnahmen

E ☐ Kreatinphosphokinase-Bestimmung

F ☐ Elektrophorese-Bestimmung

7. **Ursachen der infantilen Zerebralparese: (3)**

A ☐ pränatale Gehirnschädigung durch Infektionskrankheiten der Mutter während der Schwangerschaft

B ☐ perinataler Sauerstoffmangel des Kindes

C ☐ Bildung eines Kephalhämatoms während der Geburt

D ☐ Entbindung durch Sectio caesarea

E ☐ Gehirnblutung

---

4 B, C, D   **5** A, B, D   **6** B, C, E   **7** A, B, E

8. Schlaffe Lähmungen findet man bei der: (2)

A ☐ Little-Krankheit
B ☐ Werdnig-Hoffmann-Krankheit
C ☐ Erb-Lähmung
D ☐ infantilen Zerebralparese

9. Die Aura beim großen epileptischen Anfall kann begleitet sein von: (2)

A ☐ unfreiwilligem Stuhlabgang
B ☐ einem Zungenbiss
C ☐ Schaumbildung vor dem Mund
D ☐ merkwürdigen Sinneswahrnehmungen
E ☐ plötzlich auftretenden Schmerzen

10. Symptome der infantilen Zerebralparese (IZP): (2)

A ☐ erhöhte Reflexerregbarkeit
B ☐ schlaffe Lähmungen der unteren Extremitäten
C ☐ Hypokalzämie
D ☐ Spastizität der Muskulatur

11. Welche Anfälle gehören zu den »Petit-mal-Anfällen«: (2)

A ☐ Infektkrampf
B ☐ BNS-Krämpfe
C ☐ psychomotorische Anfälle
D ☐ pyknoleptische Absencen
E ☐ Jackson-Anfälle

12. Kinder mit einer minimalen zerebralen Dysfunktion (MCD): (2)

A ☐ leiden unter fortschreitender Muskeldystrophie
B ☐ fallen häufig durch Schulschwierigkeiten auf
C ☐ zeigen hyperkinetische Reaktionen
D ☐ zeigen in regelmäßigen Abständen anfallsweise Bewusstseins-
trübungen

---

8 B, C   **9** D, E   **10** A, D   **11** B, D

13. **Das subdurale Hämatom entsteht durch eine Blutung: (1)**

A ☐ zwischen Schädelkalotte und harter Hirnhaut
B ☐ zwischen harter und weicher Hirnhaut
C ☐ in einem Seitenventrikel
D ☐ zwischen weicher Hirnhaut und Gehirn

14. **Die beste Methode der Behandlung eines Hydrocephalus internus communicans ist: (1)**

A ☐ die Bestrahlung mit radioaktivem Kobalt
B ☐ die operative Beseitigung des Abflusshindernisses
C ☐ die Ventrikelpunktion
D ☐ die künstliche Ableitung des Liqours aus dem Seitenventrikel in den rechten Herzvorhof oder den Peritonealraum

15. **Symptome des Morbus Little: (3)**

A ☐ Hypotonus der Muskulatur
B ☐ Hypertonus der Muskulatur
C ☐ verminderter Hautturgor
D ☐ Überkreuzen der Unterschenkel
E ☐ Spitzfußstellung
F ☐ schlaffe Lähmungen

16. **Ursachen für Krampfanfälle im Kindesalter: (3)**

A ☐ hyperpyretische Temperaturen
B ☐ Kreislauflabilität
C ☐ Hypokalzämie
D ☐ Hypokaliämie
E ☐ Hypoglykämie

17. Zu den Okkasionskrämpfen gehören: (4)

A ☐ BNS-Krämpfe
B ☐ Pyknolepsie
C ☐ Fieberkrämpfe
D ☐ Affektkrämpfe
E ☐ Hyperventilationstetanie
F ☐ urämische Krämpfe
G ☐ myoklonisch astatische Anfälle
H ☐ Jackson-Anfälle

18. Charakteristisch für Absencen sind: (3)

A ☐ Nickbewegungen des Kopfes
B ☐ symmetrische Klonismen der Augen- und Gesichtsmuskulatur
C ☐ kurzfristiger Bewusstseinsverlust
D ☐ Zungenbiss
E ☐ 3-Sekunden-Spike-wave-Rhythmus im EEG

19. Ein Hirntumor kann bei einem Schulkind folgende Symptome hervorrufen: (4)

A ☐ Stauungspapille
B ☐ Querschnittlähmung
C ☐ Zunahme des Kopfumfanges
D ☐ Wesensveränderung
E ☐ Kopfschmerzen und Schwindelgefühl
F ☐ Erbrechen

20. Respiratorische Affektkrämpfe: (2)

A ☐ beruhen auf einem perinatalen Sauerstoffmangel
B ☐ gehen mit Atemstillstand und Zyanose einher
C ☐ haben keine organische Ursache
D ☐ werden durch Fieber ausgelöst
E ☐ werden mit Antiepileptika behandelt

---

17 C, D, E, F   18 B, C, E   19 A, D, E, F

21. Einen vorzeitigen Verschluss der Schädelnähte nennt man: (1)

A ☐ Hydrozephalus
B ☐ Mikrozephalus
C ☐ Kraniosynostosis
D ☐ Anenzephalus

22. Eine vorgewölbte Fontanelle findet man bei: (2)

A ☐ Toxikose
B ☐ großem Elektrolytverlust
C ☐ Meningitis bzw. Meningoenzephalitis
D ☐ Hirninnendruckerhöhung

23. Ursachen für Krämpfe im Säuglingsalter: (3)

A ☐ Hypokalzämie
B ☐ Meningitis
C ☐ Mongolismus
D ☐ Hypothyreose
E ☐ Hirnblutung
F ☐ Kephalhämatom

24. Bei der spinalen, progressiven Muskelatrophie liegt eine: (1)

A ☐ Autoimmunreaktion der Muskelzellen vor
B ☐ Degeneration von Vorderhornganglienzellen im Rückenmark vor
C ☐ Störung der Kleinhirnrinde vor
D ☐ Erkrankung der motorischen Endplatten vor

25. Die Myelomeningozele: (3)

A ☐ ist eine Vergrößerung des dritten Ventrikels
B ☐ ist eine Spaltbildung der Wirbelsäule mit Ausstülpung des Rückenmarkes
C ☐ ist häufig mit anderen Missbildungen kombiniert
D ☐ sollte am ersten Lebenstag operiert werden
E ☐ ist immer mit einem Mikrozephalus kombiniert

| 20 B, C | 21 C | 22 C, D | 23 A, B, E | 24 B | 25 B, C, D |

XIV. Bakteriologie – Infektionskrankheiten

1. Bakteriologie

1. Der Malariaerreger gehört zur Erregergruppe der: (1)

   A ☐ Viren
   B ☐ grampositiven Bakterien
   C ☐ gramnegativen Bakterien
   D ☐ Mykobakterien
   E ☐ Protozoen
   F ☐ Spirochäten

2. Welche Krankheiten werden durch Pilze verursacht: (2)

   A ☐ die Aspergillose
   B ☐ die Toxoplasmose
   C ☐ die Aktinomykose
   D ☐ das Feldfieber

3. Welche Krankheiten werden durch Protozoen verursacht: (3)

   A ☐ die Amöbenruhr
   B ☐ das Erysipel
   C ☐ die Malaria
   D ☐ die Cholera
   E ☐ die Toxoplasmose

4. Welche Krankheiten werden durch Würmer verursacht: (2)

   A ☐ die Tularämie
   B ☐ die Bruzellose
   C ☐ die Trichinose
   D ☐ die Askariasis

---

1 E   2 A, C   3 A, C, E   4 C, D

5. Das HBs-Antigen wird nachgewiesen bei: (1)

A ☐ Diphtherie
B ☐ Tetanus
C ☐ Hepatitis A
D ☐ Hepatitis B
E ☐ Q-Fieber
F ☐ AIDS

6. Tetanol-Impfstoff besteht aus: (1)

A ☐ abgeschwächten Tetanus-Erregern
B ☐ abgetöteten Tetanus-Erregern
C ☐ gereinigten Tetanus-Toxoiden
D ☐ abgeschwächten Antikörpern gegen Tetanus

7. Nematoda sind: (1)

A ☐ Fadenwürmer
B ☐ Bandwürmer
C ☐ Saugwürmer oder Egel

8. Welche Krankheiten werden durch Mykobakterien verursacht: (2)

A ☐ Tuberkulose
B ☐ Tollwut
C ☐ Lepra
D ☐ Tetanus

9. Die Ziehl-Neelsen-Färbung ermöglicht die Darstellung: (1)

A ☐ der Polkörnchen der Diphtheriebakterien
B ☐ der Protozoen und großen Viren
C ☐ der säurefesten Stäbchen

---

5 D   6 C   7 A   8 A, C   9 C

10. Begründer der Chemotherapie: (1)

A ☐ Paul Ehrlich
B ☐ Emil von Behring
C ☐ Robert Koch
D ☐ Max Pettenkofer
E ☐ Joseph Lister

11. Acquired immune deficiency syndrome (AIDS) wird hervorgerufen durch: (1)

A ☐ säurefeste Stäbchen
B ☐ rickettsienneutralisierende Antikörper
C ☐ grampositive Bakterien
D ☐ gramnegative Bakterien
E ☐ Retroviren (HIV)
F ☐ virusneutralisierende Antikörper

12. Wer führte die Antisepsis ein: (1)

A ☐ Ilia Metschnikow
B ☐ Joseph Lister
C ☐ Emil von Behring
D ☐ Paul Ehrlich
E ☐ Robert Koch

13. Die Erreger der Diphtherie sind: (1)

A ☐ gramnegative, sporenlose Stäbchen
B ☐ gramnegative, sporenbildende Stäbchen
C ☐ grampositive, sporenlose Stäbchen
D ☐ grampositive, sporenbildende Stäbchen

14. Das erste Diphtherieserum wurde entwickelt von: (1)

A ☐ Louis Pasteur
B ☐ Robert Koch
C ☐ Emil von Behring
D ☐ Paul Ehrlich
E ☐ Ignaz Philipp Semmelweis

| 10 A | 11 E | 12 B | 13 C | 14 C |

15. **Die Ursache des Kindbettfiebers wurde entdeckt von: (1)**

A ☐ Max Pettenkofer
B ☐ Robert Koch
C ☐ Joseph Lister
D ☐ Louis Pasteur
E ☐ Ignaz Philipp Semmelweis

16. **Welche Erreger bilden Sporen: (2)**

A ☐ Clostridium tetani
B ☐ Corynebacterium diphtheriae
C ☐ Clostridium botulinum
D ☐ Myxoviren

17. **Welche Erreger benötigen zur Vermehrung einen lebenden Nährboden: (2)**

A ☐ Spirochäten
B ☐ Bakterien
C ☐ Rickettsien
D ☐ Viren

18. **Welche Viren sind im Stuhl nachweisbar: (1)**

A ☐ Polioviren
B ☐ Mumpsviren
C ☐ Tollwutviren

19. **Grampositive Bakterien: (1)**

A ☐ die mit Karbol-Gentianaviolett gefärbt sind, verlieren nach Alkoholbehandlung den Farbstoff und lassen sich dann mit Fuchsinlösung rot färben
B ☐ die mit Karbol-Gentianaviolett gefärbt sind, halten auch nach Alkoholbehandlung den Farbstoff und lassen sich nicht mehr mit Fuchsinlösung rot färben

---

15 E   16 A, C   17 C, D   18 A   19 B

20. Antikörper sind: (1)

A ☐ körperfremde Stoffe, gegen die Abwehrstoffe gebildet werden
B ☐ Abwehrstoffe, die gegen spezifische Antigene gerichtet sind
C ☐ fiebererregende Stoffe

21. Clostridien sind: (1)

A ☐ aerobe, sporenbildende Stäbchen
B ☐ aerobe, nicht sporenbildende Stäbchen
C ☐ anaerobe, nicht sporenbildende Stäbchen
D ☐ anaerobe, sporenbildende Stäbchen

22. Durch die Komplementbindungsreaktion werden nachgewiesen: (1)

A ☐ Rickettsien
B ☐ Viren
C ☐ Pilze
D ☐ Antikörper
E ☐ Toxine
F ☐ Bakterien

23. Welche Krankheiten werden durch Rickettsien verursacht: (2)

A ☐ Scharlach
B ☐ Flecktyphus
C ☐ Q-Fieber
D ☐ Gonorrhoe
E ☐ Pest
F ☐ Milzbrand

24. Anthroponosen sind Krankheiten, deren Erreger: (1)

A ☐ nur Tiere befallen
B ☐ nur Menschen befallen
C ☐ Menschen und Tiere befallen

---

20 B   21 D   22 D   23 B, C   24 B

25. Trematoda sind: (1)

A ☐ Fadenwürmer
B ☐ Bandwürmer
C ☐ Saugwürmer oder Egel

26. Protozoen sind: (2)

A ☐ einzellige Mikroorganismen
B ☐ mehrzellige Mikroorganismen
C ☐ pflanzliche Mikroorganismen
D ☐ tierische Mikroorganismen

27. Die Immunität ist: (1)

A ☐ spezifisch
B ☐ immer angeboren
C ☐ immer lebenslang

28. Welche Krankheiten werden durch gramnegative Bakterien verursacht: (3)

A ☐ Influenza
B ☐ Tetanus
C ☐ Masern
D ☐ Röteln
E ☐ Gonorrhoe
F ☐ Pertussis
G ☐ Pest

29. Als Epidemie wird bezeichnet: (1)

A ☐ das gehäufte Auftreten einer Infektionskrankheit oder örtliche Begrenzung (weltweite Seuche)
B ☐ das gehäufte Auftreten einer Infektionskrankheit in örtlicher und zeitlicher Begrenzung
C ☐ das dauernde Auftreten einer Infektionskrankheit in einem geographisch begrenzten Gebiet (Dauerverseuchung)

---

25 C   26 A, D   27 A   28 E, F, G   29 B

30. Staphylokokken sind: (2)

A ☐ grampositive Haufenkugelbakterien
B ☐ gramnegative Kettenkugelbakterien
C ☐ beweglich durch Geißeln
D ☐ unbeweglich

31. Streptokokken sind: (2)

A ☐ gramnegative Haufenkugelbakterien
B ☐ grampositive Kettenkugelbakterien
C ☐ beweglich durch Geißeln
D ☐ unbeweglich

32. Welche Aussagen über die menschen-pathogenen Pilze treffen zu: (2)

A ☐ grampositive, unbewegliche, aerob wachsende Stäbchen
B ☐ fadenförmige Gebilde mit einfacher Zellstruktur, die auf
parasitäres Dasein angewiesen sind
C ☐ besitzen keine Fruktifikationsorgane und pflanzen sich asexuell
durch Sporen fort
D ☐ bilden einen Übergang zwischen Bakterien und Protozoen

33. Antigene sind: (1)

A ☐ körpereigene Abwehrstoffe, die gegen körperfremdes Eiweiß
gerichtet sind
B ☐ körperfremde Stoffe, gegen die Abwehrstoffe gebildet werden
C ☐ körpereigene Stoffe, die gegen spezifische Toxine gerichtet sind

34. Gramnegative Bakterien: (1)

A ☐ die mit Karbol-Gentianaviolett gefärbt sind, verlieren nach
Alkoholbehandlung den Farbstoff und lassen sich dann mit
Fuchsinlösung rot färben
B ☐ die mit Karbol-Gentianaviolett gefärbt sind, halten auch nach
Alkoholbehandlung den Farbstoff und lassen sich nicht mehr
mit Fuchsinlösung rot färben

---

30 A, D   31 B, D   32 B, C   33 B   34 A

35. Taenia solium werden übertragen durch: (1)

A ☐ Genuss von rohem bzw. halbgarem Rindfleisch
B ☐ Genuss von rohem bzw. halbgarem Schweinefleisch
C ☐ Genuss von rohem bzw. halbgarem Hühnerfleisch

36. Welche Krankheiten werden durch grampositive Bakterien verursacht: (4)

A ☐ Scharlach
B ☐ Poliomyelitis
C ☐ Erysipel
D ☐ Milzbrand
E ☐ Tetanus
F ☐ Pest
G ☐ Influenza
H ☐ Gonorrhoe
J ☐ Meningokokkenmeningitis

37. Welche Krankheiten werden durch Spirochäten verursacht: (3)

A ☐ Syphilis
B ☐ Tuberkulose
C ☐ Rückfallfieber
D ☐ Toxoplasmose
E ☐ Flecktyphus
F ☐ Poliomyelitis
G ☐ Morbus Weil

38. Was versteht man unter der Virulenz eines Erregers: (1)

A ☐ das Vorhandensein von Viren im Blut
B ☐ die Widerstandsfähigkeit der Bakterien gegenüber Penicillin
C ☐ das Invasions- und Toxinbildungsvermögen der Bakterien
D ☐ die Widerstandsfähigkeit der Rickettsien gegenüber Hitze

---

35 B   36 A, C, D, E   37 A, C, G   38 C

39. Welche Krankheit wird durch Treponemen verursacht: (1)

A ☐ Tuberkulose
B ☐ Toxoplasmose
C ☐ Syphilis
D ☐ Tularämie

40. Oxyuris vermicularis werden übertragen durch: (2)

A ☐ direkten Kontakt von Mensch zu Mensch
B ☐ den Genuss von ungekochtem Fleisch
C ☐ Selbstinfektion
D ☐ Insekten

41. Unter Virulenz versteht man: (2)

A ☐ das Vorhandensein von Viren im Blut
B ☐ das Eindringen und das Toxinbildungsvermögen der Bakterien
C ☐ die Widerstandskraft der Bakterien gegenüber Penicillin
D ☐ die krankmachende Fähigkeit der Mikroorganismen

42. Tetagam wird gewonnen: (1)

A ☐ aus dem Blut gesunder, gegen Tetanus aktiv immunisierter Pferde
B ☐ aus dem Blut an Tetanus erkrankter Pferde
C ☐ aus dem Blut gesunder, gegen Tetanus aktiv immunisierter Menschen
D ☐ aus dem Blut an Tetanus erkrankter Menschen

43. Durch die Komplementbindungsreaktion (KBR) werden nachgewiesen: (1)

A ☐ unspezifische Eiweißkörper
B ☐ spezifische Eiweißkörper, Antikörper
C ☐ Antigene
D ☐ Bakterien
E ☐ Viren

---

39 C   40 A, C   41 B, D   42 C   43 B

44. Poliomyelitis-Imstoff zur Schluckimpfung enthält: (1)

A ☐ abgeschwächte Toxoide
B ☐ abgeschwächte Viren
C ☐ Antikörper gegen Polioviren
D ☐ abgetötete Viren

45. Stille Feiung ist eine: (1)

A ☐ durch passive Immunisierung erworbene Immunität
B ☐ Immunisierung gegen einen Erreger durch abgeschwächten Krankheitsverlauf oder ohne Krankheitserscheinungen
C ☐ von der Mutter auf das Kind übertragene Immunität gegen bestimmte Antigene (Nestschutz des Neugeborenen)

46. Welche Erkrankung wird durch Mykobakterien verursacht: (1)

A ☐ Diphtherie
B ☐ Gasbrand
C ☐ Botulismus
D ☐ Lepra

47. Taenia saginata werden übertragen durch: (1)

A ☐ Insekten
B ☐ Genuss von rohem bzw. halbgarem Rindfleisch
C ☐ Genuss von rohem bzw. halbgarem Schweinefleisch
D ☐ Genuss von rohem bzw. halbgarem Hühnerfleisch

48. Das Toxoplasma gondii (Erreger der Toxoplasmose): (2)

A ☐ ist ein sichelförmiger Parasit
B ☐ ist ein Nematoda (Fadenwurm)
C ☐ kann durch den Serofarbtest nach Sabin-Feldman (Komplementbindungsreaktion) nachgewiesen werden
D ☐ kann im »dicken Tropfen« nachgewiesen werden
E ☐ ist ein kurzes, gramnegatives Stäbchen

---

44 B   45 B   46 D   47 B   48 A, C

49. Passive Immunisierung wird erreicht durch: (1)

A ☐ die Impfung mit lebenden Erregern
B ☐ die Impfung mit abgetöteten Erregern
C ☐ die Impfung mit abgeschwächten Erregern
D ☐ die Gabe von Penicillin
E ☐ die Gabe von Antikörpern
F ☐ die Gabe von Erregertoxinen

50. Cestoidea sind: (1)

A ☐ Fadenwürmer
B ☐ Bandwürmer
C ☐ Saugwürmer oder Egel

51. Die Erreger der Tuberkulose sind: (1)

A ☐ säurefeste, unbewegliche Stäbchen
B ☐ säurefeste, bewegliche Stäbchen
C ☐ säureempfindliche, unbewegliche Stäbchen
D ☐ säureempfindliche, bewegliche Stäbchen

52. Die Erreger des Gasbrandes sind: (1)

A ☐ anaerobe, sporenlose Stäbchen
B ☐ anaerobe, sporenbildende Stäbchen
C ☐ aerobe, sporenlose Stäbchen
D ☐ aerobe, sporenbildende Stäbchen

53. Als Pandemie wird bezeichnet: (1)

A ☐ das dauernde Auftreten einer Infektionskrankheit in einem geographisch begrenzten Gebiet (Dauerverseuchung)
B ☐ das gehäufte Auftreten einer Infektionskrankheit in örtlicher und zeitlicher Begrenzung
C ☐ das gehäufte Auftreten einer Infektionskrankheit ohne örtliche Begrenzung (weltweite Seuche)

---

54. Ektotoxine werden abgesondert von den Erregern: (2)

A ☐ des Tetanus
B ☐ der Tuberkulose
C ☐ der Diphtherie
D ☐ der Poliomyelitis

55. Welche Keime gehören zu den Eitererregern: (5)

A ☐ Staphylokokken
B ☐ Picorna-Viren
C ☐ Streptokokken
D ☐ Diplococcus pneumoniae
E ☐ Candida albicans
F ☐ Neisseria gonorrhoeae
G ☐ Neisseria meningitidis
H ☐ Trypanosoma gambiense

56. Welcher Krankheitserreger ist gegen Hitze besonders widerstands-fähig: (1)

A ☐ Hepatitisvirus
B ☐ Gonokokken
C ☐ Tuberkelbakterium

57. Die Erreger des Tetanus sind: (1)

A ☐ gramnegative, bewegliche, anaerobe Stäbchen
B ☐ gramnegative, bewegliche, aerobe Stäbchen
C ☐ grampositive, bewegliche aerobe Stäbchen
D ☐ grampositive, bewegliche anaerobe Stäbchen

58. Die Neisser-Färbung ermöglicht die Darstellung: (1)

A ☐ der Polkörnchen der Diphtheriebakterien
B ☐ der Protozoen und großen Viren

---

54 A, C   55 A, C, D, F, G   56 A   57 D   58 A

59. Welche Erkrankungen hinterlassen keine sichere Immunität: (2)

A ☐ Gonorrhoe
B ☐ Parotitis epidemica
C ☐ Poliomyelitis
D ☐ Syphilis

60. Gegen welche Erkrankung gibt es keine aktive Immunisierung: (1)

A ☐ Hepatitis B
B ☐ AIDS
C ☐ Poliomyelitis
D ☐ Influenza

61. Endotoxine sind: (1)

A ☐ Ausscheidungsgifte der Erreger
B ☐ Zerfallsgifte der Erreger
C ☐ körpereigene Abwehrstoffe

62. Die aktive Immunisierung wird ausgelöst durch: (3)

A ☐ die Impfung mit lebenden, abgeschwächten Erregern
B ☐ die Impfung mit abgetöteten Erregern
C ☐ die Impfung mit abgeschwächten Erregertoxinen
D ☐ die Gabe von Penicillin
E ☐ die Gabe von Antikörpern

63. Antikörper können nachgewiesen werden durch: (3)

A ☐ den Agglutinationstest
B ☐ die Gram-Färbung
C ☐ die Praecipitationsreaktion
D ☐ die Komplementbindungsreaktion
E ☐ die Giemsafärbung
F ☐ die Ziehl-Neelsen-Färbung

---

59 A, D   60 B   61 B   62 A, B, C   63 A, C, D

64. Die Malaria wird auf den Menschen übertragen durch: (1)

A ☐ die Kleiderlaus
B ☐ die Krätzmilbe
C ☐ den Madenwurm
D ☐ die Anopheles-Mücke
E ☐ die Tsetsefliege
F ☐ den Rattenfloh

65. Welche Infektionskrankheiten werden durch Viren verursacht: (5)

A ☐ Parotitis epidemica (Mumps)
B ☐ Tetanus (Wundstarrkrampf)
C ☐ Morbilli (Masern)
D ☐ Anthrax (Milzbrand)
E ☐ Rubeola (Röteln)
F ☐ Variola vera (Pocken)
G ☐ Poliomyelitis (Kinderlähmung)
H ☐ Scarlatina (Scharlach)

66. Die Erreger der bakteriellen Ruhr sind: (1)

A ☐ gramnegative, unbewegliche, sporenlose Stäbchen
B ☐ grampositive, unbewegliche, sporenlose Stäbchen
C ☐ gramnegative, bewegliche, sporenbildende Stäbchen
D ☐ grampositive, bewegliche, sporenbildende Stäbchen

67. Der Neutralisationstest dient zum Nachweis von: (2)

A ☐ grampositiven Bakterien
B ☐ gramnegativen Bakterien
C ☐ säurefesten Bakterien
D ☐ hitzestabilen Bakterien

---

64 D   65 A, C, E, F, G   66 A   67 B, D

68. Exotoxine sind: (1)

A ☐ Ausscheidungsgifte der Erreger
B ☐ Zerfallsgifte der Erreger
C ☐ körpereigene Abwehrstoffe

69. Welche Erreger gehören zu den Flagellaten: (2)

A ☐ Lamblia intestinalis
B ☐ Streptococcus faecalis
C ☐ Trichomonas vaginalis
D ☐ Treponema pallidum

70. Als Endemie wird bezeichnet: (1)

A ☐ das gehäufte Auftreten einer Infektionskrankheit in örtlicher
und zeitlicher Begrenzung
B ☐ das dauernde Auftreten einer Infektionskrankheit in einem
geographisch begrenzten Gebiet (Dauerverseuchung)
C ☐ das gehäufte Auftreten einer Infektionskrankheit ohne örtliche
Begrenzung (weltweite Seuche)

---

68 A   69 A, C   70 B

2. Infektionskrankheiten

1. Hepatitis B: (3)

A ☐ ist eine lebensbedrohliche Viruserkrankung
B ☐ die Schutzimpfung gegen Hepatitis B ist sehr gut verträglich
C ☐ diese infektiöse Leberentzündung wird durch Bakterien hervorgerufen
D ☐ die Ansteckung erfolgt über Blut- und Sexualkontakt
E ☐ kontaminierte Nahrungsmittel sind eine Infektionsquelle

2. Die Lähmungen bei der Poliomyelitis sind: (2)

A ☐ schlaff und asymmetrisch
B ☐ auf eine Schädigung der Hinterhörner des Rückenmarks zurückzuführen
C ☐ auf eine Schädigung der Vorderhörner des Rückenmarks zurückzuführen
D ☐ spastisch und seitengleich

3. HIV Infektion (Human Immunodeficiency Virus Infektion): (4)

A ☐ wird verursacht durch neuro- und lymphotrope Retroviren (HIV_1 und HIV_2)
B ☐ das klinische Bild kann vom asymptomatischen Trägerstatus bis zur tödlichen Erkrankung reichen
C ☐ bedingt durch die Infektion kommt es sekundär zum erworbenen Immundefekt (AIDS)
D ☐ Folge des Immundefektes sind u. a. opportunistische Infektionen und Tumorbildungen (Kaposi Sarkom)
E ☐ es kommt zu einer Vermehrung der Helferzellen und der Lymphozyten
F ☐ ein angeborener Immundefekt kann zu einer HIV Infektion führen

---

1 A, B, D   2 A, C   3 A, B, C, D

4. Enzephalitis epidemica hat eine Inkubationszeit von: (1)

A ☐ 1– 2 Stunden
B ☐ 2–10 Tagen
C ☐ 21–27 Tagen
D ☐ 1– 3 Monaten

5. Salmonellen-Gastro-Enteritis: (4)

A ☐ ist eine akute infektiöse Magen-Darmerkrankung
B ☐ Symptome sind: plötzliches Auftreten von Erbrechen und wässrigen Durchfällen
C ☐ in den Wintermonaten ist die Infektionsgefahr besonders groß
D ☐ Infektionsquellen können sein: kontaminiertes Fleisch, Fisch, Geflügel, Hühnereier
E ☐ es kann zu einer Exsikkose kommen durch Wasser- und Elektrolytverlust
F ☐ eine strenge Isolierung des Erkrankten ist unbedingt erforderlich

6. Malaria tropica: (4)

A ☐ Erreger ist das Plasmodium vivax
B ☐ es tritt an jedem 4. Tag ein Fieberanfall auf
C ☐ ist die schwerste Form der Malaria
D ☐ der infizierte Kranke befindet sich in akuter Lebensgefahr
E ☐ Erreger ist das Plasmodium falciparum
F ☐ Infektion erfolgt durch einen Stich der Tsetsefliege
G ☐ in Gegenden mit Chloroquin-(Resochin) resistenten Stämmen von Plasmodium falciparum (Südostasien, Südamerika, Kenia, Westpazifik), sollte zur Prophylaxe Pyrimethamin/Sulfadoxin eingenommen werden

---

4 B   5 A, B, D, E   6 C, D, E, G

7. Cholera wird übertragen durch: (4)

A ☐ direkten Kontakt mit Kranken
B ☐ Bluttransfusionen
C ☐ infiziertes Trinkwasser
D ☐ Nahrungsmittel (Konserven)
E ☐ direkten Kontakt mit Genesenden
F ☐ infizierte Milch
G ☐ Ungeziefer (direkt)

8. Die Erreger der Parotitis epidemica sind: (1)

A ☐ gramnegative Bakterien
B ☐ grampositive Bakterien
C ☐ Streptokokken
D ☐ Spirochäten
E ☐ Viren
F ☐ Rickettsien
G ☐ Pilze

9. Zeckenenzephalitis (FSME) (Frühsommer-Meningoenzephalitis): (4)

A ☐ die Infektion erfolgt durch Biss der infizierten Zecke
B ☐ die Erkrankung tritt nur von Mai bis September auf
C ☐ die Infektionsgefahr ist in den Wintermonaten am größten
D ☐ prophylaktisch wird eine aktive Schutzimpfung durchgeführt
E ☐ Endemieherde finden sich in der BRD (in Niederbayern, Franken, Baden-Würtemberg, Schleswig-Holstein)
F ☐ die Zecken nehmen die Bakterien vorwiegend von Nagetieren auf

10. Welche Infektionskrankheit der Mutter während der Schwangerschaft kann bei der Frucht zu Herzfehlern, Augenfehlern und Innenohrschädigungen führen: (1)

A ☐ Tuberkulose
B ☐ Masern
C ☐ Röteln
D ☐ Meningitis

---

7 A, C, E, F   8 E   9 A, B, D, E   10 C

11. Welche charakteristischen Symptome treten bei Lepra auf: (2)

A ☐ entzündliche, knotige Herde, bevorzugt im Gesicht auftretend
B ☐ Facies leontina
C ☐ masernähnliches Exanthem
D ☐ relative Bradykardie
E ☐ starker Husten mit schleimigem Auswurf
F ☐ Facies hippocratica

12. Wann sind maserninfizierte Personen ansteckungsfähig: (1)

A ☐ erst nach Ausbruch des Exanthems
B ☐ nur während der Hautschuppung
C ☐ mit Beginn der Prodromi

13. Pocken-Erreger sind: (1)

A ☐ Würmer
B ☐ Protozoen
C ☐ Pilze
D ☐ Spirochäten
E ☐ Mykobakterien
F ☐ grampositive Bakterien
G ☐ gramnegative Bakterien
H ☐ Rickettsien
J ☐ Viren

14. Röteln-Erreger sind: (1)

A ☐ Würmer
B ☐ Protozoen
C ☐ Pilze
D ☐ Spirochäten
E ☐ grampositive Bakterien
F ☐ gramnegative Bakterien
G ☐ Rickettsien
H ☐ Viren

---

11 A, B   **12** C   **13** J   **14** H

241

15. Diphtherie hat eine Inkubationszeit von: (1)

A ☐ 12–24 Stunden
B ☐ 2– 5 Tagen
C ☐ 8–10 Tagen
D ☐ 12–14 Tagen
E ☐ 15–20 Tagen

16. Fleckfieber-Erreger sind: (1)

A ☐ Viren
B ☐ Spirochäten
C ☐ Protozoen
D ☐ Bakterien
E ☐ Rickettsia quintana
F ☐ Rickettsia prowazekii
G ☐ Pilze

17. Wann sind varizelleninfizierte Personen ansteckungsfähig: (1)

A ☐ mit Beginn der Prodromi
B ☐ nur während der Inkubationszeit
C ☐ erst nach Abklingen des Hautausschlages
D ☐ von 14 Wochen vor bis 6 Tage nach Auftreten des Exanthems

18. Trichomoniasis: (3)

A ☐ Übertragung erfolgt durch den Geschlechtsverkehr
B ☐ wird hervorgerufen durch Trichinen
C ☐ Erreger ist ein Flagellat
D ☐ ist eine meldepflichtige Infektionskrankheit
E ☐ befallen werden Vagina, Urethra und Harnblase
F ☐ befallen werden nur die regionalen Lymphdrüsen

19. Lungentuberkulose: (1)

A ☐ der Erreger ist ein säurefestes Stäbchen
B ☐ es werden nur die Lungenhili befallen
C ☐ wird zur Zeit nur operativ behandelt

---

15 B   16 F   17 A   18 A, C, E   19 A

---

20. Typhus abdominalis Erreger sind: (2)

A ☐ Viren
B ☐ Protozoen
C ☐ Spirochäten
D ☐ Würmer
E ☐ gramnegative Bakterien
F ☐ grampositive Bakterien
G ☐ Rickettsien
H ☐ Salmonellen

21. Welche charakteristischen Symptome treten bei Poliomyelitis auf: (4)

A ☐ zweigipflige Fieberzacke (Dromedar-Kurve)
B ☐ schlaffe Muskellähmungen
C ☐ kontinuierlich hohes Fieber
D ☐ Koplik-Flecken
E ☐ kleinfleckiges, dunkelrotes Exanthem
F ☐ meningeale Symptome
G ☐ fieber- und symptomfreies Intervall

22. Wann sind ornithoseinfizierte Personen ansteckungsfähig: (1)

A ☐ nur in der Inkubationszeit
B ☐ während der akuten Krankheitsphase (in den ersten drei Wochen)
C ☐ von der Inkubationszeit bis zur völligen Genesung
D ☐ nur in der ersten Krankheitswoche

23. Scharlach-Erreger sind: (2)

A ☐ Pilze
B ☐ Staphylokokken
C ☐ haemolysierende Streptokokken
D ☐ Viren
E ☐ Rickettsien
F ☐ Spirochäten
G ☐ grampositive Bakterien
H ☐ gramnegative Bakterien

---

20 E, H   21 A, B, F, G   22 B   23 C, G

24. **Diphtherie: (1)**

A ☐ wird durch DNA-Viren übertragen
B ☐ ist eine weitverbreitete Kinderkrankheit, die mit Antibiotika behandelt wird
C ☐ kann durch Bildung von Pseudomembranen die Atemwege verlegen

25. **Beim Waterhouse-Friderichsen-Syndrom: (3)**

A ☐ liegt eine Schädigung der Nebennierenrinde vor
B ☐ liegt eine Schädigung der Nebenniere vor
C ☐ kommt es plötzlich zum Kreislaufversagen
D ☐ werden petechiale Blutungen beobachtet
E ☐ sind Untertemperaturen charakteristisch

26. **Bei der Toxoplasmose: (3)**

A ☐ handelt es sich um eine bakterielle Infektion
B ☐ benötigt der Gewebeparasit zur Vermehrung eine lebende Wirtszelle
C ☐ können die Antikörper durch den Sabin-Feldmann-Test nachgewiesen werden
D ☐ ist die kongenitale Form charakterisiert durch die Trias: Chorioretinopathie, Hydrozephalus und intrazerebrale Verkalkungsherde
E ☐ wird der Erreger nicht diaplazentar übertragen
G ☐ bedeutet eine Erkrankung in der Frühschwangerschaft keine Gefahr für den Feten

27. **Toxoplasmose: (3)**

A ☐ ist eine meldepflichtige Infektionskrankheit
B ☐ ist eine Geschlechtskrankheit
C ☐ führt zu Fetopathien
D ☐ kann von der erkrankten Mutter diaplazentar auf das Kind übertragen werden
E ☐ kann zur Sterilität führen

---

24 C   **25** B, C, D   **26** B, C, D   **27** A, C, D

28. Welche Komplikationen können bei Cholera auftreten: (3)

A □ Myokarditis
B □ Kreislaufschock
C □ Urämie
D □ Geschwürbildung im Dickdarm
E □ Peritonitis
F □ Sepsis

29. Welche charakteristischen Symptome treten bei Influenza auf: (4)

A □ Schüttelfrost
B □ Gliederschmerzen
C □ Koplik-Flecken
D □ Trachealhusten
E □ Hämoptoe
F □ Substernalschmerz
G □ subfebrile Temperatur

30. Botulismus hat eine Inkubationszeit von: (1)

A □ einigen Stunden
B □ 5–14 Tagen
C □ 14–28 Tagen
D □ 2–3 Monaten

31. Erreger der Weil-Krankheit sind: (2)

A □ Viren
B □ grampositive Bakterien
C □ gramnegative Bakterien
D □ Leptospiren
E □ Spirochäten
F □ Rickettsien
G □ Protozoen
H □ Würmer

---

32. **Welche Komplikationen können bei der Weil-Krankheit auftreten:** (3)

A ☐ Nephrose
B ☐ Bronchiektasen
C ☐ Hepatosen
D ☐ Meningitis
E ☐ Lungeninfarkt
F ☐ Diabetes insipidus

33. **Wann treten bei Masern die Koplik-Flecken auf:** (1)

A ☐ im Prodromalstadium
B ☐ mit Beginn des Hautausschlages
C ☐ mit Beginn der Hautschuppung

34. **Parotitis epidemica wird übertragen durch:** (2)

A ☐ kranke Haustiere
B ☐ Ungeziefer
C ☐ Tröpfcheninfektion
D ☐ infizierte Gegenstände
E ☐ infizierte Nahrungsmittel
F ☐ infiziertes Trinkwasser

35. **Die Serumhepatitis:** (5)

A ☐ wird hervorgerufen durch Bakterien
B ☐ wird hervorgerufen durch das Hepatitis-B-Virus
C ☐ hat eine Inkubationszeit von 50–180 Tagen
D ☐ wird nur auf oralem Weg übertragen
E ☐ unterscheidet sich klinisch nicht von der Hepatitis epidemica
F ☐ wird auch als Inokulationshepatitis bezeichnet
G ☐ kann differentialdiagnostisch durch den Nachweis des HBs-Antigens von der Hepatitis epidemica unterschieden werden
H ☐ hat eine Inkubationszeit von 15–20 Tagen

---

32 A, C, D   33 A   34 C, D   35 B, C, E, F, G

36. Welche charakteristischen Symptome treten bei Enzephalitis epidemica auf: (3)

A ☐ Nystagmus
B ☐ Salbengesicht
C ☐ masernähnliches Exanthem
D ☐ stark geschwollene Nackenlymphdrüsen
E ☐ exspiratorischer Stridor
F ☐ Schlafsucht

37. Tetanus hat eine Inkubationszeit von: (1)

A ☐ 10–20 Stunden
B ☐ 1– 2 Tagen
C ☐ 4–28 Tagen
D ☐ 30–60 Tagen
E ☐ 2– 3 Monaten
F ☐ 1– 2 Jahren

38. Welche Komplikationen können bei Masern auftreten: (2)

A ☐ Enzephalitis
B ☐ Gaumensegellähmung
C ☐ Bronchopneumonie
D ☐ Erysipel

39. Meningitis-epidemica-Erreger sind: (2)

A ☐ Viren
B ☐ Streptokokken
C ☐ Diplokokken
D ☐ gramnegative Bakterien
E ☐ grampositive Bakterien
F ☐ Spirochäten
G ☐ Protozoen

---

36 A, B, F   37 C   38 A, C   39 C, D

40. Das Waterhouse-Friderichsen-Syndrom ist eine Komplikation der: (1)

A ☐ Pneumokokken-Meningitis
B ☐ Meningokokken-Meningitis
C ☐ Coli-Meningitis
D ☐ Tuberkulose-Meningitis
E ☐ Mumps-Meningitis

41. Welche charakteristischen Symptome treten bei Diphtherie auf: (2)

A ☐ Himbeerzunge
B ☐ stippchenförmige, weiße Beläge auf den Tonsillen
C ☐ süßlich, fauliger Mundgeruch (Foetor ex ore)
D ☐ flächenhafte, grauweiße Pseudomembranen, die sich über Tonsillen, Uvula und den weichen Gaumen erstrecken
E ☐ Koplik-Flecken

42. Pocken: (2)

A ☐ es besteht eine gesetzliche Impfpflicht
B ☐ die Inkubationszeit beträgt 12–14 Tage
C ☐ sind eine sehr ansteckende schwere Viruserkrankung
D ☐ werden erfolgreich mit Antibiotika behandelt
E ☐ die verschiedenen Effloreszenzen (Flecken, Eiterbläschen, Krusten) treten gleichzeitig auf

43. Welche charakteristischen Symptome treten bei Varizellen auf: (1)

A ☐ weit auseinanderstehende, über den ganzen Körper verteilte Effloreszenzen von etwa 3 cm Durchmesser
B ☐ gleichzeitiges Vorhandensein von Flecken, Knötchen, Bläschen und Schorf in einem begrenzten Hautbezirk
C ☐ Flecken, Knötchen, Bläschen und Schorf sind über den ganzen Körper verteilt, treten aber nicht zur gleichen Zeit in einem begrenzten Hautbezirk auf

---

40 B   41 C, D   42 B, C   43 B

44. Fleckfieber wird übertragen durch: (3)

A ☐ aerogene Infektion
B ☐ Kot infizierter Kleiderläuse
C ☐ perkutane Infektion
D ☐ infizierte Nahrungsmittel
E ☐ infiziertes Trinkwasser
F ☐ Kontaktinfektion
G ☐ Stich des Rattenflohs

45. Röteln werden übertragen durch: (3)

A ☐ infizierte Haustiere
B ☐ Tröpfcheninfektion
C ☐ Ungeziefer (indirekt)
D ☐ direkten Kontakt
E ☐ frisch verkeimte Gegenstände

46. Typhus abdominalis wird übertragen durch: (4)

A ☐ Schmierinfektion
B ☐ Tröpfcheninfektion
C ☐ direkten Kontakt
D ☐ verseuchtes Trinkwasser
E ☐ Staubinfektion
F ☐ Kleiderläuse
G ☐ Anopheles-Mücken
H ☐ infizierte Nahrungsmittel

47. Pertussis-Erreger sind: (2)

A ☐ Viren
B ☐ gramnegative Bakterien
D ☐ grampositive Bakterien
D ☐ Rickettsien
E ☐ Protozoen
F ☐ hämolysierende Bakterien
G ☐ Spirochäten
H ☐ Bordetella-Bakterien

---

44 A, B, C   45 B, D, E   46 A, C, D, H   47 B, H

48. Wann sind influenzainfizierte Personen ansteckungsfähig: (1)

A ☐ erst nach der ersten Krankheitswoche
B ☐ etwa einen Tag vor Ausbruch der Krankheit und in der ersten Krankheitswoche
C ☐ nur in der Inkubationszeit

49. Gegen welche viralen Erkrankungen gibt es noch keine aktive Immunisierung: (2)

A ☐ Hepatitis B
B ☐ Poliomyelitis
C ☐ Hepatitis A
D ☐ Influenza
E ☐ Röteln
F ☐ AIDS

50. Welche Komplikationen können bei Scharlach auftreten: (3)

A ☐ Meningitis
B ☐ Gaumensegelparese
C ☐ Otitis media
D ☐ Glomerulonephritis
E ☐ Orchitis
F ☐ Pankreatitis
G ☐ Endomyokarditis

51. Gelbfieber wird übertragen durch: (1)

A ☐ Tröpfcheninfektion
B ☐ Schmierinfektion
C ☐ infizierte Nahrungsmittel
D ☐ Staubinfektion
E ☐ Kontaktinfektion
F ☐ Stich der Aedes-Mücke

48 B   49 C, F   50 C, D, G   51 F

52. Poliomyelitis-Erreger sind: (1)

A ☐ gramnegative Bakterien
B ☐ grampositive Bakterien
C ☐ Viren
D ☐ Spirochäten
E ☐ Protozoen
F ☐ Pilze

53. Botulismus wird übertragen durch: (1)

A ☐ infiziertes Trinkwasser
B ☐ Tröpfcheninfektion
C ☐ Kontaktinfektion
D ☐ Ungeziefer (direkt)
E ☐ infizierte Nahrungsmittel (Konserven)

54. Welche charakteristischen Symptome treten bei Parotitis epidemica auf: (2)

A ☐ Schwellung und Rötung der Gaumenmandeln
B ☐ schmerzhafte Schwellung der Ohrspeicheldrüsen
C ☐ starke Rötung der Wange an der erkrankten Seite
D ☐ nicht schmerzhafte Schwellung der Ohrspeicheldrüse
E ☐ abstehendes Ohrläppchen auf der erkrankten Seite
F ☐ Himbeerzunge
G ☐ grauweißer Belag der Mundschleimhaut

55. Die Weil-Krankheit wird übertragen durch: (2)

A ☐ Tröpfcheninfektion
B ☐ aerogene Staubinfektion
C ☐ infiziertes Wasser
D ☐ Rattenurin
E ☐ Stich des Rattenflohs
F ☐ infizierte Nahrungsmittel (Konserven)

---

52 C   53 E   54 B, E   55 C, D

56. **Beim Rinderbandwurmbefall (Taenia saginata): (3)**

A ☐ gelangen die Finnen durch Genuss von rohem Rindfleisch in den Darm des Menschen

B ☐ ist der Mensch der Zwischenwirt

C ☐ gehen die Bandwurmglieder mit dem Stuhl ab

D ☐ nimmt der Mensch die Wurmeier mit der Nahrung auf, und im Darm entwickeln sich die Finnen

E ☐ entwickelt sich im Darm des Menschen aus den Finnen der reife Bandwurm

57. **Bei der Lungentuberkulose: (3)**

A ☐ kann durch eine hämatogene Streuung eine Miliartuberkulose entstehen

B ☐ kann der vernarbte Primärkomplex noch jahrelang Tuberkel-bakterien enthalten

C ☐ erfolgt die Streuung der Tuberkelbakterien nur bronchogen

D ☐ spricht man von »offener Tuberkulose«, wenn Erreger in die Blutbahn eingeschwemmt werden

E ☐ kann es zu einer käsigen Pneumonie kommen

F ☐ kommt es zur Kavernenbildung, wenn sich der Primärkomplex bindegewebig abkapselt

58. **Varizellen werden übertragen durch: (1)**

A ☐ Schmierinfektion

B ☐ aerogene Tröpfcheninfektion

C ☐ infizierte Nahrungsmittel (Konserven)

D ☐ Ungeziefer (indirekt)

59. **Welche Aussage über das Erysipel ist falsch: (1)**

A ☐ die Erreger sind hämolysierende Streptokokken

B ☐ ist eine Entzündung der Haut und des Unterhautzellgewebes

C ☐ der Erreger dringt durch die intakte Haut und breitet sich auf dem Blutwege aus

---

56 A, C, E   57 A, B, E   58 B   59 C

60. Lyssa hat eine Inkubationszeit von: (1)

A □ 2– 5 Tagen
B □ 10–14 Tagen
C □ 30–90 Tagen
D □ 5– 6 Monaten
E □ 6–12 Monaten
F □ 1– 2 Jahren

61. Gürtelrose (Herpes zoster): (3)

A □ ist eine sehr ansteckende Erkrankung, bei der strenge Isolierung angezeigt ist
B □ Varizellen und Herpes zoster werden durch den gleichen Erreger verursacht
C □ es treten neuralgieforme Schmerzen im Innervationsgebiet des betreffenden Nerven auf
D □ das typische Exanthem ist scarlatiniform
E □ in etwa der Hälfte der Fälle sind thorakale Segmente betroffen

62. Welche Komplikationen können bei Lepra auftreten: (4)

A □ Knochenschwund
B □ Paresen
C □ Sensibilitätsstörungen
D □ Senkundärinfektionen
E □ Myokarditis
E □ Nephrose
G □ perniziöse Anämie

63. Enzephalitis epidemica wird übertragen durch: (1)

A □ Schmierinfektion
B □ Tröpfcheninfektion
C □ infiziertes Trinkwasser
D □ infizierte Nahrungsmittel

---

60 C   61 B, C, E   62 A, B, C, D   63 B

64. Welche charakteristischen Symptome treten bei Tetanus auf: (4)

A □ Dysurie
B □ Bewusstlosigkeit
C □ schlaffe Muskellähmungen
D □ Konjunktivitis
E □ Risus sardonicus
F □ Trismus
G □ Opisthotonus
H □ tonisch-klonische Krampfanfälle

65. Masern-Erreger sind: (1)

A □ Protozoen
B □ Spirochäten
C □ Mykobakterien
D □ Rickettsien
E □ Bakterien
F □ Viren

66. Welche Aussage über die Candidosen ist falsch: (1)

A □ wichtigster Erreger ist der Candida albicans
B □ es werden nur die Schleimhäute des Mundes befallen
C □ es können Haut, Schleimhäute (Luftwege, Vagina) befallen werden

67. Welche Komplikationen können bei Diphtherie auftreten: (6)

A □ Akkomodationsparese
B □ Hemiplegie
C □ Gaumensegellähmung
D □ Tetraplegie
E □ Myokarditis
F □ Herzrhythmusstörungen
G □ Pankreatitis
H □ Enzephalitis
J □ Ataxie

---

64 E, F, G, H   **65** F   **66** B   **67** A, C, D, E, F, J

68. Masern wird übertragen durch: (1)

A ☐ Schmierinfektion
B ☐ Tröpfcheninfektion
C ☐ infizierte Nahrungsmittel (Konserven)
D ☐ Ungeziefer (indirekt)

69. Varizellen-Erreger sind: (1)

A ☐ Würmer
B ☐ Protozoen
C ☐ Pilze
D ☐ Spirochäten
E ☐ Mykobakterien
F ☐ grampositive Bakterien
G ☐ gramnegative Bakterien
H ☐ Rickettsien
J ☐ Viren

70. Die Bakterienruhr wird übertragen durch: (4)

A ☐ Schmierinfektion
B ☐ Tröpfcheninfektion
C ☐ infiziertes Trinkwasser
D ☐ infizierte Nahrungsmittel
E ☐ Fliegen (indirekt)
F ☐ Mücken (direkt)

71. Wann sind rötelninfizierte Personen ansteckungsfähig: (1)

A ☐ erst nach Auftreten des Exanthems
B ☐ erst nach Abklingen des Hautausschlages
C ☐ von 16 Tagen vor bis 14 Tage nach Auftreten des Exanthems
D ☐ von 7 Tagen vor bis 5 Tage nach Auftreten des Exanthems

---

68 B   69 J   70 A, C, D, E   71 D

72. **Gelbfieber-Erreger sind: (1)**

A ☐ Spirochäten
B ☐ Protozoen
C ☐ Viren
D ☐ gramnegative Bakterien
E ☐ grampositive Bakterien
F ☐ Pilze
G ☐ Rickettsien

73. **Pertussis wird übertragen durch: (1)**

A ☐ kranke Haustiere
B ☐ Schmierinfektion
C ☐ Tröpfcheninfektion
D ☐ infiziertes Trinkwasser
E ☐ infizierte Nahrungsmittel

74. **Ornithosen-Erreger sind: (1)**

A ☐ gramnegative Bakterien
B ☐ grampositive Bakterien
C ☐ Protozoen
D ☐ Pilze
E ☐ Viren
F ☐ Spirochäten

75. **Welche charakteristischen Symptome treten bei Scharlach auf: (4)**

A ☐ Koplik-Flecken
B ☐ Roseolen
C ☐ Himbeerzunge
D ☐ freies Kinn-Mund-Dreieck
E ☐ grobfleckiges, dunkelrotes Exanthem
F ☐ rotfleckiges Enanthem
G ☐ kleinfleckiges, rotes, ineinander übergehendes Exanthem
H ☐ Konjunktivitis

---

72 C   73 C   74 E   75 C, D, F, G

76. Typhus abdominalis hat eine Inkubationszeit von: (1)

A ☐ 6–10 Stunden
B ☐ 12–20 Stunden
C ☐ 2– 5 Tagen
D ☐ 1– 4 Wochen
E ☐ 2– 3 Monaten

77. Influenza-Erreger sind: (1)

A ☐ Protozoen
B ☐ gramnegative Bakterien
C ☐ grampositive Bakterien
D ☐ Pilze
E ☐ Spirochäten
F ☐ Viren

78. Die Weil-Krankheit hat eine Inkubationszeit von: (1)

A ☐ 6– 8 Stunden
B ☐ 12–24 Stunden
C ☐ 2– 7 Tagen
D ☐ 10–14 Tagen
E ☐ 21–28 Tagen

79. Therapie bei Typhus abdominalis: (4)

A ☐ Isolierung des Kranken
B ☐ Flüssigkeits- und Elektrolytzufuhr
C ☐ eiweißarme und salzarme Diät
D ☐ Chloramphenicol-Gaben
E ☐ Verabreichung von Gamma-Globulin
F ☐ Schwenkeinläufe zur Anregung der Darmperistaltik
G ☐ parenterale Ernährung

---

76 D   77 F   78 C   79 A, B, D, G

80. **Bei der Malaria tertiana:** (3)

A ☐ werden die Erreger durch den Stich der männlichen Anophelesmücke übertragen

B ☐ ist der Erreger das Plasmodium vivax

C ☐ findet die geschlechtliche Vermehrung der Erreger in der weiblichen Mücke statt

D ☐ dauern die intraerythrozytären Entwicklungsphasen 72 Stunden, so dass nur an jedem vierten Tag ein Fieberanfall erfolgt

E ☐ können die Plasmodien im Blut nachgewiesen werden (im so genannten »Dicken Tropfen«)

F ☐ erfolgt der Antikörpernachweis durch die Komplementbindungsreaktion

81. **Bei der Gonorrhoe:** (4)

A ☐ erfolgt die Infektion durch den Geschlechtsverkehr

B ☐ sind die Erreger gramnegative Diplokokken

C ☐ sind die Erreger grampositive Diplokokken

D ☐ besteht eine chiffrierte Meldepflicht für alle Kranken

E ☐ kann eine Monarthritis auftreten

F ☐ entsteht nach dreiwöchiger Inkubationszeit der Primäraffekt

G ☐ tritt ein makulöses Exanthem auf

H ☐ werden die Erreger diaplazentar in der ersten Schwangerschaftshälfte auf den Feten übertragen

82. **Typische Liquorbefunde bei der Meningitis epidemica:** (3)

A ☐ hohe Pleozytose

B ☐ Zuckererhöhung

C ☐ Zuckerverminderung

D ☐ starke Drucksteigerung

E ☐ Bildung von Spinnengewebegerinnsel

---

80 B, C, E   81 A, B, D, E   82 A, C, D

83. Tetanusverdächtige, nicht immunisierte Personen: (2)

A ☐ erhalten nur Tetanusimmunglobulin
B ☐ werden nur mit Tetanol aktiv immunisiert
C ☐ erhalten eine Simultanimpfung
D ☐ werden gleichzeitig aktiv und passiv immunisiert

84. Mononucleosis infectiosa: (4)

A ☐ es treten erbs- bis kirschgroße, derbe, wenig schmerzhafte
Lymphknotenschwellungen auf
B ☐ wird auch als Pfeiffer-Drüsenfieber bezeichnet
C ☐ wird durch hämolysierende Streptokokken hervorgerufen
D ☐ ist eine Virusinfektion
E ☐ die Diagnose wird durch histologische Untersuchungen der
exstirpierten Lymphknoten gestellt
F ☐ die Diagnose wird durch die Paul-Bunnell-Reaktion gestellt

85. Ornithosen werden übertragen durch: (3)

A ☐ aerogene Infektion
B ☐ Staubinfektion
C ☐ infizierte Vögel
D ☐ infiziertes Trinkwasser
E ☐ Ungeziefer (direkt)
F ☐ infizierte Nahrungsmittel

86. Welche Komplikationen können bei Fleckfieber auftreten: (4)

A ☐ Gallenblasenempyem
B ☐ Peritonitis
C ☐ Myokarditis
D ☐ Enzephalitis
E ☐ Thrombophlebitis
F ☐ Bronchopneumonie
G ☐ Angina pectoris

---

83 C, D   84 A, B, D, F   85 A, B, C   86 C, D, E, F

87. Tetanus-Erreger sind: (3)

A ☐ Viren
B ☐ gramnegative Bakterien
C ☐ grampositive Bakterien
D ☐ anaerobe Bakterien
E ☐ aerobe Bakterien
F ☐ Spirochäten
G ☐ Mykobakterien
H ☐ Klostridien

88. Welche Impfungen werden mit sog. Lebendimpfstoffen durchgeführt: (3)

A ☐ Poliomyelitis-Schluckimpfung
B ☐ Pocken-Schutzimpfung
C ☐ Grippe-Schutzimpfung
D ☐ Tuberkulose-Schutzimpfung (BCG)
E ☐ Diphtherie-Schutzimpfung

89. Cholera hat eine Inkubationszeit von: (1)

A ☐ 6 – 12 Stunden
B ☐ 1 – 6 Tagen
C ☐ 14 – 28 Tagen
D ☐ 4 – 8 Wochen
E ☐ 2 – 3 Monaten

90. Welche charakteristischen Symptome treten bei Lyssa auf: (3)

A ☐ intermittierendes Fieber
B ☐ relative Bradykardie
C ☐ Hydrophobie
D ☐ Speichelfluss
E ☐ Erregungsstadium mit Schlundkrämpfen
F ☐ schleimige Durchfälle

---

87 C, D, H   88 A, B, D   89 B   90 C, D, E

91. Welche Aussagen treffen für die Skabies (Krätze) zu: (2)

A ☐ es wird vorwiegend die Subkutis befallen
B ☐ bei gehäuftem Auftreten ist sie meldepflichtig
C ☐ die Erkrankung hinterlässt lebenslängliche Immunität
D ☐ sie verursacht starken Juckreiz
E ☐ es ist eine durch Milben hervorgerufene, infektiöse Hauterkrankung

92. Welche Komplikationen können bei Enzephalitis epidemica auftreten: (3)

A ☐ Parkinsonismus
B ☐ Pseudopsychopathie
C ☐ Hepatitis
D ☐ Bronchiektasen
E ☐ Augenmuskellähmung

93. Folgende Impfungen werden im ersten Lebensjahr durchgeführt: (2)

A ☐ Röteln-Schutzimpfung
B ☐ Tetanus-Schutzimpfung
C ☐ Diphtherie-Schutzimpfung
D ☐ Pocken-Schutzimpfung

94. Masern haben eine Inkubationszeit von: (1)

A ☐ 12–24 Stunden
B ☐ 2– 4 Tagen
C ☐ 10–11 Tagen
D ☐ 1– 2 Monaten

---

91 D, E   92 A, B, E   93 B, C

95. Welche charakteristischen Symptome treten bei Meningitis epidemica auf: (4)

A ☐ Brudzinski-Zeichen
B ☐ Pollakisurie
C ☐ Opisthotonus
D ☐ Kernig-Zeichen
E ☐ relative Bradykardie
F ☐ Himbeerzunge
G ☐ intermittierendes Fieber
H ☐ Hauthyperästhesie

96. Wann sind pockeninfizierte Personen ansteckungsfähig: (1)

A ☐ nur in der Inkubationszeit
B ☐ erst nach Ausbildung des Pustelausschlages
C ☐ ab Ausbruch des Hautausschlages bis 14 Wochen nach Abfall der Krusten
D ☐ ab Initialstadium bis zur Abheilung der Borken und der Rachenentzündung

97. Diphtherie wird übertragen: (2)

A ☐ durch Tröpfcheninfektion
B ☐ nur durch Nahrungsmittel
C ☐ durch infizierte Gegenstände
D ☐ indirekt durch Ungeziefer
E ☐ durch kranke Haustiere

98. Welche Komplikationen können bei der Bakterienruhr auftreten: (3)

A ☐ Leberabszessbildung
B ☐ Reiter-Trias
C ☐ Darmgeschwüre mit Abszessbildung
D ☐ Nierensteine
E ☐ Vasomotorenkollaps
F ☐ Gallenblasenempyem

---

94 C   95 A, C, D, H   96 D   97 A, C   98 B, C, E

99. Varizellen haben eine Inkubationszeit von: (1)

A ☐ 12–24 Stunden
B ☐ 2– 4 Tagen
C ☐ 4– 7 Tagen
D ☐ 11–15 Tagen
E ☐ 2 Monaten und länger

100. Welche charakteristischen Symptome treten bei
Typhus abdominalis auf: (5)

A ☐ Reiswasserstühle
B ☐ Erbsbreistühle
C ☐ relative Bradykardie
D ☐ relative Tachykardie
E ☐ Roseolen
F ☐ Ikterus
G ☐ grobfleckiges, dunkelrotes, konfluierendes Exanthem
H ☐ kontinuierlich hohes Fieber
J ☐ intermittierendes Fieber
K ☐ Bewusstseinstrübung

101. Die Behandlung der Mumps-Meningitis erfolgt durch: (1)

A ☐ hochdosierte Antibiotika-Gabe
B ☐ Bettruhe und symptomatische Therapie
C ☐ aktive Immunisierung
D ☐ intralumbale Kortikoid-Injektion

102. Welche Komplikationen können bei Pertussis auftreten: (4)

A ☐ Bronchopneumonie
B ☐ Enzephalitis
C ☐ Parotitis
D ☐ Myokarditis
E ☐ Bronchiektasen
F ☐ Glomerulonephritis
G ☐ Endokarditis
H ☐ Zungenbändchengeschwür

---

99 D   100 B, C, E, H, K   101 B   102 A, B, E, H

103. Enzephalitis-epidemica-Erreger sind: (1)

A ☐ gramnegative Bakterien
B ☐ grampositive Bakterien
C ☐ Viren
D ☐ Spirochäten
E ☐ Protozoen
F ☐ Würmer

104. Der Schutz gegen Masern nach der Lebend-Impfung
(Schwarz-Stamm) beginnt nach: (1)

A ☐ 12–24 Stunden
B ☐ 1– 2 Tagen
C ☐ 10–14 Tagen
D ☐ 2– 3 Monaten

105. Welche Komplikationen können bei Tetanus auftreten: (3)

A ☐ Kammerflimmern
B ☐ Azidose
C ☐ Wirbelkörpereinbrüche
D ☐ Parotitis
E ☐ Mundbodenphlegmone
F ☐ Meningitis

106. Meningitis epidemica wird übertragen durch: (2)

A ☐ direkten Kontakt
B ☐ Tröpfcheninfektion
C ☐ infizierte Nahrungsmittel
D ☐ Ungeziefer (direkt)
E ☐ infiziertes Trinkwasser

---

103 C   104 C   105 A, B, C   106 A, B

107. **Welche charakteristischen Symptome treten bei Masern auf: (3)**

A ☐ periorale Blässe (freies Kinn-Mund-Dreieck)

B ☐ Koplik-Flecken

C ☐ leicht erhabene, blassrote Flecken, die sich in wenigen Stunden in Bläschen umwandeln

D ☐ grobfleckiges, dunkelrotes Exanthem (beginnend hinter den Ohren)

E ☐ petechiales Enanthem

F ☐ Konjunktivitis

G ☐ Enanthem mit Ulzeration

108. **Welche charakteristischen Symptome treten bei Fleckfieber auf: (3)**

A ☐ flohstichartige Hautblutungen

B ☐ intermittierendes Fieber

C ☐ Konjunktivitis

D ☐ kontinuierlich hohes Fieber, das etwa nach 10–20 Tagen lytisch abfällt

E ☐ Auftreten eines blassen bis hochroten Exanthems, das vom Rumpf zu den Extremitäten an Dichte abnimmt und Gesicht, Handflächen und Fußsohlen verschont

F ☐ Auftreten von stecknadelkopfgroßen, dunkelroten Flecken hauptsächlich im Gesicht und an den Extremitäten

109. **Welche charakteristischen Symptome treten bei Cholera auf: (6)**

A ☐ Erbsbreistühle

B ☐ Reiswasserstühle

C ☐ Wadenkrämpfe

D ☐ Tenesmen

E ☐ Exsikkose

F ☐ Facies hippocratica

G ☐ kontinuierlich hohes Fieber

H ☐ Untertemperaturen

J ☐ Waschfrauenhände

---

107 B, D, F   108 C, D, E   109 B, C, E, F, H, J

110. Wie lange hält nach der aktiven Immunisierung gegen Cholera der Impfschutz an: (1)

A ☐ 1–2 Monate
B ☐ 4–6 Monate
C ☐ ein Jahr
D ☐ zwei Jahre

111. Lyssa wird übertragen durch: (3)

A ☐ Tröpfcheninfektion
B ☐ Ungeziefer (direkt)
C ☐ jeden Hundebiss
D ☐ Kontakt mit dem Speichel infizierter Tiere
E ☐ infiziertes Fleisch
F ☐ Biss infizierter Tiere

112. Welche charakteristischen Symptome treten bei Röteln auf: (3)

A ☐ Koplik-Flecken
B ☐ zartrosa bis hellrotes, nichtkonfluierendes Exanthem beginnend hinter den Ohren und im Gesicht
C ☐ Kinn-Mund-Dreieck ist am Exanthem beteiligt
D ☐ freies Kinn-Mund-Dreieck
E ☐ Lymphknotenschwellung
F ☐ Konjunktivitis
G ☐ grobfleckiges, dunkelrotes, konfluierendes Exanthem
H ☐ Himbeerzunge

113. Die Syphilis: (4)

A ☐ wird nur durch den Geschlechtsverkehr übertragen
B ☐ wird verursacht durch gramnegative Diplokokken
C ☐ wird durch das Treponema pallidum verursacht
D ☐ verläuft in mehreren Stadien
E ☐ ist immer namentlich meldepflichtig
F ☐ kann durch die Wassermann-Reaktion nachgewiesen werden
G ☐ führt im Tertiär-Stadium zur Tabes dorsalis

---

110 B   111 A, D, F,   112 B, C, E   113 C, D, F, G

114. Welche Komplikationen können bei Meningitis epidemica
auftreten: (4)

A ☐ Endokarditis
B ☐ Hemiplegie
C ☐ Taubheit
D ☐ Hydrozephalus
E ☐ Nephritis
F ☐ Urämie
G ☐ Bronchiektasen
H ☐ Waterhouse-Friderichsen-Syndrom

115. Scharlach wird übertragen durch: (3)

A ☐ Ungeziefer (indirekt)
B ☐ Tröpfcheninfektion
C ☐ Schmierinfektion
D ☐ infizierte Nahrungsmittel
E ☐ direkten Kontakt
F ☐ infizierte Vögel

116. Therapeutische Maßnahmen bei der Meningitis epidemica: (3)

A ☐ operative Fokus-Sanierung
B ☐ Antibiotika-Gaben
C ☐ Verabreichung von Sulfonamiden
D ☐ Verabreichung von Herzglykosiden und Diuretika
E ☐ beschränkte Flüssigkeitszufuhr
F ☐ Verabreichung von Analgetika und Sedativa

117. Welche charakteristischen Symptome treten bei Botulismus auf: (3)

A ☐ Sensibilitätsstörungen
B ☐ Akkomodationsparese
C ☐ Versiegen der Speichel- und Tränensekretion
D ☐ Pupillenerweiterung
E ☐ Pupillenverengung
F ☐ lebhafte Reflexe
G ☐ Bewusstseinstrübung

---

114 A, C, D, H   115 B, C, E   116 B, C, F   117 B, C, D

118. Welche Komplikationen können bei Parotitis epidemica auftreten: (4)

A ☐ Meningitis
B ☐ Otitis media
C ☐ Enzephalitis
D ☐ Orchitis
E ☐ Pankreatitis
F ☐ Myokarditis
G ☐ Nephritis

119. Eine Inokulationshepatitis: (2)

A ☐ verläuft immer anikterisch
B ☐ wird durch das Virus B hervorgerufen
C ☐ kann durch Bluttransfusion übertragen werden
D ☐ wird auch als Hepatitis epidemica bezeichnet

120. Welches Stadium ist typisch für Pertussis: (1)

A ☐ Stadium incrementi
B ☐ Stadium convulsivum
C ☐ Stadium acmes

121. Poliomyelitis hat eine Inkubationszeit von: (1)

A ☐ 12–48 Stunden
B ☐ 2– 3 Tagen
C ☐ 5–14 Tagen
D ☐ 18–22 Tagen
E ☐ 22–28 Tagen
F ☐ 2 – 4 Monaten

122. Welche Komplikationen können bei Ornithosen auftreten: (4)

A ☐ Bronchiektasen
B ☐ Endokarditis
C ☐ Nephritis
D ☐ Myokarditis
E ☐ Otitis media
F ☐ Enzephalitis

123. Welche charakteristischen Symptome treten bei der Weil-Krankheit auf: (4)

A ☐ Ikterus
B ☐ quälender Husten
C ☐ Haut- und Schleimhautblutungen
D ☐ Polyurie
E ☐ nur Sklerenikterus
F ☐ Iritis und Konjunktivitis
G ☐ quälende Wadenschmerzen

124. Welche charakteristischen Symptome treten bei Gelbfieber auf: (4)

A ☐ subfebrile Temperaturen
B ☐ Ikterus
C ☐ Schleimhautblutungen
D ☐ Hämatemesis
E ☐ nur Sklerenikterus
F ☐ acholischer Stuhl
G ☐ Lidödeme
H ☐ Oligurie

125. Welche Komplikationen können bei Varizellen auftreten: (2)

A ☐ akute Polyarthritis
B ☐ Frühmyokarditis
C ☐ Pankreatitis
D ☐ Meningoenzephalitis
E ☐ Nephritis
F ☐ Sekundärinfektion der Haut

---

122 C, D, E, F   123 A, C, F, G   124 B, C, D, H   125 D, F

126. **Bei der BCG-Impfung:** (2)

A ☐ wird ein Impfstoff verwandt, der lebende Rindertuberkel-bakterien enthält

B ☐ entsteht am Ort der Impfung ein tuberkulöser Primärkomplex

C ☐ wird ein Impfstoff verwandt, der abgetötete Tuberkelbakterien enthält

D ☐ kommt ein Impfstoff zur Anwendung, dessen wirksame Substanz ein Toxoid ist

E ☐ wird eine passive Impfung mit Immunantikörpern durch-geführt

127. **Diphtherie-Erreger sind:** (2)

A ☐ Viren

B ☐ grampositive Bakterien

C ☐ gramnegative Bakterien

D ☐ Pilze

E ☐ Protozoen

F ☐ Streptokokken

G ☐ Rickettsien

H ☐ Spirochäten

J ☐ Corynebakterien

128. **Welche charakteristischen Symptome treten bei der Bakterienruhr auf:** (4)

A ☐ Reiswasserstühle

B ☐ schleimige, blutige, eitrige Durchfälle

C ☐ Erbsbreistühle

D ☐ Tenesmen

E ☐ Obstipation

F ☐ grobfleckiges, rotes bis dunkelrotes Exanthem

G ☐ remittierendes Fieber

H ☐ Wadenkrämpfe

J ☐ kontinuierlich hohes Fieber

126 A, B   127 B, J   128 B, D, G, H

129. Scharlach: (3)

A ☐ wird durch Viren hervorgerufen
B ☐ ein typisches Symptom ist die Himbeerzunge
C ☐ Übertragung erfolgt durch Tröpfcheninfektion
D ☐ das Exanthem ist großfleckig
E ☐ nach Ablauf der Krankheit setzt eine Hautschuppung ein

130. Welche Komplikationen können bei Typhus abdominalis auftreten: (5)

A ☐ Darmperforation
B ☐ Magenperforation
C ☐ Darmblutungen
D ☐ Thrombose
E ☐ Bronchopneumonie
F ☐ Leberzirrhose
G ☐ Pankreatitis
H ☐ Meningoenzephalitis

131. Röteln haben eine Inkubationszeit von: (1)

A ☐ 12–24 Stunden
B ☐ 2– 4 Tagen
C ☐ 4– 8 Tagen
D ☐ 14–16 Tagen
E ☐ 1– 2 Monaten

132. Welche charakteristischen Symptome treten bei Pertussis auf: (2)

A ☐ geschwollene Nackenlymphdrüsen
B ☐ Stakkato-Husten
C ☐ jauchzende Inspiration
D ☐ maulvolle Expektoration
E ☐ dreischichtiges Sputum
F ☐ exspiratorischer Stridor

133. Pertussis hat eine Inkubationszeit von: (1)

A ☐ 12−24 Stunden
B ☐ 24−48 Stunden
C ☐   2− 5 Tagen
D ☐   7−14 Tagen
E ☐ 28−42 Tagen
F ☐   2− 3 Monaten

134. Welche Komplikationen können bei Poliomyelitis entstehen: (4)

A ☐ Hirnnervenlähmungen
B ☐ paralytischer Ileus
C ☐ Lähmung der Atemmuskulatur
D ☐ Schlottergelenke
E ☐ Spitzfuß
F ☐ Osteomyelitis
G ☐ Herzrhythmusstörungen
H ☐ Kimmelstiel-Wilson-Syndrom

135. Welche charakteristischen Symptome treten bei Ornithosen auf: (2)

A ☐ remittierendes Fieber
B ☐ kontinuierlich hohes Fieber
C ☐ quälender, trockener Reizhusten
D ☐ Entleerung großer Mengen schleimigen Sputums
E ☐ Hämoptoe

136. Gasbrand: (4)

A ☐ ist meldepflichtig bei Erkrankung und Tod
B ☐ kann nur konservativ behandelt werden
C ☐ Erreger sind Staphylokokken
D ☐ ist eine schwere Wundinfektion
E ☐ Erreger ist anaerob
F ☐ Therapie: Schaffung aerober Wundverhältnisse

---

133 D   **134** A, C, D, E   **135** B, C   **136** A, D, E, F

137. Welche Komplikationen können bei Gelbfieber auftreten: (4)

A ☐ Meningitis
B ☐ Coma hepaticum
C ☐ toxische Gefäßschädigung
D ☐ Niereninsuffizienz
E ☐ paralytischer Ileus
F ☐ Leberzirrhose
G ☐ Kreislaufversagen

138. Parotitis epidemica hat eine Inkubationszeit von: (1)

A ☐ 24–48 Stunden
B ☐ 3– 8 Tagen
C ☐ 10–12 Tagen
D ☐ 17–30 Tagen
E ☐ 2– 3 Monaten

139. Welche Komplikationen treten bei Botulismus auf: (3)

A ☐ Lähmung der Schlund- und Kehlkopfmuskulatur
B ☐ Extremitätenparesen
C ☐ Magenperforation
D ☐ Leberzirrhose
E ☐ perniziöse Anämie
F ☐ Aspirationspneumonie

140. Therapeutische Maßnahmen bei Botulismus: (3)

A ☐ Verabreichung von Opiumtropfen
B ☐ Atropin-Gaben
C ☐ Verabreichung von Muskelrelaxanzien
D ☐ großflächige Hautinzisionen
E ☐ forcierte Diurese
F ☐ sofortige Magenspülung
G ☐ Verabreichung von Botulismusserum

---

137 B, C, D, G   138 D   139 A, B, F   140 E, F, G

141. **Therapie bei Tetanus: (4)**

A ☐ Massage der verkrampften Sehnen
B ☐ strenge Isolierung des Patienten
C ☐ entlastende Lumbalpunktion
D ☐ Tracheotomie
E ☐ Verabreichung von spezifischem Antitoxin
F ☐ künstliche Beatmung
G ☐ Verabreichung von Muskelrelaxanzien

142. **Therapie bei Tuberkulose: (3)**

A ☐ nur Licht-Luft-Lebertran-Behandlung
B ☐ Verabreichung von Streptomycin
C ☐ sofortiges Anlegen eines Pneumothorax
D ☐ Tuberkulostatika-Behandlung
E ☐ Verabreichung von Tuberkulin
F ☐ kalorien- und vitaminreiche Kost

143. **Für die aktive Immunisierung zur Hepatitis-B-Prophylaxe enthält der Impfstoff: (1)**

A ☐ Hepatitis B Immunglobulin
B ☐ Hepatitis B core Antigen (HBcAg)
C ☐ Hepatitis B surface Antigen (HBsAg)

144. **Behandlung der Poliomyelitis: (4)**

A ☐ Verabreichung von Gamma-Globulin
B ☐ aktive und passive Bewegungsübungen nach der akuten Phase
C ☐ künstliche Beatmung
D ☐ Verabreichung von Spasmolytika
E ☐ entlastende Lumbalpunktionen
F ☐ Tracheotomie
G ☐ Verabreichung von Antibiotika in hoher Dosierung

---

141 D, E, F, G   **142** B, D, F   **143** C   **144** A, B, C, F

145. Therapie bei Diphtherie: (5)

A ☐ Anregen der Kautätigkeit
B ☐ sofortige Tonsillektomie
C ☐ frühzeitige Mobilisierung des Patienten
D ☐ Antibiotika-Gaben
E ☐ Tracheotomie
F ☐ antitoxische Serumbehandlung
G ☐ Verabreichung von herz- und kreislaufstützenden Medikamenten
H ☐ strenge Bettruhe

146. Welche Aussagen über AIDS sind falsch: (2)

A ☐ AIDS ist die Abkürzung für: acquired immune deficiency syndrome
B ☐ AIDS ist die Abkürzung für: angeborenes Immundefekt Syndrom
C ☐ der Erreger, ein Retrovirus, wird mit HIV bezeichnet
D ☐ der Erreger kann in lymphatischem Gewebe, Blut, Samenflüssigkeit und im Speichel infizierter Personen nachgewiesen werden
E ☐ die Inkubationszeit beträgt etwa 3–6 Monate

147. Personen, die von tollwütigen oder tollwutverdächtigen Tieren gebissen worden sind: (3)

A ☐ werden nur passiv immunisiert
B ☐ erhalten Gammaglobuline
C ☐ werden aktiv immunisiert, indem ihnen mehrere kleine Einzelgaben des Impfstoffes subkutan in die Bauchhaut appliziert werden
D ☐ erhalten zur passiven Immunisierung Tollwut-Immunserum (40 I.E. pro kg Körpergewicht)
E ☐ werden aktiv und gleichzeitig passiv immunisiert

---

148. **Therapie bei Varizellen:** (3)

A ☐ Verabreichung von Glukokortikosteroiden
B ☐ Antibiotika-Gaben gegen Sekundärinfektionen
C ☐ kausale Antibiotika-Behandlung
D ☐ Abtragen der Pusteln
E ☐ Bettruhe
F ☐ Pudern der befallenen Hautstellen

149. **Im Verlauf welcher Erkrankung kann es zum Zungenbändchen-geschwür kommen:** (1)

A ☐ Masern
B ☐ Scharlach
C ☐ Keuchhusten
D ☐ Windpocken

150. **Welche Komplikationen können bei Röteln auftreten:** (3)

A ☐ Orchitis
B ☐ Otitis media
C ☐ Pankreatitis
D ☐ Bronchopneumonie
E ☐ Epididymitis
F ☐ Rubeolenembryopathie

---

148 B, E, F   149 C   150 B, D, F

XV. Chirurgie

1. Unfallchirurgie

1. Richtige Aussagen zum Umgang mit Wunden: (2)
   A ☐ infizierte Wunden werden offen behandelt
   B ☐ Tierbisswunden können sofort mit einer Naht verschlossen werden
   C ☐ Wunden, die nicht älter als 6 Stunden sind, können einer primären Wundversorgung unterzogen werden
   D ☐ Schürfwunden müssen immer sofort mit einem luftdichten Verband verschlossen werden

2. Die prognostische Aussage über eine Verbrennung wird von folgenden Faktoren bestimmt: (4)
   A ☐ Ausdehnung der verbrannten Körperoberfläche
   B ☐ Tiefe der Verbrennung
   C ☐ Alter des Patienten
   D ☐ Bekleidung des Patienten
   E ☐ verursachendes Medium
   F ☐ Zeitpunkt des Behandlungsbeginns
   G ☐ zum Zeitpunkt des Ereignisses herrschende Lufttemperatur

3. Richtige Aussagen zur Fettembolie: (4)
   A ☐ tritt nach Frakturen (Röhrenknochen) auf
   B ☐ kann bei ausgedehnten Weichteilverletzungen auftreten
   C ☐ ist die Folge einer Leberverletzung
   D ☐ wird nur bei einer ausgeprägten Arteriosklerose beobachtet
   E ☐ Nachweis in der Lunge häufig, aber auch im Gehirn und in der Haut
   F ☐ eine embolische Streuung von kleinen Fettpartikeln
   G ☐ tritt zu 95 % nur bei adipösen Patienten auf

---

1 A, C   2 A, B, C, F   3 A, B, E, F

4. Indikationen zur vorwiegend konservativen Frakturbehandlung: (3)

A ☐ Frakturen im Wachstumsalter
B ☐ offene Frakturen
C ☐ Rippenfrakturen
D ☐ dislozierte Gelenkfrakturen
E ☐ stabile Wirbelfrakturen ohne neurologische Ausfälle
F ☐ Frakturen bei polytraumatisierten Patienten

5. Eine wichtige Komplikation nach einer Schulterluxation ist die Schädigung des: (1)

A ☐ Nervus axillaris
B ☐ Nervus fibularis
C ☐ Nervus ulnaris
D ☐ Nervus radialis

6. Richtige Aussagen zur Grünholz-Fraktur: (2)

A ☐ der Periostschlauch ist erhalten
B ☐ typische Fraktur des alten Menschen
C ☐ tritt nur bei Kindern auf
D ☐ ist die Folge einer Rachitis
E ☐ ist immer eine Splitterfraktur
F ☐ typische Lokalisation ist der Oberschenkelschaft
G ☐ gefürchtete Komplikation ist die Verschiebung der Epiphyse

7. Die Marknagelung: (2)

A ☐ kommt nur bei Humerusfrakturen zur Anwendung
B ☐ eignet sich zur Fixierung von Tibia- und Femurfrakturen
C ☐ kommt mit und ohne Verriegelung zur Anwendung
D ☐ ist wesentlich stabiler als eine Plattenosteosynthese

8. Ursachen einer Spontanfraktur können sein: (2)

A ☐ Tumormetastasen
B ☐ mechanische Dauerbeanspruchung
C ☐ hochgradige Osteoporose
D ☐ sehr heftige und plötzliche Krafteinwirkung
E ☐ spontane, aber unphysiologische Bewegung

---

4 A, C, E   5 A   6 A, C   7 B, C   8 A, C

9. Typische Symptome des Kompartmentsyndroms: (3)

A ☐ Gelenkeinsteifung
B ☐ heftige Schmerzen
C ☐ Sensibilitätsstörungen
D ☐ pathologische Behaarung
E ☐ Muskelatrophie
F ☐ subfaszialer Gewebedruck erhöht
G ☐ Fieber

10. Bei einer zweizeitigen Milzruptur: (2)

A ☐ liegt immer eine intraoperative Verletzung zu Grunde
B ☐ kommt es nach Tagen oder Wochen durch Kapselriss zum Blutungsschock
C ☐ handelt es sich um einen Parenchymriss ohne Verletzung der Kapsel
D ☐ sind Ventral- und Dorsalflächen der Milz rupturiert
E ☐ sind immer Milzvene und -arterie gleichzeitig verletzt

11. Das subdurale Hämatom: (2)

A ☐ entsteht durch eine Blutung zwischen Dura und Arachnoidea
B ☐ zeigt innerhalb kürzester Zeit eine klinische Symptomatik
C ☐ kann anfangs stumm verlaufen und erst nach Wochen zu Beschwerden führen
D ☐ entsteht immer nur in der Folge eines offenen Schädel-Hirn-Traumas
E ☐ entsteht durch eine Blutung zwischen Dura und Schädelknochen

12. Welches Gelenk ist von einer Luxation am häufigsten betroffen: (1)

A ☐ das Kniegelenk
B ☐ das Hüftgelenk
C ☐ das Ileosakralgelenk
D ☐ das Ellenbogengelenk
E ☐ das Schultergelenk

9 B, C, F   10 B, C   11 A, C   12 E

13. **Das Erscheinungsbild einer »paradoxen Atmung« ist typisch bei: (1)**

A ☐ einer Zwerchfellruptur
B ☐ einer Kohlenmonoxidintoxikation
C ☐ einer Rippenserienfraktur
D ☐ einem akuten Asthmaanfall
E ☐ einem Spannungspneumothorax

14. **Behandlung bei Erkrankung an Gasbrand: (3)**

A ☐ chirurgische Intervention unter hyperbaren Sauerstoffbedingungen (3 atü)
B ☐ Behandlung in einer Unterdruckkammer
C ☐ Blutaustausch in den ersten vier Stunden nach Auftreten der ersten Symptome
D ☐ Längsspaltung von Haut, Muskel und Faszie in weiter Ausdehnung
E ☐ antibakterielle Chemotherapie

15. **Bei der Einteilung der offenen Frakturen (nach Tscherne) unterscheidet man: (1)**

A ☐ drei Schweregrade
B ☐ vier Schweregrade
C ☐ zwei Schweregrade
D ☐ fünf Schweregrade

16. **Eine »Dislocatio ad latus« zeigt: (1)**

A ☐ eine Verschiebung der Fragmente in seitlicher Richtung
B ☐ eine Verschiebung der Fragmente in Längsrichtung
C ☐ eine Verschiebung der Fragmente mit Verlängerung
D ☐ eine Verschiebung der Fragmente mit Verkürzung
E ☐ keine der genannten Veränderungen

17. **Der Tetanol-Impfstoff enthält: (1)**

A ☐ abgeschwächte Erreger
B ☐ abgetötete Erreger
C ☐ entgiftete Bakterien-Ektotoxine

| 13 C | 14 A, D, E | 15 B | 16 A | 17 C |

18. Unterstützt wird die primäre Wundheilung durch: (1)

A ☐ lokale Zugspannung
B ☐ Behandlung mit Reizstrom
C ☐ Ruhigstellung der betreffenden Körperpartie
D ☐ lokale Anwendung eines Antibiotikums

19. Welche Wunden neigen zu einer primären Wundheilung: (2)

A ☐ Schnittwunden
B ☐ Bisswunden
C ☐ Operationswunden
D ☐ Schusswunden
E ☐ Quetschwunden

20. Eine offene Fraktur 1. Grades zeigt: (1)

A ☐ ausgedehnte Hautverletzungen von außen, geringgradige Schädigung der Umgebungsstrukturen
B ☐ große Eröffnung der Fraktur, massive Schäden der Umgebungsstruktur
C ☐ Durchspießung der Haut von innen, ohne erhebliche Schäden der übrigen Gewebe

21. Eine Schenkelhalsfraktur kann operativ versorgt werden mit: (3)

A ☐ einer Kopfprothese
B ☐ einem Verriegelungsnagel
C ☐ einer Totalprothese
D ☐ einer dynamischen Hüftschraube
E ☐ einem Rush-Pin
F ☐ einer Drahtcerclage

22. Eine primäre Wundnaht wird bei Zufallswunden ausgeführt, die nicht älter sind als: (1)

A ☐ 24 Stunden
B ☐ 6 Stunden
C ☐ 18 Stunden
D ☐ 36 Stunden

---

18 C   **19** A, C   **20** C   **21** A, C, D   **22** B

23. Welches Symptom weist auf eine epidurale Blutung hin: (1)

A ☐ freies Intervall mit anschließender Bewusstseinstrübung
B ☐ Erbrechen
C ☐ retrograde Amnesie
D ☐ Müdigkeit
E ☐ Hemiparese

24. Die Inkubationszeit des Tetanus beträgt: (1)

A ☐   60 − 90 Tage
B ☐ 120 − 180 Tage
C ☐   3 − 60 Tage
D ☐   2 − 3 Stunden

25. Bei einer mittelschweren Schädel-Hirn-Verletzung dauert ein Bewusstseinsverlust: (1)

A ☐ bis 24 Stunden
B ☐ bis 1 Stunde
C ☐ bis 72 Stunden
D ☐ bis 10 Minuten

26. Beim Tetanuskranken bezeichnet man als Trismus: (1)

A ☐ die Tonisierung der Nackenmuskulatur
B ☐ die Spannung der Wirbelsäulenmuskulatur
C ☐ die schmerzhafte Kieferklemme
D ☐ den grinsenden Gesichtsausdruck

27. Man unterscheidet bei der Wundheilung: (3)

A ☐ eine Hämatinphase
B ☐ eine Abräumphase
C ☐ eine Koloritphase
D ☐ eine bullöse Phase
E ☐ eine Proliferationsphase
F ☐ eine Zell- und Faserreifungsphase

---

23 A   24 C   25 A   26 C   27 B, E, F

28. Welche Aussagen treffen zu: (2)

A ☐ beim jungen Menschen ist die Wundheilung öfter gestört als beim älteren Menschen

B ☐ eine Hypovolämie verlangsamt die Wundheilung

C ☐ Hautanhangsgebilde werden nicht neu gebildet

D ☐ Vitamin C- und K-Mangel stören die Wundheilung nicht

E ☐ bei der primären Wundheilung ist die Narbenbildung erheblich

29. Benennen Sie das klassische Frakturzeichen: (1)

A ☐ Schwellung

B ☐ Crepitatio

C ☐ Schmerz

D ☐ federnde Fixation

E ☐ Schonhaltung

F ☐ Creveld-Syndrom

30. Als kompliziert (unter Notfallbedingungen) bezeichnet man eine Fraktur, wenn: (1)

A ☐ sie die Lendenwirbelkörper betrifft

B ☐ die Knochenfragmente die Haut durchstoßen und eine Verbindung zur Außenwelt herstellen

C ☐ mehr als zwei Frakturen vorhanden sind

D ☐ es gleichzeitig zu Blutungen in das umliegende Gewebe kommt und Nervenstörungen auftreten

E ☐ sie nicht konservativ behandelt werden kann

31. Eine Komplikation der Schulterluxation ist die Läsion des: (1)

A ☐ Nervus fibularis

B ☐ Nervus radialis

C ☐ Nervus axillaris

D ☐ Nervus ulnaris

E ☐ Nervus recurrens

---

28 B, C   29 B   30 B   31 C

32. **Die Behandlung einer Achillessehnenruptur erfolgt durch eine: (2)**

A ☐ Druckarthrodese nach Charnley

B ☐ Einflechtungsnaht mit der Plantarissehne

C ☐ Ruhigstellung im zirkulären Gipsverband in Spitzfußstellung für 4 Wochen, dann Gehgipsverband für 3 Wochen

D ☐ Kalkaneus-Drahtextension für 14 Tage

E ☐ unblutige Adaption mittels Gipsliegeschale und späterer Absatzerhöhung der betreffenden Seite

F ☐ Verbindung der Stümpfe durch Zuggurtung

33. **Die Behandlungsprinzipien einer Fraktur: (3)**

A ☐ Repression

B ☐ Tenotomie

C ☐ Reposition

D ☐ Retention

E ☐ Rehabilitation

F ☐ Replikation

G ☐ Seneszenz

34. **Welche Aussage zur Wundheilung – Phase der Zell- und Faserreifung – tifft zu: (1)**

A ☐ sie ist gekennzeichnet durch das morphologische Bild der Entzündung. Es kommt zum Faserzerfall, zur Leukozytenansammlung und zur Fibrinausscheidung

B ☐ sie beginnt zwischen dem 6. und 8. Tag. In der Wunde befindliches Granulationsgewebe verliert Gewebswasser, kollagene Fasern reifen aus, die Epithelisierung verläuft weiter durch Mitose und Umlagerung der Zellen

C ☐ sie beginnt 4–5 Tage nach der Verletzung. Im Wundgebiet überwiegen die Fibroblasten (Voraussetzung für die Entstehung neuer kollagener Gewebefasern)

---

32 B, C   33 C, D, E   34 B

35. Eine Verschiebung von Fragmenten bezeichnet man als: (1)

A ☐ Krepitation
B ☐ Ossifikation
C ☐ Dispersion
D ☐ Disparation
E ☐ Distorsion
F ☐ Anteversion
G ☐ Dislokation

36. Eine Grünholzfraktur des Unterschenkels wird behandelt mit: (1)

A ☐ einer suprakondylären Drahtextension
B ☐ einem Gipsverband für ca. vier bis sechs Wochen
C ☐ einer AO-Platte
D ☐ einem Dreipunkt-Nagel nach Ender
E ☐ einer Blount-Klammer

37. Die noch heute gültige Vorschrift zur Wundexzision wurde entwickelt von: (1)

A ☐ Ignaz Semmelweis
B ☐ Joseph Lister
C ☐ Paul Friedrich
D ☐ Paul Ehrlich
E ☐ Johannes Peyer

38. Eine zentrale Hüftluxation wird behandelt: (2)

A ☐ durch dreiwöchige strenge Bettruhe
B ☐ durch suprakondyläre Extension (10 – 15 kg)
C ☐ durch Lagerung auf einer Volkmann-Schiene für ca. zwei Wochen
D ☐ mit einem Becken-Bein-Gips für ca. zehn Wochen
E ☐ operativ durch Fixation mittels Platten und/oder Schrauben

---

35 G   36 B   37 C   38 B, E

39. Die häufigste Komplikation einer Oberarmfraktur: (1)

A ☐ schmerzhafte Schultersteife
B ☐ Radialisverletzung (Fallhand)
C ☐ Riss der A.brachialis
D ☐ Arthrose
E ☐ Ulnarisverletzung (Krallenhand)

40. Die Navikularfraktur wird: (1)

A ☐ immer mit einer Ledermanschette konservativ behandelt
B ☐ nach Reposition mit einem Faustgips ruhig gestellt
C ☐ immer mit einer Drahtspickung versorgt
D ☐ mittels Jute-Fingern (Mädchenfänger) ruhig gestellt

41. Mittelhand- und Fingergliedbrüche werden behandelt durch: (1)

A ☐ eine Osteosynthese
B ☐ eine Arthrodese
C ☐ einen Gipsverband für ca. vier bis fünf Wochen

42. Richtige Aussagen zum Schädel-Hirn-Trauma (S-H-T): (3)

A ☐ bei der Hirnschädigung 1. Grades sind die Folgen innerhalb von 21 Tagen abgeklungen
B ☐ Folgen einer Hirnschädigung 1. Grades sind bis zum 4. Tag abgeklungen
C ☐ Folgen einer Hirnschädigung 3. Grades dauern länger als 21 Tage
D ☐ eine Einteilung in drei Schweregrade ist einer Einteilung in »Commotio« und »Contusio« vorzuziehen
E ☐ bei der Hirnschädigung 1. Grades kommt es nur zu einem psychischen Syndrom
F ☐ unter das vegetative Syndrom fallen u. a. Pupillen-veränderungen, Hirnnervenschädigungen, Paresen

---

39 B   40 B   41 C   42 B, C, D

43. Bei einer Unterschenkelfraktur (Fractura tibiae) kommen welche Behandlungsmöglichkeiten in Frage: (3)

A ☐ Gipsliegeschale für ca. vier Wochen
B ☐ Zinkleimverband für ca. sechs Wochen
C ☐ Marknagelung nach Küntscher
D ☐ Plattenosteosynthese
E ☐ Collonaplastik
F ☐ kombiniertes Extensions- und Gipsverfahren
G ☐ Druckarthrodese nach Charnley

44. Zeichen einer Kreuzbandverletzung (Risse beider Kreuzbänder): (3)

A ☐ Streckhemmung bei 150 Grad
B ☐ Steinmann-Zeichen I positiv
C ☐ blutiger Kniegelenkserguss
D ☐ Überstreckbarkeit des Kniegelenks
E ☐ Überstreckungs- und Abduktionsschmerz
F ☐ vorderes und hinteres Schubladenphänomen

45. Die klassische Form der Ruhigstellung bei Klavikularfrakturen im mittleren Drittel und bei nichtdislozierten lateralen Frakturen ist das: (1)

A ☐ Anlegen eines Rucksackverbandes
B ☐ Anlegen einer Schanz'schen Krawatte
C ☐ Anlegen eines Thorax-Abduktionsgipsverbandes
D ☐ Anlegen eines Heftpflasterzug-Verbandes

46. Ein Patient mit Schnittwunden am Oberschenkel und einer vor sieben Monaten abgeschlossenen Tetanus-Grundimmunisierung: (1)

A ☐ muss mit 1 x 0,5 ml Tetanol geimpft werden
B ☐ muss nicht mehr geimpft werden
C ☐ muss mit 1 x 0,5 ml Tetanol sofort und mit 1 x 0,5 ml Tetanol nach 6 Monaten geimpft werden
D ☐ muss mit 1 x 0,5 ml Tetanol und 250 IE Tetagam geimpft werden

---

43 C, D, F   44 C, D, F   45 A   46 B

47. **Bei einer kompletten Querschnittlähmung kommt es zu: (1)**

A ☐ einem teilweisen Ausfall der sensiblen und motorischen Versorgung unterhalb der Verletzungsstelle

B ☐ einem Ausfall der sensiblen Versorgung bei Erhaltung der motorischen Versorgung

C ☐ einer völligen sensiblen und motorischen Lähmung mit Blasen-, Mastdarm- und Genitalstörungen

D ☐ einem völligen Ausfall der motorischen Versorgung bei Erhalt der sensiblen Versorgung

48. **Eine hohe Läsion des Nervus radialis führt zur: (2)**

A ☐ Krallenhand

B ☐ Fallhand

C ☐ Schwurhand

D ☐ Affenhand

E ☐ Unfähigkeit der Handgelenkextension (Streckung)

F ☐ Spitzhand

G ☐ Unfähigkeit zur Kleinfingeradduktion

49. **Eine Verrenkung ist erkennbar durch: (2)**

A ☐ die im Gelenk unterbrochene Achsenkontinuität

B ☐ eine deutliche Krepitation oberhalb des Gelenkes

C ☐ die federnde Fixation

D ☐ eine Extremitätenverkürzung um meist 10 cm

E ☐ die Fluktuation direkt auf dem Gelenk

50. **Ein Nerv wächst posttraumatisch täglich um: (1)**

A ☐ 6 mm

B ☐ 1 mm

C ☐ 1 cm

D ☐ 2 cm

---

47 C   48 B, E   49 A, C   50 B

51. Bei einer Rippenserienfraktur: (2)

A ☐ werden die Rippenfragmente immer operativ entfernt

B ☐ kommt es zum Erscheinungsbild der paradoxen Atmung

C ☐ führt man eine Stabilisierung mit Intubation und Beatmung durch (innere Schienung)

D ☐ legt man zur Fixierung nur einen Thoraxgipsverband an

E ☐ schient man die einzelnen Fragmente mit Schrauben und Draht

52. Die zeitlich oder inhaltlich begrenzte Gedächtnislücke nach Bewusstseinsstörungen oder traumatischen Ereignissen nennt man: (1)

A ☐ Psychose

B ☐ Dislokation

C ☐ Demenz

D ☐ Somnolenz

E ☐ Koma

F ☐ Amnesie

53. Voraussetzungen zum primären Wundverschluss: (2)

A ☐ es dürfen keine weiteren Verletzungen außer der zu versorgenden Verletzung vorliegen

B ☐ die Wunde darf nicht durch einen Biss erzeugt sein

C ☐ die Wunde darf nicht älter als 6–8 Stunden sein

D ☐ die Wunde darf nicht länger als 4 cm und nicht breiter als 2 cm sein

E ☐ mindestens sechs Stunden vorher muss eine Tetanol-Injektion durchgeführt worden sein

54. Die provisorische Wundverklebung erfolgt durch: (1)

A ☐ Leukozyten

B ☐ Hämoglobin

C ☐ Fibrinausfällung durch Thrombokinase

D ☐ Osteoklasten

55. **Bei welchen Wunden besteht eine Kontraindikation zur primären Naht, auch wenn sie jünger als 6 Stunden sind: (2)**

A □ bei Bisswunden

B □ bei Schnittwunden

C □ bei Wunden mit schon vorhandenen Entzündungszeichen

D □ bei ölverschmierten Wunden

56. **Die Proliferationsphase der Wundheilung beginnt: (1)**

A □ 2 Stunden nach der Verletzung

B □ 4–5 Tage nach der Verletzung

C □ 10 Tage nach der Verletzung

D □ 1 Tag nach der Verletzung

57. **Aufgeschobene Primärversorgung bedeutet: (1)**

A □ Reinigung der Wunde in Lokal- oder Allgemeinanästhesie, feuchter Verband, Antibiotika-Gaben, endgültige Wundversorgung später

B □ Inspektion der Wunde und Antibiotika Gaben, Wundreinigung und Wundversorgung später

C □ Reinigung der Wunde, Antibiotika-Gaben und einen spontanen Wundverschluss abwarten. Wenn dieser nicht eintritt, erfolgt eine Wundnaht

58. **Welche Wunden heilen vorwiegend unter dem Schorf: (3)**

A □ Schnittwunden

B □ Verätzungswunden

C □ Operationswunden

D □ Verbrennungswunden

E □ oberflächliche Schürfwunden

59. **Die verzögerte primäre Naht wird durchgeführt nach: (1)**

A □ 1 Tag

B □ 14 Tagen

C □ 12–16 Tagen

D □ 14–16 Stunden

E □ 3–6 Tagen

---

55 A, C   **56** B   **57** A   **58** B, D, E   **59** E

60. Eine Läsion des Nervus fibularis profundus: (2)

A ☐ führt zur Unfähigkeit der Kniestreckung
B ☐ führt zur Unfähigkeit der Dorsalflexion des Fußes
C ☐ ist durch die Blauverfärbung der Haut im Versorgungsgebiet
leicht zu diagnostizieren
D ☐ führt zu Sensibilitätstörungen
E ☐ führt zur Unfähigkeit der Dorsalflexion der Hand
F ☐ macht eine Streckung des Ellenbogengelenkes unmöglich
G ☐ führt zur dauernden Abduktionsstellung des Hüftgelenkes

61. Eine Tetagam-Injektion vermittelt eine passive Immunität von: (1)

A ☐ ca. 28 Tagen
B ☐ ca. 10 Tagen
C ☐ ca. 5 Tagen
D ☐ 5 Wochen
E ☐ ca. einem Jahr
F ☐ ca. 48 Stunden

62. Zwischen Frakturen bei Erwachsenen und Kindern bestehen welche
prinzipiellen Unterschiede: (3)

A ☐ Frakturen bei Kindern heilen wesentlich langsamer als bei
Erwachsenen
B ☐ Frakturen bei Kindern heilen wesentlich schneller als bei
Erwachsenen
C ☐ je jünger das Kind, umso länger dauert die Heilungszeit
D ☐ Gelenkversteifungen kommen bei Kindern (im Gegensatz zu
Erwachsenen) auch nach langer Immobilisationszeit kaum vor
E ☐ Pseudarthrosen sind bei Kindern häufige Komplikationen, bei
Erwachsenen sind sie sehr selten
F ☐ Sudeck-Dystrophien sind beim Erwachsenen häufig anzu-
treffen, bei Kindern extrem selten

---

60 B, D   61 A   62 B, D, F

63. **Bei Querschnittläsionen in Höhe des BWK 12 und des Lendenwirbelbereiches kommt es: (2)**

A ☐ zur schlaffen Lähmung aller vier Extremitäten
B ☐ zur schlaffen Lähmung beider Beine
C ☐ zur Zwerchfell- und Interkostalmuskellähmung
D ☐ zu Blasen- und Mastdarmstörungen
E ☐ zu Sprach- und Sehstörungen

64. **Warum ist der Innenmeniskus häufiger als der Außenmeniskus von Verletzungen betroffen: (3)**

A ☐ er hat einen völlig anderen Substanzaufbau
B ☐ er ist schwächer gekrümmt
C ☐ er wird unter größere Druck- und Scherkräfte gesetzt
D ☐ er ist größer als der Außenmeniskus
E ☐ er ist frei beweglich
F ☐ er ist kleiner und zierlicher

65. **Die mediale Schenkelhalsfraktur: (2)**

A ☐ liegt extrakapsulär
B ☐ liegt intrakapsulär
C ☐ zeigt eine Bruchlinie im lateralen Abschnitt des Oberschenkel-
halses
D ☐ zeigt eine Bruchlinie am Übergang vom Kopf zum Schenkelhals
E ☐ zeigt eine Bruchlinie vom Trochanter major zum Trochanter
minor

66. **Bei einer Tibiakondylenfraktur kommt es sehr häufig zu folgenden Komplikationen: (2)**

A ☐ Kronenfortsatzfraktur
B ☐ Monteggiafraktur
C ☐ Fibularislähmung
D ☐ Meniskusläsionen

---

63 B, D   64 B, C, D   65 B, D   66 C, D

67. Frakturen des oberen Sprunggelenkes neigen zu folgenden Komplikationen: (2)

A ☐ Sudeck-Atrophie
B ☐ Spitzfußstellung
C ☐ Reizung des Nervus ischiadicus
D ☐ Schubladenphänomen
E ☐ posttraumatischer Arthrose

68. Die Tetanus-Simultanimpfung: (1)

A ☐ erfolgt als Tetanolinjektion gleichzeitig mit der Wundversorgung
B ☐ erfolgt als gleichzeitige Injektion von Tetanol und Tetagam an kontralateralen Körperstellen
C ☐ erfolgt als gleichzeitige Tetanolinjektion in beide Oberarme
D ☐ erfolgt als gleichzeitige Injektion von Tetanol und Gasbrandserum

69. Welche diagnostischen Zeichen sind hinweisend auf eine Läsion der Meniskuskörper: (3)

A ☐ das Ortolani-Zeichen
B ☐ das Steinmann-Zeichen I
C ☐ das Trendelenburg-Zeichen
D ☐ das Steinmann-Zeichen II
E ☐ das Lasègue-Zeichen
F ☐ die Streckhemmung bei 150 Grad

70. Die mediale Schenkelhalsfraktur: (2)

A ☐ neigt zu einer späteren Osteochondrosis intervertebralis
B ☐ neigt zu einer nachfolgenden Kopfnekrose
C ☐ zeigt als Spätkomplikation oft eine Pseudarthrose
D ☐ zeigt häufig als Spätkomplikation eine Osteodystrophia fibrosa generalisata

---

67 A, E   68 B   69 B, D, F   70 B, C

71. Verbrennungen und Verbrühungen zweiten und dritten Grades sind im Halsbereich besonders gefürchtet, weil: (2)

A ☐ sie oft mit koloidartigen Narbenplatten ausheilen
B ☐ die Patienten sehr große Schmerzen haben
C ☐ sie eine enorme Tendenz zur Schrumpfung besitzen
D ☐ es zu Strikturen des Vestibularapparates kommt
E ☐ als Spätkomplikation ein Glioblastom entstehen kann

---

71 A, C

XV. Chirurgie

2. Allgemeine und spezielle Chirurgie

1. Richtige Antworten zu den Zugangswegen für eine enterale Ernährung: (4)

   A ☐ die Gastrostomie nach Witzel erfordert einen operativen Eingriff

   B ☐ die perkutane endoskopische Gastrostomie (PEG) erfordert eine freie Passage durch den Ösophagus

   C ☐ die Witzel-Fistel kommt zum Einsatz, wenn die enterale Ernährung nur für eine bestimmte Zeit erforderlich ist

   D ☐ die PEG lässt sich endoskopisch legen und wieder entfernen

   E ☐ die Witzel-Fistel wird direkt beim Primäreingriff gelegt

   F ☐ die Witzel-Fistel kommt bei inoperablen Tumoren im Ösophagusbereich zur Anwendung

2. Richtige Aussagen zur portalen Hypertension: (3)

   A ☐ in ca. 90 % durch eine Leberzirrhose verursacht

   B ☐ bedeutendste Folge sind Varizen des Magenfundus

   C ☐ die bedeutendste und schwerwiegendste Folge sind Ösophagusvarizen

   D ☐ eine Milzvergrößerung ist nie nachweisbar

   E ☐ eine Pfortaderthrombose im Rahmen des prähepatischen Blocks ist eine der Hauptursachen

   F ☐ sie ist als Folgeerkrankung bzw. als Symptom zu sehen

---

1 A, B, D, F   2 A, C, F

3. **Das Verfahren der Wahl zur chirurgischen Behandlung des Ulcus duodeni (nicht resizierende Verfahren) ist die: (1)**

A ☐ trunkuläre Vagotomie (TV); die Durchtrennung der beiden Vagushauptstämme. Sie führt zur kompletten vagalen Denervation des Magen-Darm-Traktes. Es ist zur Ergänzung immer eine Drainageoperation notwendig (Pyloroplastik)

B ☐ selektiv-proximale Vagotomie (SPV); es kommt zur vagalen Denervation von Magenfundus und -korpus. Antrum- und Pylorusinnervation bleiben erhalten, es kommt zu Beeinträchtigungen der Magenentleerung. Eine Drainageoperation ist indiziert

C ☐ proximal-gastrische Vagotomie (PGV); es wird nur der proximale Teil des Magens denerviert, die Antrummotilität bleibt erhalten, das Entleerungsverhalten ist nahezu normal

4. **Ursachen des mechanischen Ileus: (5)**

A ☐ Peritonitis
B ☐ Adhäsion und Bride
C ☐ stenosierender Tumor
D ☐ Pankreatitis
E ☐ inkarzerierte Hernie
F ☐ Elektrolytstörungen
G ☐ Volvulus
H ☐ Fremdkörper
J ☐ retroperitoneale Blutungen

5. **Schwarzer Stuhl (Teerstuhl) deutet auf eine Blutungsquelle hin, die: (1)**

A ☐ sich z. B. im Bereich des Ösophagus, des Magens oder des Duodenums befindet

B ☐ sich z. B. im Bereich des Dünndarms oder des rechten Kolons befindet

C ☐ sich z. B. im Bereich des linken Kolons oder des Enddarms befindet

---

3 C   4 B, C, E, G, H   5 A

6. Bei der direkten Leistenhernie befindet sich die Bruchpforte: (1)

A ☐ oberhalb des Leistenbandes, lateral der epigastrischen Gefäße
B ☐ oberhalb des Leistenbandes, medial der epigastrischen Gefäße
C ☐ unterhalb des Leistenbandes
D ☐ auf der Linea alba zwischen Xiphoid und Nabel

7. Methode der Wahl bei der Therapie symptomatischer Gallensteine ist: (1)

A ☐ die laparoskopische Cholezystektomie
B ☐ die offene Cholezystektomie
C ☐ die medikamentöse Litholyse
D ☐ die extrakorporale Stoßwellenlithotripsie

8. Richtige Antworten zum Ilestoma: (4)

A ☐ kann endständig oder doppelläufig sein
B ☐ ist immer nur endständig
C ☐ die Anlage erfolgt immer im rechten Oberbauch
D ☐ die Ausleitung erfolgt fast immer im rechten Unterbauch
E ☐ kann unter Umständen lebenslang bestehen
F ☐ der ausgeleitete Darmabschnitt soll 15–30 mm hervorstehen
G ☐ die Entleerung erfolgt immer mit Hilfe eines Darmrohres

9. Richtige Aussagen zu bösartigen Tumoren der Leber: (4)

A ☐ primäre Lebermalignome haben ihren Ursprung im Leberparenchym
B ☐ der häufigste Tumor ist das Leberkarzinom
C ☐ sekundäre Lebermalignome entsprechen Fernmetastasen anderer Organkrebse
D ☐ Symptome zeigen sich schon im Frühstadium
E ☐ erst im fortgeschrittenen Stadium zeigen sich Symptome
F ☐ Metastasen entfernt man nur, wenn auch der Primärtumor kurativ reseziert werden kann
G ☐ die einzige Therapie eines primären Lebermalignoms ist eine Lebertransplantation

---

6 B   7 A   8 A, D, E, F   9 A, C, E, F

10. **Richtige Aussagen zu Hämorrhoiden: (5)**

A ☐ krankhafte Erweiterung des arterio-venösen Schwellkörpers im oberen Analkanal

B ☐ man unterscheidet zwei Schweregrade

C ☐ je nach Ausprägung unterscheidet man vier Stadien

D ☐ es gibt nur innere Hämorrhoiden

E ☐ im Stadium 4 besteht ein ständiger Prolaps

F ☐ äußere Hämorrhoiden bluten selten

G ☐ Behandlung im ersten Stadium konservativ mit Salben und Zäpfchen

H ☐ die Therapie der Wahl in allen Stadien ist die Verödung (Sklerosierung)

11. **Richtige Aussagen zur Vagotomie: (3)**

A ☐ es kommt zur Reduktion der Säurebildung

B ☐ die Therapie der Wahl beim Ulkus duodeni

C ☐ verhindert absolut die Entstehung eines Magenkarzinoms

D ☐ die selektiv-proximale Vagotomie ist nur in Verbindung mit einer Pyloroplastik durchzuführen

E ☐ bei der trunkulären Vagotomie ist immer eine Drainage-operation notwendig

F ☐ eine Vagotomie ist nur bei Patienten zwischen dem 20. und 40. Lebensjahr sinnvoll

12. **Eine Leistenhernie im Kindesalter wird: (1)**

A ☐ sofort mit einer Operation behandelt

B ☐ zunächst mit humanem Choriongonadotropin therapiert

C ☐ für 14 Tage mit einem Bruchband korrigiert

D ☐ nur manuell reponiert

13. **Richtige Aussagen zur Analfistel: (3)**

A ☐ Ursache ist die Entzündung der Proktodealdrüsen
B ☐ Ursache ist in 80 % ein Rektumkarzinom
C ☐ die Fistel stellt das chronische Stadium dar
D ☐ eine chirurgische Intervention ist nicht erforderlich
E ☐ Symptom ist die eitrige Sekretion
F ☐ Symptome sind Sphinkterkrämpfe und leichte Blutungen

14. **Richtige Aussagen zum Aneurysma der Bauchaorta: (3)**

A ☐ eine Erkrankung des älteren Menschen mit einer generalisierten
Arteriosklerose
B ☐ Symptome sind häufig Rücken- und Bauchschmerzen
C ☐ häufigste Komplikation ist der Gefäßverschluss
D ☐ die größte Gefahr stellt die plötzliche Ruptur dar
E ☐ eine chronisch werdende Obstipation ist das erste Zeichen
F ☐ eine Indikation zur Operation besteht, wenn der
Aneurysmadurchmesser über 50 mm beträgt
G ☐ sein Auftreten ist nicht altersgebunden

15. **Unter dem Begriff Aneurysma versteht man: (1)**

A ☐ eine Gefäßinnenhautentzündung
B ☐ eine Ausstülpung im Bereich des unteren Ösophagus
C ☐ eine umschriebene Ausweitung der Wand eines arteriellen
Blutgefäßes
D ☐ eine Erweiterung der Kapillargefäße in der oberen Kutis

16. **Was versteht man unter einer Penetration: (1)**

A ☐ das Eindringen eines krankhaften Prozesses oder eines Fremd-
körpers in ein Gewebe oder Organ
B ☐ die endoskopische Untersuchung des Beckenraumes
C ☐ die Manifestationswahrscheinlichkeit einer Infektionskrankheit
D ☐ den Durchbruch eines Magengeschwürs in die freie Bauchhöhle

---

13 A, C, E   **14** A, B, D   **15** C   **16** A

17. **Die wichtigste Komplikation nach einer Schilddrüsenoperation ist: (1)**

A ☐ die arterielle Nachblutung
B ☐ die Lähmung des Stimmbandnerven
C ☐ die Tetanie
D ☐ die Schluckstörung

18. **Welches der genannten diagnostischen Zeichen tritt bei einer Magenperforation auf: (1)**

A ☐ Totenstille über dem Abdomen
B ☐ Widerstandsperistaltik
C ☐ subphrenische Gassichel
D ☐ chronischer Singultus

19. **Die gefährlichste postoperative Komplikation der Magenresektion ist: (1)**

A ☐ das Dumping-Syndrom
B ☐ die Anastomoseninsuffizienz
C ☐ die Darmatonie
D ☐ der Durchfall

20. **Richtige Aussagen zum Magenkarzinom: (5)**

A ☐ lokalisiert in erster Linie im Antrum
B ☐ tritt hauptsächlich zwischen dem 50. und 60. Lebensjahr in Erscheinung
C ☐ die häufigste Lokalisation sind Fundus und große Kurvatur
D ☐ zur Stadieneinteilung benutzt man das TNM-System
E ☐ die am häufigsten betroffene Altersgruppe liegt zwischen dem 25. und 35. Lebensjahr
F ☐ histologisch handelt es sich meist um ein Plattenepithelkarzinom
G ☐ eine Metastasierung über die Lymphwege erfolgt äußerst selten
H ☐ eine hämatogene Metastasierung erfolgt in erster Linie in Leber und Lunge
J ☐ in 70 % der Fälle handelt es sich um ein Adeno-Karzinom (nach WHO-Klassifikation)

---

17 B   18 C   19 B   20 A, B, D, H, J

21. Die Indikation zu einem operativen Eingriff besteht bei: (2)

A ☐ einer Schädel-Basis-Fraktur
B ☐ einem epiduralen Hämatom
C ☐ einer Commotio cerebri
D ☐ einer Impressionsfraktur der Hinterhauptsschuppe
E ☐ einem Hirnödem

22. Etwa 50 % aller Dickdarmkarzinome findet man im: (1)

A ☐ Colon ascendens
B ☐ Colon transversum
C ☐ Colon descendens

23. Bei Kolondivertikeln kann es zu welchen Komplikationen kommen: (3)

A ☐ Fistelbildung
B ☐ maligner Entartung
C ☐ Blutung
D ☐ Perforation
E ☐ Morbus Crohn
F ☐ Peutz-Jeghers-Syndrom

24. Richtige Aussagen zum Ösophaguskarzinom: (5)

A ☐ überwiegend Plattenepithelkarzinome
B ☐ der Häufigkeitsgipfel liegt zwischen dem 6. und 7. Lebensjahrzehnt
C ☐ wichtigstes Frühsymptom ist ein Brennen hinter dem Brustbein
D ☐ das Leitsymptom ist die Dysphagie
E ☐ am häufigsten sind Männer zwischen 35 und 45 Jahren betroffen
F ☐ es wird immer eine subtotale Ösophagusektomie durchgeführt
G ☐ am häufigsten ist der Ersatz der Speiseröhre durch den Magen
H ☐ die Fünfjahresüberlebensrate beträgt (bezogen auf alle operierten Ösophaguskarzinome) ca. 2 %

---

21 B, D   22 C   23 A, C, D   24 A, B, D, F, G

25. **Die Ballondilatation von Herzkranzgefäßen nennt man: (1)**

A ☐ perkutane transluminale koronare Angioplastie (PTCA)
B ☐ perkutane transluminale Angioplastie (PTA)
C ☐ Desobliteration

26. **Das Kompressionssyndrom des distalen N. medianus im Bereich der Handgelenksbeugeseite nennt man: (1)**

A ☐ Dupuytren-Kontraktur
B ☐ Kompartment-Syndrom
C ☐ Karpaltunnel-Syndrom

27. **Zu den transkutanen Zugangswegen in der chirurgischen Diagnostik gehören: (4)**

A ☐ Thorakoskopie
B ☐ Bronchoskopie
C ☐ Laparoskopie
D ☐ Mediastinoskopie
E ☐ Choledochoskopie
F ☐ Arthroskopie

28. **Unter einer heterologen Transplantation versteht man: (1)**

A ☐ eine Gewebeverpflanzung von einem Tier auf einen Menschen
B ☐ eine Gewebeverpflanzung von einem Menschen auf einen anderen Menschen
C ☐ eine Gewebeverpflanzung von einer Körperregion in eine andere

29. **Welche der genannten Herzfehler sind erworben: (2)**

A ☐ Kammerseptumdefekt
B ☐ Vorhofseptumdefekt
C ☐ Mitralstenose
D ☐ Aortenklappeninsuffizienz

---

25 A   26 C   27 A, C, D, F   28 A   29 C, D

30. Zu den hirneigenen Tumoren gehören: (2)

A ☐ Gliome
B ☐ Meningeome
C ☐ Neurinome
D ☐ Pinealistumoren

31. Die Operation nach Whipple dient der Therapie bei einem: (1)

A ☐ Magenkarzinom
B ☐ Ösophaguskarzinom
C ☐ Pankreaskopfkarzinom
D ☐ Dickdarmkarzinom

32. Ausagen zum subkutanen Panaritium: (2)

A ☐ es wird immer in Vollnarkose eröffnet
B ☐ die Operation erfolgt in Blutsperre
C ☐ der Patient bekommt eine Leitungs- oder Plexusanästhesie
D ☐ im Frühstadium Röntgenentzündungsbestrahlung (3 x 50r)
E ☐ Behandlung durch sofortige Ruhigstellung der oberen Extremität

33. Der viszerale Schmerz: (3)

A ☐ tritt nur bei einer Augenmuskellähmung auf
B ☐ hat seinen Ursprung in den Eingeweiden
C ☐ wird als dumpf und bohrend empfunden
D ☐ tritt bei Migräne auf
E ☐ wird als schneidend und brennend empfunden
F ☐ wird als diffus empfunden

34. Therapeutische Maßnahmen bei einem paralytischen Ileus: (3)

A ☐ konservative oder operative Beseitigung der Ursache
B ☐ innere Schienung durch nasale Verweilsonde
C ☐ peristaltikanregende Medikamente
D ☐ lokale Hypothermieanwendung
E ☐ systemische Antibiotikatherapie

---

30 A, D   31 C   32 B, C   33 B, C, F   34 A, C, E

35. Leitsymptome des akuten Abdomens sind: (4)

A ☐ Polyurie
B ☐ Hypotonie
C ☐ Schmerzen
D ☐ Singultus
E ☐ Brechreiz/Erbrechen
F ☐ Exsikkose
G ☐ Somnolenz
H ☐ Bradykardie
J ☐ Trismus
K ☐ Ikterus
L ☐ Stuhl- und Windverhaltung
M ☐ Abwehrspannung

36. Eine Laminektomie wird durchgeführt zur: (1)

A ☐ Eröffnung des Schädeldaches
B ☐ Eröffnung der Oberkieferhöhle
C ☐ Freilegung des Rückenmarkes
D ☐ Eröffnung der Stirnhöhle
E ☐ Korrektur der Nasenscheidewand
F ☐ Eröffnung der Tibiamarkhöhle

37. Häufigste Ursache eines paralytischen Ileus: (1)

A ☐ Volvulus
B ☐ Peritonitis
C ☐ Kolik
D ☐ Wundinfektion
E ☐ Platzbauch
F ☐ Pneumonie
G ☐ Bleiintoxikation
H ☐ Morbus Crohn

---

35 C, E, L, M   36 C

38. Das Magenkarzinom ist in ca. 70 % der Fälle lokalisiert: (1)

A ☐ an der kleinen Kurvatur und im Antrum
B ☐ im Fundusteil
C ☐ an der Kardia
D ☐ an der großen Kurvatur

39. Im Vordergrund der Symptomatik einer akuten Pankreatitis steht: (1)

A ☐ der Durchfall
B ☐ der epigastrische Vernichtungsschmerz mit Ausstrahlung unter den Rippenbogen und in den linken kostovertebralen Winkel
C ☐ die Leukopenie
D ☐ die Psychose
E ☐ der pankreatitische Schock

40. Mit dem Begriff »Gelenkmaus« bezeichnet man: (1)

A ☐ ein abgestorbenes Knochenstück (Sequester)
B ☐ den inneren Meniskus
C ☐ einen freien Gelenkkörper
D ☐ eine spezielle Knochenfeile (zur Schädeltrepanation)

41. Die habituelle Luxation des Schultergelenkes: (3)

A ☐ wird durch eine Druckarthrodese beseitigt
B ☐ wird operativ behandelt durch Verfahren nach Hybinette oder Putti/Platt
C ☐ behandelt man mit einer Drahtextension
D ☐ wird in seltenen Fällen durch eine angeborene Bindegewebeschwäche verursacht
E ☐ kann durch ungeschickte Bewegungen der Hand verursacht werden
F ☐ zeigt oftmals als Ursache eine Pfannendysplasie
G ☐ zeigt als Ursache in den meisten Fällen eine angeborene Verkürzung des Schlüsselbeines

42. **Das Horner-Syndrom zeigt folgende Merkmale: (3)**

A ☐ eine weite Pupille
B ☐ eine kleine Pupille
C ☐ einen zurückgesunkenen Augapfel
D ☐ eine schmale Lidspalte
E ☐ eine breite Lidspalte
F ☐ einen vorgewölbten Augapfel

43. **Welche Ileus-Ursache kommt beim Erwachsenen nicht vor: (1)**

A ☐ inkarzerierte Hernie
B ☐ Briden
C ☐ Volvulus
D ☐ Rektum- und Analatresie
E ☐ Pylorusstenose
F ☐ Morbus Crohn

44. **Eine Halswirbelsäulendistorsion III. Grades braucht eine Ausheilungszeit von ca.: (1)**

A ☐ 14 Tagen
B ☐ 3 Wochen
C ☐ ca. 10 Monaten
D ☐ 2 Jahren

45. **Ursachen eines paralytischen Ileus: (5)**

A ☐ Pankreatitis
B ☐ Inkarzeration
C ☐ Urämie
D ☐ Mesenterialgefäßembolie
E ☐ retroperitoneale Blutungen
F ☐ Obturation
G ☐ Peritonitis

---

42 B, C, D   **43** D   **44** D   **45** A, C, D, E, G

46. **Symptome eines mechanischen Ileus: (4)**

    A ☐ Totenstille über dem Abdomen
    B ☐ schneidende, krampf- bis kolikartige Schmerzen
    C ☐ aufgetriebener Leib
    D ☐ Hypothermie
    E ☐ Stuhl- und Windverhaltung
    F ☐ blutiger Durchfall
    G ☐ Brechreiz und Erbrechen
    H ☐ Bradykardie

47. **Chirurgische Maßnahmen während einer akuten Pankreatitis: (2)**

    A ☐ sind nur bei Vorliegen einer Peritonitis indiziert
    B ☐ werden immer einer konservativen Behandlung vorgezogen, da sie schneller zum Ziel der Genesung führen
    C ☐ sind nur bei einem inkarzerierten Papillenstein indiziert
    D ☐ werden vom jeweiligen Amylase-Wert abhängig gemacht

48. **In den ersten Tagen der Behandlung einer akuten Pankreatitis: (1)**

    A ☐ darf der Patient auch fettreiche Speisen zu sich nehmen
    B ☐ unterliegt der Patient einer absoluten Nahrungskarenz
    C ☐ darf der Patient nur mit kohlenhydratreicher Nahrung ernährt werden
    D ☐ muss der Patient eiweißreich ernährt werden
    E ☐ müssen die Mahlzeiten in kleinen Portionen gereicht werden, um eine Überlastung des Pankreas zu vermeiden
    F ☐ darf der Patient Normalkost zu sich nehmen, er muss nur blähende Speisen meiden

49. **Als Spätkomplikationen einer akuten Pankreatitis gelten: (2)**

    A ☐ der Schock
    B ☐ die Steinbildung
    C ☐ die Anurie
    D ☐ die Sepsis
    E ☐ die Ösophagusvarizen

---

46 B, C, E, G   **47** A, C   **48** B   **49** B, D

50. Gallensteine können bestehen aus: (3)

A ☐ Oxalsäure
B ☐ Cholesterin
C ☐ Knorpel
D ☐ Calciumkarbonat
E ☐ Magnesium sulfuricum
F ☐ Bilirubin
G ☐ Erythrozyten

51. Bei Transplantationen unterscheidet man: (2)

A ☐ autogene Transplantationen
B ☐ autologe Transplantationen
C ☐ holoblastische Transplantationen
D ☐ homologe Transplantationen

52. Lingua bifida bedeutet: (1)

A ☐ Zungenhaarwuchs
B ☐ Fehlen der Oberlippe
C ☐ Unterkieferspalte
D ☐ Spaltzunge
E ☐ angeborene Spaltbildung der Wirbelsäule

53. Endungsbezeichnung »-ektomie« bedeutet: (1)

A ☐ die Entnahme von Gewebe am Lebenden
B ☐ Erweiterung eines Hohlorgans
C ☐ totale Entfernung eines Organs
D ☐ Dehnung von Hohlorgan-Stenosen
E ☐ Entfernung eines Gewebe- oder Organteils

54. Gallensteine entstehen am häufigsten: (1)

A ☐ in der Gallenblase
B ☐ im Ductus hepaticus
C ☐ im Ductus cysticus
D ☐ im Ductus choledochus
E ☐ an der Papilla Vateri

---

50 B, D, F   51 B, D   52 D   53 C   54 A

55. Das eosinophile Adenom der Hypophyse führt zum Erscheinungsbild: (1)

A □ Akromegalie

B □ Cushing-Syndrom

56. Dauer einer Ruhigstellung nach einer Nervennaht mit spannungs-
loser End-zu-End-Vereinigung: (1)

A □ bis Wundheilungsabschluss

B □ bis Ende der Elektroreizung

C □ für mindestens 2 Jahre

57. Unter Elektromyographie versteht man die: (1)

A □ Kontrastmitteldarstellung des Subarachnoidalraumes

B □ Sichtbarmachung und Aufzeichnung der Aktionsströme eines
Muskels

C □ Reizung einer Muskelgruppe mit Strom zu therapeutischen
Zwecken

58. Unter so genannten »Phantom-Schmerzen« versteht man: (1)

A □ Schmerzangaben des Patienten im Bereich des Abdomens ohne
genaue Lokalisation

B □ ein schmerzhaftes Gefühl in den nach Amputationen nicht
mehr vorhandenen Gliedteilen

C □ heftige Schmerzattacken mit Todesangstgefühlen des Patienten

D □ unwahre Schmerzangaben des Patienten zur Erlangung eines
Vorteiles

59. Bei einer Nervenläsion ist das Ausfallsgebiet: (1)

A □ für die Schmerzempfindung kleiner als das der Berührungs-
empfindung

B □ für die Schmerzempfindung größer als das der Berührungs-
empfindung

---

55 A   56 A   57 B   58 B   59 A

60. Unter Neurolyse versteht man die: (1)

A ☐ Nervennaht anlässlich einer primären Wundversorgung

B ☐ operative Befreiung eines Nerven von Verwachsungen, die ihn einschnüren

C ☐ Durchschneidungen der Hinterwurzeln bei spastischen Zuständen

D ☐ Auswertung des EEG-Bildes nach einem bestimmten Schema

61. Behandlung einer inkarzerierten Leistenhernie beim Erwachsenen: (1)

A ☐ Reposition in Allgemeinnarkose

B ☐ operative Behandlung

C ☐ konservative Behandlung durch Bruchband

D ☐ konservativ, durch Langzeit-Relaxierung und Spasmolytika sowie durch hohe Einläufe

62. Klinische Kriterien gutartiger Geschwülste: (4)

A ☐ schnelles, destruierendes Wachstum

B ☐ langsames, verdrängendes Wachstum

C ☐ mangelnde Verschieblichkeit

D ☐ scharfe Abgrenzbarkeit

E ☐ mangelnde Gewebsreife

F ☐ keine Metastasenbildung

G ☐ hohe Gewebsreife

H ☐ Metastasierung erfolgt nur auf dem Lymphweg

63. Unter einer Transplantation versteht man: (1)

A ☐ die Einpflanzung und Einheilung von Fremdteilen in den Körper eines Individuums

B ☐ die Übertragung von Zellen, Geweben oder Organen auf ein anderes Individuum (oder an eine andere Körperstelle) zu therapeutischen oder experimentellen Zwecken

C ☐ eine Gewebezüchtung außerhalb des Körpers in geeigneten Medien

D ☐ Die Übertragung eines Fragmentes des genetischen Materials von einer Bakterienzelle auf die andere durch Bakteriophagen

---

60 B   61 B   62 B, D, F, G   63 B

64. **Richtige Aussagen zur akuten Pankreatitis: (4)**

A ☐ sie ist die wichtigste chirurgische Erkrankung des Pankreas

B ☐ wichtigstes Symptom sind gürtelförmige Schmerzen im Oberbauch

C ☐ es kommt zu stark erhöhten Amylasewerten im Blut und Urin

D ☐ rund 10 % der Pankreatitiden gehen mit Gallensteinleiden einher

E ☐ erste Maßnahmen sind parenterale Ernährung, Magensonde, H_2-Blocker, Volumensubstitution und Analgetika

F ☐ es muss innerhalb der ersten 2–3 Stunden laparotomiert werden, um die Ausführungsgänge von Leber und Pankreas zu entlasten

G ☐ zur Schmerzstillung dürfen Morphin- und -derivate nicht eingesetzt werden

65. **Das so genannte »Dermatom«-Instrument dient zur: (1)**

A ☐ Aufbohrung der Markhöhle des Oberschenkelknochens bei einer Endoprothesenversorgung

B ☐ Ausfräsung der Hüftgelenkpfanne bei einer Endoprothesenversorgung

C ☐ Bildung und Gewinnung von Epidermis- und Epidermis-Cutis-Lappen in einstellbarer Dicke

D ☐ Entfernung von Warzen am Handrücken

E ☐ Gewinnung eines gestielten Hautlappens

F ☐ unblutigen Durchführung eines Hautschnittes bei Operationen

66. **Ist neben der Primärgeschwulst nur eine einzige Tochtergeschwulst vorhanden, bezeichnet man diese als: (1)**

A ☐ duktogene Metastase

B ☐ Abklatschmetastase

C ☐ Solitärmetastase

D ☐ Solubilisierungsmetastase

---

64 A, C, E, G   **65** C   **66** C

67. Im Gesichtsbereich besteht eine: (1)

A ☐ gute Heilungstendenz
B ☐ schlechte Heilungstendenz

68. Welche Symptome sprechen beim Erwachsenen für eine inkarzerierte Leistenhernie: (2)

A ☐ weicher Bruchsack
B ☐ heftiger Lokalschmerz
C ☐ sofortiges bretthartes Abdomen
D ☐ derber Bruchsack
E ☐ Lumboischialgien

69. Die Tendenz der Narben zur fortschreitenden Schrumpfung beruht auf: (1)

A ☐ der Spannung des Nachbargewebes, die größer ist als die Eigenspannung der kollagenen Fasern
B ☐ die Eigenschaft der kollagenen Fasern, sich mit zunehmender Alterung zu verkürzen
C ☐ dem Fehlen von Talgdrüsen im Narbengewebe
D ☐ der Umwandlung von gefäßreichem zu gefäßarmem Narbengewebe

70. Aussagen zum Bronchialkarzinom: (3)

A ☐ kommt bei Frauen und Männern gleich häufig vor
B ☐ häufigster Organkrebs beim Mann
C ☐ hauptsächlich durch Inhalation von cancerogenen Zigarettenrauchbestandteilen
D ☐ nach WHO-Klassifikation unterscheidet man 5 Hauptkarzinomarten
E ☐ wichtigster Auslöser ist die Luftverschmutzung durch Industrie- und Motorabgase
F ☐ häufigste Metastasierung erfolgt in den Bereich des Magens
G ☐ wichtigstes Symptom ist der chronische Husten

---

67 A   68 B, D   69 B   70 B, C, D

71. Ein Leberabszess kann zuverlässig nachgewiesen werden durch: (2)

A ☐ ERCP
B ☐ Sonographie
C ☐ Intracutantest
D ☐ ELISA-Test
E ☐ CT
F ☐ Anstieg des Bilirubins
G ☐ Leberblindpunktion

72. Bei einer autologen Transplantation: (1)

A ☐ gehören Spender und Empfänger verschiedenen Arten an
B ☐ sind Spender und Empfänger dasselbe Individuum
C ☐ stellen Spender und Empfänger biologisch gleiche oder biologisch ähnliche Individuen dar

73. Je unreifer, d. h. bösartiger eine Geschwulst ist, desto: (1)

A ☐ besser sprechen ihre Zellen auf Röntgenstrahlen an
B ☐ schlechter führen Röntgenbestrahlungen zum Erfolg

74. Welche Aussagen zur Pathogenese der Lungenembolie sind richtig: (2)

A ☐ es handelt sich um die Verschleppung eines abgerissenen Thrombus in die Vena pulmonalis
B ☐ es handelt sich um die Verschleppung eines abgerissenen Thrombus in die Arteria pulmonalis oder ihre Nebenäste
C ☐ es handelt sich um wandständige, intravasale Veränderungen in der Vena pulmonalis
D ☐ es handelt sich um einen Thrombus aus dem venösen Versorgungsgebiet des großen Kreislaufes
E ☐ es handelt sich um einen Thrombus aus dem peripheren arteriellen Gefäßsystem

---

71 B, E   72 B   73 A   74 B, D

75. **Welche Aussagen zum Dumping-Syndrom sind richtig: (5)**

A ☐ wird nur nach Billroth I-Resektionen beobachtet
B ☐ kommt mit 10–30 % nach Gastrektomien vor
C ☐ entsteht durch Gallereflux in den Resektionsmagen/den Ösophagus
D ☐ ein Symptomenkomplex aus gastrointestinalen und vasomotorischen Erscheinungen als Folge einer zu raschen Entleerung des Resektionsmagens
E ☐ Frühdumping 2–3 Stunden nach Nahrungsaufnahme
F ☐ Frühdumping sofort bis 15 Minuten nach Nahrungsaufnahme
G ☐ Spätdumping 2–3 Stunden nach Nahrungsaufnahme
H ☐ Frühdumping: Übelkeit, Brechreiz, Druck- und Völlegefühl, Schwindel, Blässe, Tachykardie
J ☐ spontane Rückbildung meist nach 2–3 Monaten

76. **Sofortmaßnahmen bei einer Lungenembolie: (5)**

A ☐ sofortige PEEP-Beatmung
B ☐ Sauerstoffgaben mit ca. 10 Litern/min
C ☐ Hyperthermie
D ☐ unterstützende Therapie der Herzinsuffizienz (Digitalis)
E ☐ Hämodialyse
F ☐ Thrombolysetherapie
G ☐ Embolektomie (nur unter bestimmten Voraussetzungen möglich)
H ☐ u. U. Heparingaben mit 50 000–70 000 IE pro 24 Stunden
J ☐ Einsetzen eines Mobin-Uddin-Schirmfilters
K ☐ sofortige Cumarinbehandlung

77. **Eine Geschwulst (Neoplasma) ist im engeren Sinne: (2)**

A ☐ eine Gewebeneubildung
B ☐ ein gutartiger Tumor
C ☐ ein autonomes, nicht in den allgemeinen Körperaufbau eingeordnetes Wachstum
D ☐ ein bösartiger Tumor aus dem Epithelgewebe
E ☐ ein bösartiger Tumor des Rückenmarks

---

75 B, D, F, G, H   **76** B, D, F, G, H   **77** A, C

78. Unter Lyophilisierung versteht man: (1)

A ☐ chemische Fixierung des Gewebes oder Organes mit Alkohol

B ☐ Einfrierung des Gewebes oder Organes nach Wasserentzug

C ☐ Kunststoffeinbettung eines Gewebes oder Organes

D ☐ Abkühlung des Gewebes oder Organes auf knapp über Null Grad Celsius

79. Bei schweren Lungenembolien kann es zum plötzlichen Herztod kommen durch: (2)

A ☐ Kammerflimmern

B ☐ akute Dehnung des linken Herzventrikels

C ☐ akute Dehnung des rechten Herzventrikels

D ☐ Zerreißung der Vena pulmonalis

80. Unter einer Implantation versteht man: (1)

A ☐ die Übertragung von Zellen, Geweben oder Organen auf ein anderes Individuum (oder an eine andere Körperstelle) zu therapeutischen oder experimentellen Zwecken

B ☐ die Einpflanzung und Einheilung von Fremdteilen in den Körper eines Individuums

C ☐ den Ersatz körpereigenen Gewebes durch tote Fremdstoffe (Metall, Plexiglas, Perlon, Vitallium)

D ☐ die Versorgung mit einer Extremitätenprothese

81. Eine »Intervall-Appendektomie« wird durchgeführt bei: (1)

A ☐ einer Schwangerschaft

B ☐ einer perityphlitischen Abszessbildung

C ☐ einem malignen Grundleiden

D ☐ einer akuten katarrhalischen Appendizitis

E ☐ einem Diabetes mellitus

F ☐ einer Colitis ulcerosa

---

82. Komplikationen der akuten Cholezystitis: (5)

A ☐ Lungenabszess
B ☐ Hydrops
C ☐ Gastritis
D ☐ Empyem
E ☐ Nierensteine
F ☐ Steinwanderung in die Leber-Gallen-Gänge
G ☐ hypertonische Krisen
H ☐ gedeckte Perforation
J ☐ freie Perforation
K ☐ Linksherzinsuffizienz

83. Symptome der akuten Cholezystitis: (4)

A ☐ Kolikschmerz
B ☐ Absinken der Körpertemperatur
C ☐ Ausstrahlung in die rechte Schulter
D ☐ Druckschmerz im rechten Unterbauch (McBurney-Punkt)
E ☐ Leukozytose
F ☐ heftige Ohrenschmerzen
G ☐ hohe Körpertemperaturen

84. Typische Schmerzlokalisation bei Gallensteinkoliken: (2)

A ☐ linker Oberbauch
B ☐ rechte Schulter
C ☐ rechter Oberbauch
D ☐ linker Arm bis Fingerspitzen
E ☐ costovertebraler Winkel links
F ☐ Douglasschmerz rechts

---

85. **Symptome eines akuten Arterienverschlusses: (5)**

A ☐ Schmerzen
B ☐ Hautrötung
C ☐ Hautblässe
D ☐ Hyperästhesie
E ☐ Parästhesie
F ☐ Pulslosigkeit
G ☐ Schwellung/Ödeme
H ☐ pulsierende Varizen
J ☐ Bewegungsunfähigkeit

86. **Divertikel des Dickdarmes befallen hauptsächlich: (1)**

A ☐ Rektum
B ☐ Sigma
C ☐ Colon ascendens
D ☐ Colon transversum
E ☐ Coecal-Klappe
F ☐ Colon descendens

87. **Die akute Cholezystitis entsteht vorwiegend infolge: (1)**

A ☐ Einklemmung eines Steines im Ductus cysticus (Gallenblasen-halsbereich)
B ☐ Einklemmung eines Steines im Ductus choledochus
C ☐ Einklemmung im intrahepatischen Gallengang
D ☐ eines Pankreasschwanztumores
E ☐ Festsetzung eines Konkrementes im Jejunum

88. **Zu den Symptomen eines Ulcus duodeni gehören nicht: (3)**

A ☐ Schmerzen nach dem Essen
B ☐ Nüchternschmerz
C ☐ Druckschmerz im Epigastrium
D ☐ Periodizität
E ☐ Schmerzlinderung nach Nahrungsaufnahme
F ☐ Übelkeit und Erbrechen

---

85 A, C, E, F, J   **86** B   **87** A   **88** A, C, F

89. Nach einer Choledochotomie liegt der so genannte »T-Drain« mit dem kleinen Querteil: (1)

A ☐ im Duodenum
B ☐ im Ductus cysticus
C ☐ im Ductus choledochus
D ☐ in der Gallenblase
E ☐ im Ductus pankreaticus

90. Die Kolik bei einem Gallensteinleiden wird ausgelöst durch: (3)

A ☐ Diätfehler
B ☐ Ösophagusvarizen
C ☐ starke psychische Erregung
D ☐ Gastritiden
E ☐ körperliche Anstrengung

91. Symptome eines paralytischen Ileus: (4)

A ☐ starker Kolikschmerz
B ☐ fehlende Darmperistaltik
C ☐ Hyperperistaltik
D ☐ gespannte Bauchdecken
E ☐ Hypertonie
F ☐ Singultus
G ☐ Überlauferbrechen
H ☐ fehlender Meteorismus

92. Die Gabe von Alkaloiden bei der Therapie der akuten Cholezystitis ist kontraindiziert, da es zu welcher Nebenwirkung kommen kann: (1)

A ☐ Spasmen des Dickdarms
B ☐ Spasmen des Sphinkter Oddi
C ☐ Atemstillstand
D ☐ Sphinktersklerose
E ☐ Dünndarmparese

---

89 C   90 A, C, E   91 B, D, F, G   92 B

93. Als Komplikationen eines Ulcus duodeni kommen in Frage: (4)

A ☐ Ösophagusvarizen
B ☐ freie Perforation
C ☐ gedeckte Perforation
D ☐ Penetration
E ☐ Krepitation
F ☐ Kardiastenose
G ☐ Blutungen
H ☐ Colitis ulcerosa
J ☐ Penfield-Syndrom
K ☐ prähepatischer Ikterus

94. Ursachen des posthepatischen Verschlussikterus: (4)

A ☐ Hämolyse
B ☐ Hypoplasie der Gallengänge
C ☐ Steineinklemmung im Ductus choledochus
D ☐ narbige Papillenstenose (Vater-Papille)
E ☐ Leberparenchymschaden
F ☐ Choledochuskarzinom
G ☐ Pylorospasmus
H ☐ Leberzirrhose

95. Oberflächliche Schmutzeinsprengungen in der Gesichtshaut
(z. B. Teer- und Straßenstaub) lassen sich entfernen durch: (2)

A ☐ subkutane Alkoholinjektionen
B ☐ Radierung mit sterilisiertem Sandpapier
C ☐ hochtourige Schleifgeräte
D ☐ Dermatombehandlung
E ☐ Einstechen und Ansaugen mit einer weitlumigen Kanüle

93 B, C, D, G   94 B, C, D, F   95 B, C

96. Richtige Aussagen zum mechanischen Ikterus: (5)

A ☐ es kommt zur Grünfärbung des Urins
B ☐ Ursachen: z. B. Stein, Striktur, Papillenstenose
C ☐ Juckreiz, Fieber, Schüttelfrost, Koliken
D ☐ normale Stuhlfarbe
E ☐ der Stuhl ist acholisch
F ☐ Bilirubin im Serum erniedrigt
G ☐ Bilirubin im Urin erhöht
H ☐ die ERCP zeigt Durchgängigkeit
J ☐ alkalische Phosphatase erhöht
K ☐ die Anamnese ist unauffällig
L ☐ Ursachen: z. B. Pylorusstenose, Stenose des Ductus cysticus
M ☐ Nachtschweiß, nächtliches Wasserlassen, Widerwillen gegen Fleisch

97. Bei der Appendizitis handelt es sich um eine Entzündung: (1)

A ☐ des Caecum
B ☐ des Colon ascendens
C ☐ des Wurmfortsatzes
D ☐ der Valva ileocaecalis

98. Typische Symptome der Appendizitis des Erwachsenen: (4)

A ☐ Anurie
B ☐ Abwehrspannung
C ☐ Totenstille über dem Abdomen
D ☐ Douglasschmerz rechts mehr als links
E ☐ schwere Diarrhoen
F ☐ unstillbares Erbrechen
G ☐ gestaute Halsvenen
H ☐ Schmerzen am McBurney-Punkt
J ☐ rektal-axillare Temperaturdifferenz bis zu einem Grad Celsius

---

96 B, C, E, G, J   **97** C   **98** B, D, H, J

99. Unter einem Anus praeternaturalis versteht man: (1)

A ☐ eine Blasen-Scheiden-Fistel
B ☐ einen widernatürlichen After
C ☐ eine Trachea-Ösophagus-Fistel
D ☐ eine Neugestaltung der Harnröhrenmündung
E ☐ den natürlichen Darmausgang

100. Die Litholyse bei einer Cholelithiasis wird nur durchgeführt: (3)

A ☐ bei funktionstüchtiger Blase
B ☐ bei starken Koliken
C ☐ bei Cholesterinsteinen
D ☐ in der Schwangerschaft
E ☐ bei einem Ikterus
F ☐ bei geringen Beschwerden

101. Die Ursache der hypertrophen Pylorusstenose: (1)

A ☐ zunehmende Hypertrophie der Tunica mucosa im Bereich des Fundus ventriculi
B ☐ zunehmende Hypertrophie der zirkulären Muskulatur im Bereich des Pylorus, die meist über den Pyloruskanal hinausgeht
C ☐ zunehmende Hypertrophie der Tunica mucosa, die die Ausflussbahn des Pylorus immer mehr einengt

---

99 B   100 A, C, F   101 B

102. Welche Aussagen zum kindlichen Leistenbruch sind richtig: (4)

A ☐ für das Kindesalter sind indirekte Leistenbrüche charakteristisch

B ☐ direkte Leistenbrüche sind beim Kind extrem häufig

C ☐ der indirekte Leistenbruch nimmt den Weg durch den inneren Leistenring, entlang des Samenstranges durch den Leistenkanal und durch den äußeren Leistenring nach außen

D ☐ der direkte Leistenbruch nimmt den gleichen Weg, den die Hoden bei ihrem Deszensus aus der Bauchhöhle nehmen

E ☐ Leistenbrüche dürfen niemals reponiert werden

F ☐ die Inkarzeration ist die am meisten gefürchtete Komplikation

G ☐ die häufigste Komplikation ist die Invagination

H ☐ eine inkarzerierte, nicht reponable Leistenhernie erfordert sofortige chirurgische Intervention

J ☐ aus anatomischen Gründen kann ein Leistenbruch erst jenseits des fünften Lebensjahres operiert werden

103. Ein Duodenalulkus: (1)

A ☐ kann karzinomatös entarten

B ☐ entartet niemals karzinomatös

104. Operative Therapie der hypertrophen Pylorusstenose: (1)

A ☐ eine Hemikolektomie

B ☐ Anlegen eines endständigen Anus praeter

C ☐ Vagotomie mittels Durchtrennung der Vagusäste an der Kardia

D ☐ Totalexstirpation des walzenförmigen, 2–3 cm langen Tumores

E ☐ Pylorotomie nach Weber-Ramstedt durch Spaltung der hypertrophen Muskulatur bis auf die Schleimhaut

F ☐ Resektion des Pylorusabschnittes, blinder Verschluss des Magens und Duodenums und Anlegen einer Gastrojejunal-Anastomose

---

105. Die klinische Folge einer Pfortaderblockade ist ein portaler Druckanstieg von: (1)

A □ 100–150 mm H_2O auf 250–400 mm H_2O
B □ 10 mm H_2O auf 30 mm H_2O
C □ 100–150 mm Hg auf 250–400 mm Hg

106. Eine chirurgische Verbindung zwischen Dünndarm und Kolon bezeichnet man als: (1)

A □ Duodenostomie
B □ Ileostomie
C □ Ileocolostomie
D □ Witzel-Fistel
E □ Gastroenterostomie
F □ portocavale Anastomose

107. Die Therapie des Mekoniumileus erfolgt durch: (2)

A □ hypotone Kontrastmitteleinläufe unter Durchleuchtungskontrolle
B □ hypertone Kontrastmitteleinläufe unter Durchleuchtungskontrolle
C □ Anlegen einer temporären doppelläufigen Ileostomie oberhalb des Darmverschlusses mit späterer Korrektur
D □ Anlegen eines doppelläufigen Anus praeter am Colon transversum
E □ Resektion des gesamten distalen Ileumbereiches, einschließlich Caecum und Ileozökalklappe
F □ rektalen Dauersog unter Infundierung physiologischer Kochsalzlösung

108. Häufigster Tumor bei der Frau ist das: (1)

A □ Mammakarzinom
B □ Rektumkarzinom
C □ Magenkarzinom
D □ Zervixkarzinom

---

105 A   106 C   107 B, C   108 A

109. Eine Ausstülpung umschriebener Wandteile in toto eines Hohlorgans oder nur der Schleimhaut eines Hohlorgans bezeichnet man als: (1)

A ☐ Polyp
B ☐ Hernie
C ☐ Divertikel
D ☐ Invagination
E ☐ Varizen
F ☐ Anastomose

110. Hauptlokalisation des Mammatumors: (1)

A ☐ oberer äußerer Quadrant
B ☐ oberer innerer Quadrant
C ☐ unterer innerer Quadrant
D ☐ unterer äußerer Quadrant
E ☐ zentraler Mammaschnitt

111. Frühsymptom des Mammakarzinoms: (1)

A ☐ schmerzhafte Achselverhärtung
B ☐ lokale Verhärtung
C ☐ schmerzlose, tastbare Resistenz
D ☐ Fluktuation an der Brustwarze
E ☐ Warzeneinziehung
F ☐ Nässen der Warze
G ☐ Fixation des Tumors und Drüsenkörpers an der Brustwand (Unverschieblichkeit)
H ☐ Ödeme
J ☐ starke inspiratorische Schmerzen über der betreffenden Thoraxhälfte

112. Welche Maßnahme ist bei der Behandlung eines Furunkels kontraindiziert: (1)

A ☐ Rotlicht
B ☐ Ausdrücken der Nekrose
C ☐ feuchte Verbände
D ☐ chirurgische Intervention

---

109 C   110 A   111 C   112 B

113. Zur vollständigen Hernie gehören: (3)

A ☐ die Peritonitis
B ☐ der Bruchsack
C ☐ der Bruchinhalt
D ☐ die Inkarzeration
E ☐ das Caput medusae
F ☐ der paralytische Ileus
G ☐ die Bruchpforte
H ☐ der positive Schockindex

114. Das Mammakarzinom: (4)

A ☐ kann bei der Vorsorgeuntersuchung erst im ausgeprägten Zustand entdeckt werden
B ☐ ist ein malignes Epitheliom
C ☐ wird in der Entstehung durch verminderte Hormonreize begünstigt
D ☐ wird durch hormonelle Überreizung im Wachstum begünstigt
E ☐ teilt man nach Steinthal in vier Stadien ein
F ☐ findet man bei der Untersuchung zu 45 % im unteren inneren Quadranten
G ☐ kann bei der Vorsorgeuntersuchung als schmerzlose Resistenz getastet werden
H ☐ ist zwar eine gefürchtete Geschwulst, bildet aber nie Metastasen

115. Ein fehlender oder stark herabgesetzter Darmtonus: (1)

A ☐ Atopie
B ☐ Neurolysis
C ☐ Neurasthenie
D ☐ Invagination
E ☐ Atresie
F ☐ Obstipation
G ☐ Atonie
H ☐ Flatulenz

---

113 B, C, G   114 B, C, E, G   115 G

116. Eine Kontusionspsychose entsteht: (1)

A ☐ als Folge einer Hirnverletzung
B ☐ nach einer tuberkulösen Hirnhautentzündung
C ☐ als Begleitsymptom eines gutartigen Hirntumores
D ☐ postoperativ vorübergehend nach einer Schiefhalsoperation

117. Kardinalsymptome des akuten Abdomens: (8)

A ☐ Crescendoschmerz
B ☐ peristaltiksynchrone Kolik
C ☐ Eventration
D ☐ Tachykardie
E ☐ Kreislaufverfall
F ☐ Lebervergrößerung
G ☐ gestörte Magen-Darm-Motorik
H ☐ Singultus
J ☐ reflektorisches Erbrechen
K ☐ Überlauferbrechen
L ☐ Eviszeration
M ☐ Caput quadratum

118. Welche der nachgenannten Erkrankungen erfordern keine sofortige chirurgische Intervention: (3)

A ☐ Strangulationsileus
B ☐ freie Perforation eines Ulcus ventriculi
C ☐ perityphlitischer Abszess
D ☐ gallige Peritonitis (postoperativ)
E ☐ paralytischer Ileus durch Intoxikation
F ☐ zystische Pankreasfibrose
G ☐ inkarzerierter Papillenstein

---

116 A   117 A, B, D, E, G, H, J, K   118 C, E, F

119. Mit Cholezystektomie bezeichnet man: (1)

A ☐ eine primäre Atonie der Gallenblase
B ☐ eine Entfernung der Gallenblase
C ☐ eine Anastomose zwischen Gallenblase und Duodenum
D ☐ die Entfernung des Ductus cysticus
E ☐ eine Anastomose zwischen Ductus choledochus und Ductus pancreaticus hinter der Papilla duodeni major
F ☐ die Eröffnung des Ductus choledochus

120. Mit Kallus bezeichnet man: (1)

A ☐ eine Knochenschwiele, die durch junges Knochengewebe bei der Frakturheilung entsteht
B ☐ die Falschgelenkbildung bei jugendlichen Frakturen
C ☐ eine Hämatombildung im Kniegelenk
D ☐ den Zusammenbruch eines Lendenwirbelkörpers infolge einer Krebsmetastase

121. Eindeutige Befunde der Peritonitis: (5)

A ☐ Bradykardie
B ☐ Tachykardie
C ☐ Hypertonie
D ☐ Totenstille über dem Abdomen (Spätsymptom)
E ☐ Hyperperistaltik
F ☐ Oligurie
G ☐ Meteorismus
H ☐ positiver Schockindex
J ☐ Schmerzunempfindlichkeit über dem Abdomen
K ☐ Anisokorie
L ☐ Druckpuls
M ☐ gesteigerte Bauchdeckenreflexe

122. Klinische Symptome einer Hirndrucksteigerung: (5)

A ☐ Hämaturie
B ☐ Erbrechen
C ☐ Liquorausfluss aus den Ohren
D ☐ Krampfanfälle
E ☐ Ösophagusvarizenblutung mit schleichendem Beginn
F ☐ Pulsveränderung
G ☐ Respirationsstörungen
H ☐ Schmerzen im costovertebralen Winkel
J ☐ Risus sardonicus
K ☐ zunehmender Bewusstseinsverlust
L ☐ Nackensteifigkeit

123. Ösophagusvarizen entstehen: (1)

A ☐ durch einen zunehmenden Vena portae-Verschluss, der das venöse Blut zwingt, über Kollateralgefäße im unteren Ösophagus und im Fundusteil des Magens zur Vena cava zu fließen
B ☐ durch einen zunehmenden Arteria hepatica-Verschluss, der das arterielle Blut zwingt, über Kollateralgefäße im unteren Ösophagus und im Fundusteil des Magens zur Vena pulmonalis zu fließen
C ☐ durch einen zunehmenden Vena pulmonalis-Verschluss, der das arterielle Blut zwingt, über Kollateralgefäße im unteren Ösophagus und im Fundusteil des Magens in den rechten Vorhof zu fließen

124. Die Resektion des erkrankten Pylorusabschnittes, der blinde Verschluss von Duodenum und Magen und die Anlage einer Gastrojejunal-Anastomose ist eine Operationsmethode nach: (1)

A ☐ Lambling
B ☐ Billroth I
C ☐ Lister
D ☐ Mikulicz
E ☐ Madlener
F ☐ Billroth II

---

122 B, D, F, G, K   123 A   124 F

125. Unter der Peritonitis versteht man die: (1)

A ☐ Entzündung des Perineums

B ☐ bakterielle, serös-fibrinöse und eitrige Entzündung des viszeralen und parietalen Bauchfelles

C ☐ Entzündung des die einzelnen peripheren Nerven umgebenden Bindegewebes

D ☐ Entzündung der bindegewebigen Wurzelhaut der Zähne

E ☐ Entzündung des lockeren Bindegewebes um die Gefäße herum

F ☐ Abdeckung durch das Bauchfell im Anschluss an die Perforation eines Ulcus ventriculi

126. Klinische Zeichen einer Achalasie des Ösophagus: (5)

A ☐ Erbrechen oder Regurgitation unmittelbar nach oder während der Nahrungsaufnahme

B ☐ Erbrechen tritt erst 8–10 Stunden nach Nahrungsaufnahme auf

C ☐ krampfartige Schmerzen

D ☐ verstärkter Zahnausfall im Kindesalter

E ☐ Gewichtsabnahme

F ☐ aufgedunsenes Aussehen

G ☐ Retrosternalschmerz

H ☐ Atmung erfolgt mit offenem Mund

J ☐ Darmsteifungen

K ☐ Schluckschmerzen

L ☐ paradoxe Diarrhoe

127. Die Pylorusstenose nach einem Ulcus ventriculi stellt: (1)

A ☐ eine absolute Indikation zur Operation dar

B ☐ keine Indikation für einen chirurgischen Eingriff dar

128. Welche Aussagen zu den Lippen-Kiefer-Gaumenspalten sind richtig: (6)

A ☐ sie gelten als erbliche Missbildungen
B ☐ ihre Entstehung ist immer traumatisch bedingt
C ☐ Gaumenspalten entwickeln sich etwa in der achten Fetalwoche
D ☐ die Lippen-Kieferspalte resultiert aus einem unterbliebenen oder unvollständigen Ersatz der Epithelmauer zwischen medialem und lateralem Nasenwulst
E ☐ Lippenspalten liegen immer medial
F ☐ Gaumenspalten können medial und lateral liegen
G ☐ Lippenspalten liegen immer lateral
H ☐ betroffene Säuglinge dürfen nur über eine Sonde ernährt werden (Tracheotomie ist Bedingung)
J ☐ mit dem Verschluss der Gaumenspalte ist die normale Sprachentwicklung gesichert, eine Sprachschulung erübrigt sich
K ☐ Lippenspalten sollten zwischen dem dritten bis fünften Lebensmonat, Gaumenspalten zwischen dem zweiten bis sechsten Lebensjahr operativ versorgt werden

129. Bei der Achalasie des Ösophagus: (4)

A ☐ handelt es sich um eine psychische oder neurogene Parese des Musculus pleurooesophageus
B ☐ kommt es oberhalb der Enge zu einer Hypertrophie der Ösophagusmuskulatur
C ☐ kommt es zu einer sackartigen Ausweitung des Magenfundus
D ☐ handelt es sich um einen angeborenen, segmentären Obliterationsdefekt
E ☐ wird der Defekt durch eine Hyperplasie des Plexus solaris hervorgerufen
F ☐ handelt es sich am häufigsten um eine Atresie mit proximalem Blindsack und distaler ösophagotrachealer Fistel
G ☐ kommt es meist ab dem dritten Lebensjahr zur Manifestierung
H ☐ dreht sich der Ösophagus um die Achse der Arteria und Vena mesenterica superior (mit hämorrhagischem Infarkt)

---

128 A, C, D, F, G, K   **129** B, D, F, G

130. Die wichtigsten Verfahren der Ulkusdiagnostik: (2)

A ☐ Nachweis von Muskelfasern im Stuhl
B ☐ Röntgenuntersuchung mit Magenbrei-Passage
C ☐ Lavage
D ☐ Bromsulfalein-Test
E ☐ Endoskopie mit Biopsie

131. Kardinalsymptome des Rektumkarzinoms: (6)

A ☐ veränderter Defäkationsmodus
B ☐ Singultus
C ☐ Leistungsknick
D ☐ Schmerzen und Tenesmen
E ☐ paradoxe Diarrhoe
F ☐ Horner-Syndrom
G ☐ paralytischer Ileus
H ☐ tastbarer Befund (2/3 der Fälle)
J ☐ Caput medusae
K ☐ Blutbeimengungen bei der Defäkation
L ☐ Schmerzen in der rechten Leiste nach Anstrengungen

132. Welche Aussagen zum Rektumkarzinom sind richtig: (5)

A ☐ Frauen sind doppelt so häufig betroffen wie Männer
B ☐ in 80 % der Fälle handelt es sich um ein Adenokarzinom
C ☐ in 90 % der Fälle handelt es sich um schleimbildende Karzinome
D ☐ bei Erkennung lassen sich bei 40 % der Karzinome bereits Lymphknotenmetastasen nachweisen
E ☐ 2/3 der Tumoren sind tastbar
F ☐ nur 10 % aller Karzinome sind tastbar
G ☐ als Therapie kommt nur die radikale chirurgische Therapie in Frage (Radikaloperation)
H ☐ als einziges Frühsymptom kommt der Leistungsknick in Frage
J ☐ mit der Radikaloperation lässt sich eine Fünfjahres-Rezidivfreiheit von etwa 90 % erzielen
K ☐ der Ileus ist eine ernste Komplikation des Rektumkarzinoms

---

130 B, E   131 A, C, D, E, H, K   132 B, D, E, G, K

133. **Als Komplikationen des Ulcus ventriculi können auftreten: (5)**

A ☐ eine Colitis ulcerosa
B ☐ eine freie Perforation
C ☐ eine gedeckte Perforation
D ☐ eine Pylorusstenose
E ☐ ein Pulsionsdivertikel des Ösophagus
F ☐ eine Blutung
G ☐ eine maligne Entartung
H ☐ eine Cholangitis

134. **Ösophagusvarizen: (5)**

A ☐ sind Schleimhautulzera im oberen Ösophagusbereich
B ☐ stellen Erweiterungen der Speiseröhrenvenen dar
C ☐ entstehen als Folge eines portalen Hochdrucks
D ☐ sind frühzeitig durch gestaute Halsvenen erkennbar
E ☐ verursachen lästige Mikroblutungen, die auf lange Sicht zur Hämoglobinverminderung und zum Leistungsknick führen
F ☐ können zu lebensbedrohlichen Massenblutungen führen
G ☐ führen zu häufigen Ohnmachten (Frühsymptom) durch Verzögerung der cerebralen Blutversorgung (Versacken des Blutes im Halsbereich)
H ☐ entstehen durch isolierten Hochdruck der Arteria hepatica
J ☐ werden durch Einspritzung eines gefäßwandschädigenden Mittels in Intubationsnarkose und vorheriger Entleerung der Varizen verödet
K ☐ werden von einer Milzvergrößerung und einem Hypersplenismus begleitet
L ☐ werden therapiert durch lokale Umstechung und/oder porto-cavalen Shunt

---

133 B, C, D, F, G   134 B, C, F, K, L

135. **Welche Aussagen zur Omphalozele sind richtig: (3)**

A ☐ man versteht darunter einen Prolaps von Leber, Darm, Netz und Magen in die Nabelschnur

B ☐ sie tritt erst jenseits des dritten Lebensjahres auf

C ☐ sie entsteht durch Ausbleiben der spontanen Reposition des physiologischen Nabelschnurbruches in der zehnten bis zwölften Embryonalwoche

D ☐ sie entsteht durch eine Bindegewebsschwäche der Linea alba

E ☐ die Behandlung erfolgt grundsäztlich immer konservativ durch Verätzung des Bruchsackes

F ☐ die operative Behandlung ist bei kleinen Omphalozelen die Methode der Wahl

136. **Gutartige Tumoren der Bindegewebsreihe sind: (3)**

A ☐ Sarkome

B ☐ Angiome

C ☐ Osteome

D ☐ Myome

E ☐ Adenome

137. **Welche Aussagen zur Trichterbrust sind falsch: (4)**

A ☐ es handelt sich um eine mehr oder weniger ausgeprägte Einsenkung des Sternums und der angrenzenden Rippenabschnitte

B ☐ es handelt sich um eine mehr oder weniger ausgeprägte Erhabenheit des Sternums und der angrenzenden Rippenabschnitte

C ☐ es handelt sich um eine mehr oder weniger ausgeprägte Senkung vornehmlich der linken Brust mit einer trichterartigen Vertiefung des Warzenvorhofes

D ☐ die Mehrzahl der Trichterbrustträger sind zarte und muskelschwache Kinder

E ☐ die Mehrzahl der erkrankten Kinder sind adipös und zeigen eine Dominanz des großen Brustmuskels

F ☐ die Operationsindikation ist vorwiegend kosmetisch

G ☐ durch starke Beeinträchtigung der Atmung ist eine Operation im Säuglingsalter unbedingt notwendig

---

135 A, C, F   **136** B, C, D   **137** B, C, E, G

138. Zu den gutartigen Knochentumoren gehören: (3)

A ☐ Osteochondrom
B ☐ Plasmazellmyelom
C ☐ Chondrom
D ☐ Retothel-Sarkom
E ☐ Ewingsarkom
F ☐ Riesenzelltumor
G ☐ Chondrosarkom
H ☐ Osteoidosteom

139. Bei Frakturen des Unterkiefers: (4)

A ☐ besteht ein typischer Bruchlinienverlauf
B ☐ fehlen in 95 % der Fälle jegliche Symptome
C ☐ kommt es zum Bluterguss, zur Deformierung, zur Functio laesa und zur Behinderung der Mundbewegungen
D ☐ kommt es als Spätkomplikation zum paarigen Zahnausfall
E ☐ steht der Mund weit offen, es besteht eine Kiefersperre
F ☐ kommt es zum Phänomen des Risus sardonicus
G ☐ treten häufig Mitverletzungen der Nebenhöhlen und der Nase auf
H ☐ erfolgt die Behandlung in Form eines Mund-Gesicht-Hals-Gipses
J ☐ wird nach der Frühreposition der Unterkiefer für 3 Wochen mit einer Draht-Kunststoffschiene und intermaxillären Drahtligaturen ruhiggestellt

140. Bösartiger Tumor des Bindegewebes: (1)

A ☐ Myom
B ☐ Karzinom
C ☐ Sarkom
D ☐ Papillom
E ☐ Adenom

---

138 A, C, H   139 A, C, G, J   140 C

141. Gutartige Tumoren der Epithelreihe: (2)

A ☐ Karzinome
B ☐ Papillome
C ☐ Neurinome
D ☐ Adenome
E ☐ Fibrome

142. Bösartiger Tumor des Epithelgewebes: (1)

A ☐ Sarkom
B ☐ Adenom
C ☐ Karzinom
D ☐ Osteom
E ☐ Hämatom

143. Welche Aussagen zu der arteriellen Embolie sind richtig: (6)

A ☐ man versteht darunter einen akuten Arterienverschluss durch abgeschwemmte Thromben
B ☐ der abgeschwemmte Thrombus kann aus dem peripheren venösen System kommen (paradoxe Embolie)
C ☐ als Streuherde gelten das linke Herz und die Aorta
D ☐ der abgeschwemmte Thrombus stammt immer aus dem venösen System
E ☐ die Arteria femoralis ist mit 45 % der Fälle häufigster Sitz der Embolie
F ☐ sie äußert sich meist mit hochgradigen Schmerzen der Gliedmaße durch Anoxie und Ischämie
G ☐ ein Pulsverlust besteht nicht
H ☐ die betreffende Extemität ist hochrot und hypertherm
J ☐ die Hochlagerung und Hypothermie durch Eispackungen ist die beste Sofortmaßnahme
K ☐ die kausale Therapie bei Verschluss großer Arterien besteht in der Embolektomie
L ☐ die kausale Therapie bei Verschluss großer Arterien besteht in einer Resektion des betreffenden Gefäßbereiches mit Blindverschluss der beiden Stümpfe innerhalb der ersten vier Stunden

---

141 B, D   142 C   143 A, B, C, E, F, K

144. Die Colitis ulcerosa: (8)

A ☐ zeigt als eines der Hauptsymptome blutige Durchfälle

B ☐ zeigt als eines der Hauptsymptome einen nicht beeinfluss-
baren Singultus

C ☐ ist eine Entzündung des Dickdarmes mit uneinheitlicher
Ätiologie

D ☐ ist eine Entzündung des oberen Dünndarmabschnittes, die auf
starkes Rauchen der Mutter während der Schwangerschaft
zurückzuführen ist

E ☐ zeigt, je früher sie auftritt, einen desto schwereren Verlauf

F ☐ neigt beim frühen Auftreten zur malignen Entartung des
Dickdarmes

G ☐ neigt niemals zur malignen Entartung

H ☐ zeigt krampfartige Bauchschmerzen, Gewichtsverlust und
psychische Veränderungen

J ☐ sollte innerhalb von 8–10 Jahren zur Abheilung gebracht
werden, da danach die maligne Entartungsbereitschaft rapide
zunimmt

K ☐ muss im Spätstadium (nach 10 Jahren) durch eine Prokto-
kolektomie therapiert werden

L ☐ kann akute Komplikationen in Form von Blutungen, Per-
forationen oder eines toxischen Megakolons hervorrufen

145. Der Wilms-Tumor: (6)

A ☐ ist ein sehr bösartiger Mischtumor des Kleinkindes (unter
6 Jahren)

B ☐ ist ein Adenosarkom, das Männer befällt, die schon eine
Prostatektomie hinter sich haben und meist älter als 60 Jahre
sind

C ☐ ist eine embryonale Mischgeschwulst

D ☐ ist der häufigste maligne Nierentumor des Kleinkindes

E ☐ ist sehr heimtückisch durch einen symptomfreien Verlauf

F ☐ kann schon im Frühstadium durch blutchemische Untersuchungen entdeckt werden

G ☐ verursacht schon im Frühstadium typische Schmerzen im
costovertebralen Winkel der betreffenden Seite

H ☐ verursacht heftige Nierenblutungen, da er immer in das
Nierenhohlsystem einbricht

J ☐ kann durch Ultraschall und Computertomogramm nachgewiesen werden

K ☐ bildet sich unter Zytostatika-Behandlung innerhalb weniger
Tage zurück

L ☐ wird mittels radikaler Nephrektomie entfernt

146. **Eine operativ angelegte Verbindung zweier Hohlorganlichtungen
nennt man: (1)**

A ☐ Bougie
B ☐ Anastomose
C ☐ Drainage
D ☐ Lavage
E ☐ Reposition
F ☐ Transposition

147. **Als Ursachen des akuten Abdomens kommen in Frage: (3)**

A ☐ eine Serumhepatitis
B ☐ eine akute Pankreatitis
C ☐ ein Mesenterialinfarkt
D ☐ eine thyreotoxische Krise
E ☐ die Perforation eines Ulcus ventriculi
F ☐ eine Pylorusstenose

---

146 B   147 B, C, E

148. Welche Aussagen zur pleuroperitonealen Zwerchfellhernie sind richtig: (6)

A ☐ sie entsteht durch eine Hemmungsmissbildung in der achten bis zehnten Schwangerschaftswoche

B ☐ sie entsteht durch eine Drehung des Kindes um die Längsachse während der Geburt

C ☐ es liegt eine Hemmungsmissbildung vor, in Form einer unvollkommenen Abtrennung von Brust- und Bauchhöhle, meist mit einer Lücke links posterolateral

D ☐ bereits intrauterin kann Bauchinhalt nach oben treten

E ☐ schon intrauterin treten Teile der Lunge und des Mediastinums in die Bauchhöhle

F ☐ man findet oftmals den ganzen Dünndarm in der Thoraxhöhle, der sich beim ersten Schrei mit Luft zu füllen beginnt und zu einer Kompression von Herz und Mediastinum führt

G ☐ beim ersten Schrei bläht sich die Lunge und führt zu einem mechanischen Ileus des Colon transversum

H ☐ sie erfordert eine sofortige chirurgische Intervention (50 % der Kinder sterben, bevor sie operiert werden können)

J ☐ Leitsymptome sind zunehmende Atemnot, Zyanose und fehlende Atmung auf der betroffenen Seite

K ☐ betroffene Kinder zeigen ein hochrotes Aussehen, schreien heftig und haben ein aufgetriebenes Abdomen

149. Ein Abszess ist: (1)

A ☐ eine Infektion in einer vorgeformten anatomischen Höhle

B ☐ eine generalisierte Infektion unter Einbeziehung von Lymph- und Blutbahnen

C ☐ ein Infektionsherd, der sich ohne Lokalisation in der Umgebung ausbreitet

D ☐ ein eingeschmolzener und abgeriegelter Infektionsherd (abgeschlossene Höhle im Gewebe), der später oftmals eine Membran bildet

---

148 A, C, D, F, H, J   149 D

150. Bei der Distorsion: (3)

A ☐ kann es zu einer ausschließlichen Überdehnung des Kapsel-
und Bandapparates kommen

B ☐ kann es zur Ruptur einzelner Bänder oder Kapselteile
kommen

C ☐ lässt sich der Schmerz durch Zug am Gelenk lindern

D ☐ kommt es zum Auftritt einer Krepitation

E ☐ wird der Schmerz durch Zug am Gelenk verstärkt

F ☐ handelt es sich um eine spezielle Therapieart von dislozierten
Frakturen und Subluxationen

151. Auf einen Erguss im Kniegelenk weisen hin: (2)

A ☐ ein positives Ortolani-Zeichen

B ☐ eine tanzende Patella

C ☐ verstrichene Gelenkkonturen

D ☐ eine lokale Hypothermie

E ☐ eine abnorme Beweglichkeit durch Auflockerung des
Bandapparates

152. Richtige Aussagen zur Phlegmone: (4)

A ☐ eine eitrige Gewebseinschmelzung, durch eine bindegewebige
Membran abgegrenzt

B ☐ in den Gewebezwischenräumen infiltrierend fortschreitende,
nekrotisierende Entzündung, nicht durch eine Membran
begrenzt

C ☐ eine Eiteransammlung in einer präformierten Höhle

D ☐ eine Antibiotikagabe ist im Regelfall sinnlos (Wirkstoffe
können Herd nicht erreichen)

E ☐ schmerzhafte und gerötete Schwellung

F ☐ unscharf begrenzte, schmerzhafte und gerötete Schwellung

G ☐ Fluktuation

H ☐ keine Fluktuation

J ☐ flammende Rötung der betroffenen Hautpartien mit scharfer
Abgrenzung

---

150 A, B, E   **151** B, C   **152** B, D, F, H

153. Charakteristisches Symptom bzw. Untersuchungsbefund bei einem Abszess: (1)

A ☐ Krepitation
B ☐ pergamentartiges Knistern
C ☐ petechiale Blutungen
D ☐ Fluktuation
E ☐ Kryptorchismus
F ☐ Fluxion

154. Der somatische Schmerz: (3)

A ☐ kann vom Patienten genau lokalisiert werden
B ☐ geht von der Körperoberfläche aus
C ☐ wird als dumpf und bohrend empfunden
D ☐ wird als schneidend und brennend empfunden
E ☐ ist vom Patienten nicht zu lokalisieren

155. Eine eitrige Entzündung der Beugeseite der Finger nennt man: (1)

A ☐ Polychromasie
B ☐ Panchondritis
C ☐ Panaritum
D ☐ Panarteriitis
E ☐ Panarthritis
F ☐ Polychondritis

156. Das Furunkel: (2)

A ☐ besteht aus multiplen, epifaszialen Nekrosen
B ☐ ist eine infizierte Haarwurzelnekrose
C ☐ ist eine Infektion der Lymphspalten, Lymphbahnen und Lymphknoten
D ☐ tritt nur an der Beugeseite der Finger auf
E ☐ ist eine bläuliche, schmerzhafte Schwellung der Finger durch eine Infektion
F ☐ gehört zu den pyogenen Infektionen

---

153 D   154 A, B, D   155 C   156 B, F

XVI. Gynäkologie – Geburtshilfe

1. Geburtshilfe

1. Gefahren eines vorzeitigen Blasensprungs sind: (3)
   A ☐ Frühgeburt
   B ☐ Nabelschnurvorfall
   C ☐ Plazentainsuffizienz
   D ☐ aszendierende Infektion

2. Gefahren von einer in der Gebärmutter verbliebenem Plazentarest: (2)
   A ☐ lebensbedrohliche Blutungen
   B ☐ puerperale Infektion
   C ☐ Entwicklung von Uterusmyomen

3. Eine Übertragung oder Spätgeburt: (3)
   A ☐ Prophylaxe ist eine pränatale Überwachung der Schwangeren und Durchführung einer Amnioskopie
   B ☐ ist eine Verlängerung der Schwangerschaftsdauer über die 42. Gestationswoche hinaus
   C ☐ ein übertragenes Neugeborenes gilt nicht als Risiko-neugeborenes
   D ☐ Ursache ist eine hohe Erregbarkeit der Uterusmuskulatur
   E ☐ eine Gefährdung des Kindes entsteht mit dem Eintreten einer Funktionseinschränkung der Plazenta durch Überalterung

4. Änderung des Lochialsekretes post partum: (1)
   A ☐ erste Woche blutige Lochien (Lochia nebra)
   B ☐ zweite Woche entfärbte Lochien (Lochia alba)
   C ☐ dritte Woche braunrote Lochien (Lochia fusca)

---

1 A, B, D   2 A, B   3 A, B, E   4 A

5. Normaler Fundusstand im Verlaufe des Wochenbettes: (3)

A ☐ zweiter Tag nach der Geburt, 2 Querfinger unterhalb des
Nabels

B ☐ Ende der ersten Woche, 2 Querfinger über der Symphyse

C ☐ zehnter Tag nach der Geburt, Symphysenhöhe

D ☐ Ende der ersten Woche, 1 Querfinger unter der Symphyse

6. Die Ultraschalldiagnostik in der Schwangerschaft: (2)

A ☐ gibt Auskunft über die Lage des Feten im Uterus

B ☐ dient zur Beurteilung des Fruchtwassers

C ☐ dient zur Beurteilung drohender Aborte

7. Indikationen für eine Schnittentbindung (Sectio caesarea): (2)

A ☐ Placenta praevia

B ☐ vordere Hinterhauptlage

C ☐ Risikoschwangerschaft mit erheblicher fetaler Gefährdung

D ☐ frühzeitig einsetzende Senkwehen

8. Nach erfolgtem Blasensprung soll die Schwangere: (1)

A ☐ unbedingt liegen, denn es besteht die Gefahr des Nabelschnur-
vorfalles

B ☐ viel laufen, um die Geburt zu beschleunigen

C ☐ viel trinken, um den Flüssigkeitsverlust auszugleichen

9. Blutungen in der letzten Zeit der Schwangerschaft sind verdächtig
auf: (1)

A ☐ Extrauteringravidität

B ☐ Uteruskarzinom

C ☐ Eklampsie

D ☐ Placenta praevia

---

5 A, B, C   6 A, C   7 A, C   8 A   9 D

10. Indikationen für die pränatale Fruchtwasserdiagnostik sind: (2)

A ☐ sehr frühes Gebäralter (bis zum 20. Lebensjahr)
B ☐ Verdacht auf neurale Spaltbildungen des Feten
C ☐ erhöhtes Gebäralter (ab 35. Lebensjahr)
D ☐ erworbene Enzymopathien in der Familie

11. Physiologische Reflexe des Neugeborenen: (3)

A ☐ Saugreflex
B ☐ Schluckreflex
C ☐ Mororeflex
D ☐ Babinskireflex

12. Eine Blasenmole ist: (1)

A ☐ eine Zottenbildung in der Harnblase
B ☐ eine Entartung der Chorionzotten
C ☐ eine Atonie der Harnblase

13. Bei der endgültigen Abnabelung wird die Nabelschnur: (1)

A ☐ etwa 10 cm von der Nabelklemme entfernt abgeschnitten
B ☐ etwa 5 cm von der Nabelklemme entfernt abgeschnitten
C ☐ etwa 1 cm von der Nabelklemme entfernt abgeschnitten

14. Wie gelangt das befruchtete Ei in den Uterus: (2)

A ☐ durch die Tubenperistaltik
B ☐ nur durch Eigenbewegung
C ☐ durch den Flimmerstrom der Tubenepithelien
D ☐ indem es vom Uterus angesaugt wird

15. Hauptsymptome bei einer Tubarruptur: (2)

A ☐ hohes Fieber
B ☐ Schmierblutungen
C ☐ plötzlicher Schmerz im Unterbauch
D ☐ kleiner, tachykarder Puls

| 10 B, C | 11 A, B, C | 12 B | 13 C | 14 A, C | 15 C, D |

16. **Klassische Symptome der Präeklampsie: (3)**

A ☐ Blutzuckeranstieg
B ☐ Hypertonie
C ☐ Ödeme
D ☐ EKG-Veränderungen
E ☐ Proteinurie

17. **Von der Hypophyse gebildete Hormone: (2)**

A ☐ LH
B ☐ Östrogene
C ☐ Gestagene
D ☐ FSH
E ☐ Choriongonadotropin

18. **Bei welchen Kindslagen ist eine Spontangeburt unmöglich: (2)**

A ☐ Hinterhauptlage
B ☐ Querlage
C ☐ Gesichtslage
D ☐ Schräglage
E ☐ Steißlage

19. **In der Schwangerschaft ist: (2)**

A ☐ der Energiebedarf erhöht
B ☐ der Fettbedarf erhöht
C ☐ der Eiweißbedarf erhöht
D ☐ der Vitamin- und Calciumbedarf erhöht

20. **Ursachen von Fehlgeburten: (2)**

A ☐ schwere mütterliche Infektionen und Erkrankungen
B ☐ Fehlbildungen der Plazenta
C ☐ Sterilität
D ☐ Varizen

---

16 B, C, E   **17** A, D   **18** B, D   **19** C, D   **20** A, B

21. Häufigste Anämie der Schwangerschaft: (1)

   A ☐ hämolytische Anämie
   B ☐ Eisenmangelanämie
   C ☐ Blutungsanämie
   D ☐ perniziöse Anämie

22. Das Entstehen einer Mastitis puerperalis wird begünstigt durch: (2)

   A ☐ Milchstauung
   B ☐ Rhagadenbildung an der Brustwarze und am Warzenvorhof
   C ☐ zu frühes Anlegen des Säuglings
   D ☐ vollständige Entleerung der Brust

23. Die Amnioskopie ist: (1)

   A ☐ eine Spiegelung des kleinen Beckens
   B ☐ eine Fruchtwasserspiegelung
   C ☐ eine Spiegelung der Vagina und Portio

24. Mit Hilfe der Amniozentese gewinnt man: (1)

   A ☐ Fruchtwasser
   B ☐ Vaginalsmear
   C ☐ Zervixschleim

25. Anzeichen des Geburtsbeginns: (2)

   A ☐ regelmäßige Wehentätigkeit
   B ☐ Blasensprung
   C ☐ Einsetzen der Presswehen

26. Wie nennt man die Frucht im fünften Schwangerschaftsmonat: (1)

   A ☐ Embryo
   B ☐ Frühgeburt
   C ☐ Fetus

| 21 B | 22 A, B | 23 B | 24 A | 25 A, B | 26 C |

27. Was versteht man unter der Credé-Prophylaxe: (1)

A ☐ Impfung des Neugeborenen gegen Tuberkulose
B ☐ Schwangerschaftsgymnastik
C ☐ Krebsvorsorgeuntersuchungen
D ☐ Vorbeugung gegen die Ophthalmoblennorrhoe bei Neu-
geborenen

28. Woraus besteht der fetale Teil der Plazenta: (2)

A ☐ Hydramnion
B ☐ Chorionepithel
C ☐ Amnionepithel
D ☐ Decidua basalis

29. Die immunologischen und biologischen Schwangerschaftsreaktionen
beruhen auf dem Nachweis von: (1)

A ☐ HCG (Humanes Chorion-Gonadotropin)
B ☐ FSH (follikelstimulierendes Hormon)
C ☐ LTH (luteotropes Hormon)

30. Maßnahme während der Eröffnungsperiode: (1)

A ☐ Kontrolle der Wehentätigkeit in Kombination mit
Registrierung der fetalen Herztöne (CTG)
B ☐ Dammschutz und Entwicklung des Kindes
C ☐ Rückenlagerung der Schwangeren im Kreißbett
D ☐ Anleitung zum Mitpressen

31. Charakteristisches Symptom der puerperalen Infektion: (1)

A ☐ Anurie
B ☐ übelriechende Lochien
C ☐ Kreuzschmerzen
D ☐ erhöhte BSG
E ☐ Brennen beim Wasserlassen

| 27 D | 28 B, C | 29 A | 30 A | 31 B |

32. Zu den biologischen Schwangerschaftstests gehören: (2)

A ☐ Aschheim-Zondek-Test
B ☐ Schilling-Test
C ☐ Gastracid-Test
D ☐ Galli-Mainini-Test
E ☐ Gonavislide-Test

33. Vorzeichen eines eklamptischen Anfalls: (2)

A ☐ Sehstörungen (Flimmern, Schwarzsehen)
B ☐ Übelkeit, Erbrechen
C ☐ Wadenkrämpfe

34. Die Austreibungsperiode beginnt: (1)

A ☐ mit den ersten Wehen
B ☐ mit der vollständigen Erweiterung des Muttermundes
C ☐ mit dem Blasensprung
D ☐ nach der Geburt des Kindes

35. Der günstigste Zeitpunkt der Befruchtung liegt: (1)

A ☐ in der Mitte des Zyklus
B ☐ am Ende des Zyklus
C ☐ am Anfang des Zyklus

36. Der Anstieg der Basaltemperatur: (2)

A ☐ erfolgt nach der Ovulation
B ☐ erfolgt kurz vor der Menstruation
C ☐ wird bewirkt durch das Corpus luteum Hormon
D ☐ wird bewirkt durch das Östrogen

37. Die hormonalen Antikonzeptiva bewirken: (2)

A ☐ eine Unterdrückung der Ovulation
B ☐ eine Abtötung der Eizelle
C ☐ eine Zerstörung der Spermien
D ☐ eine Veränderung des Flimmerepithels in den Tuben
E ☐ eine Veränderung des Zervixschleimes

---

32 A, D   33 A, B   34 B   35 A   36 A, C   37 A, E

38. Die hormonalen Kontrazeptiva: (3)

A ☐ hemmen die Gonadotropinausschüttung aus dem HVL
B ☐ bewirken eine vorzeitige Erhöhung der Viskosität des Zervixschleims
C ☐ unterdrücken die Ovulation
D ☐ verhindern die Einnistung des befruchteten Eies
E ☐ zerstören die Samenzellen

39. Reife Keimzellen enthalten: (1)

A ☐ 23 Chromosomen
B ☐ 46 Chromosomen

40. Auf die Uterusschleimhaut wirken folgende Hormone: (2)

A ☐ Oxytocin
B ☐ Prolaktin
C ☐ Follikelreifungshormon
D ☐ Follikelhormon

41. Häufigste Ursachen für den Tod im Wochenbett: (1)

A ☐ puerperale Infektionen
B ☐ toxische Ursachen
C ☐ Blutungen
D ☐ Infektionskrankheiten

42. Die Ursachen des Kindbettfiebers wurden aufgedeckt von: (1)

A ☐ Joseph Lister
B ☐ Louis Pasteur
C ☐ Ignaz Semmelweis
D ☐ Robert Koch

---

38 A, B, C   39 A   40 A, D   41 C   42 C

43. Kardinalsymptome der EPH-Gestose: (3)

A ☐ Hypotonie
B ☐ Hypertonie
C ☐ Ödeme
D ☐ Proteinurie
E ☐ Fieber
F ☐ Rückenschmerzen

44. Welche Aussagen sind falsch: (2)

A ☐ die Befruchtungsfähigkeit der Eizelle beträgt nach der
Ovulation 6–8 Stunden
B ☐ die Samenzelle ist nur 10–12 Stunden befruchtungsfähig
C ☐ Ei- und Samenzelle besitzen einen haploiden Chromosomensatz
D ☐ die Eizelle besitzt ein X- und ein Y-Chromosom

45. Welches Hormon wird beim Schwangerschaftstest nachgewiesen: (1)

A ☐ follikelstimulierendes Hormon
B ☐ somatotropes Hormon
C ☐ Aldosteron
D ☐ Östrogene
E ☐ Choriongonadotropin

46. Was versteht man unter Cerclage: (1)

A ☐ einen operativen Verschluss des Zervikalkanals während der
Schwangerschaft
B ☐ einen Dammschnitt
C ☐ die Entnahme eines konusförmigen Gewebestückes aus der
Portio während der Schwangerschaft

47. In der Geburtshilfe wird der Name »Read« in Verbindung gebracht
mit der: (1)

A ☐ Blennorrhoe-Prophylaxe
B ☐ Lagerung in der Nachgeburtsperiode
C ☐ Lösung der Plazenta
D ☐ Gymnastik und Entspannungsübung

---

43 B, C, D   44 B, D   45 E   46 A   47 D

48. Unsichere Zeichen der Schwangerschaft: (3)

A ☐ abnorme Gelüste
B ☐ die Vergrößerung der Gebärmutter
C ☐ das Hören kindlicher Herztöne
D ☐ das sichere Fühlen von Kindsteilen
E ☐ morgendliches Erbrechen

49. Welche Infektionskrankheit der Mutter während der Schwangerschaft kann bei der Frucht zu Herzfehlern, Augenfehlern, Innenohrschädigungen führen: (1)

A ☐ Tuberkulose
B ☐ Masern
C ☐ Röteln
D ☐ Meningitis

50. Wie lange dauert ein typischer eklamptischer Anfall: (1)

A ☐ 5–10 Sekunden
B ☐ 20–30 Sekunden
C ☐ 1– 2 Minuten
D ☐ 10–20 Minuten

51. Gestosen: (1)

A ☐ sind durch die Schwangerschaft bedingte Krankheitszustände
B ☐ sind schwangerschaftsunabhängige Erkrankungen
C ☐ treten nur in der Frühschwangerschaft auf

52. Die Dauer des Wochenbettes beträgt nach der Entbindung: (1)

A ☐ 7–10 Tage
B ☐ 2– 4 Wochen
C ☐ 6– 8 Wochen

---

48 A, B, E   49 C   50 C   51 A   52 C

53. Als »Lochien« bezeichnet man: (1)

A ☐ die Symptome bei der Gonorrhoe
B ☐ den normalen Wochenfluss
C ☐ die erste Menstruation nach der Entbindung
D ☐ die Symptome beim Uteruskarzinom

54. Wo steht der Fundus uteri im sechsten Schwangerschaftsmonat: (1)

A ☐ 2 Querfinger unter dem Nabel
B ☐ 2 Querfinger oberhalb der Symphyse
C ☐ in Nabelhöhe
D ☐ am Rippenbogen

55. Episiotomie ist ein: (1)

A ☐ Dammriss
B ☐ Dammschnitt
C ☐ operativer Verschluss des Zervikalkanals

56. Sichere Zeichen der Schwangerschaft: (4)

A ☐ Das Hören kindlicher Herztöne
B ☐ Striae
C ☐ Vergrößerung des Uterus
D ☐ sicheres Fühlen von Kindsteilen
E ☐ sichere Wahrnehmung von Kindsbewegungen
F ☐ Nachweis des Kindes durch Ultraschall

57. Zu den Aufgaben der Schwangerenbetreuung gehört nicht: (1)

A ☐ die psychologische Geburtsvorbereitung
B ☐ die Beurteilung der Geburtswege
C ☐ die Kontrolle des kindlichen Wachstums
D ☐ die Credé-Prophylaxe

---

53 B   **54** C   **55** B   **56** A, D, E, F   **57** D

58. Welcher Tumor verursacht eine positive Schwangerschaftsreaktion: (1)

A ☐ das Chorionepitheliom
B ☐ das Myom
C ☐ das Ovarialkarzinom

59. Aus welchem Grund wird eine Episiotomie durchgeführt: (1)

A ☐ zur Einleitung der Geburt
B ☐ zur Verhütung eines Dammrisses
C ☐ zur Blasensprengung
D ☐ zur Diagnostik eines Zervixkarzinoms

60. In der Schwangerschaft kommt es zu einer Erhöhung der BSG: (1)

A ☐ durch Vermehrung der Globuline im Blut
B ☐ durch Erhöhung der Wasserretention im Gewebe
C ☐ durch die eiweißreiche Ernährung

61. Der Fundus uteri steht im neunten Schwangerschaftsmonat: (1)

A ☐ 2 Querfinger oberhalb der Symphyse
B ☐ in Nabelhöhe
C ☐ 2 Querfinger oberhalb des Nabels
D ☐ am Rippenbogen

62. Risikofaktoren in der Schwangerschaft: (2)

A ☐ Diabetes mellitus
B ☐ Blutgruppeninkompatibilität
C ☐ Erstgebärende
D ☐ Hinterhauptslage des Kindes

63. Die Amnioskopie gibt Auskunft über: (1)

A ☐ die Größe des Kindes
B ☐ das Geschlecht des Kindes
C ☐ die Farbe und Beschaffenheit des Fruchtwassers

| 58 A | 59 B | 60 A | 61 D | 62 A, B | 63 C |

64. Die Befruchtung der weiblichen Eizelle findet statt: (1)

A ☐ im Uterus
B ☐ in den Tuben
C ☐ im Ovar
D ☐ in der Vagina

65. Mit dem Ultraschallgerät kann man die kindlichen Herztöne (erstmals) hören: (1)

A ☐ etwa nach der 16.–18. Schwangerschaftswoche
B ☐ etwa nach der 10.–12. Schwangerschaftswoche

66. Maßnahmen der Thromboseprophylaxe im Wochenbett: (2)

A ☐ vitaminreiche Kost
B ☐ erhöhte Flüssigkeitszufuhr
C ☐ frühes Aufstehen nach der Entbindung
D ☐ strenge Bettruhe
E ☐ Antithrombosestrümpfe / Wickeln der Beine

67. Welche Untersuchungen sind in der Schwangerschaft wichtig: (3)

A ☐ Urinuntersuchungen
B ☐ Blutdruckkontrollen
C ☐ Blutgruppen- und Rh-Faktor-Bestimmung
D ☐ Stuhluntersuchungen
E ☐ Thoraxaufnahmen

68. Von der Konzeption bis zur Geburt beträgt die durchschnittliche Schwangerschaftsdauer ca.: (1)

A ☐ 250 Tage
B ☐ 260 Tage
C ☐ 270 Tage
D ☐ 280 Tage

---

64 B   65 B   66 C, E   67 A, B, C   68 C

69. **Zur Erstuntersuchung der Schwangeren gehört nicht: (1)**

A ☐ Röteln-Antikörper-Suchtest
B ☐ Blutgruppenbestimmung
C ☐ Blutdruckmessung
D ☐ Kardiotokographie

70. **Was versteht man unter dem Begriff Hydramnion: (1)**

A ☐ eine Flüssigkeitsansammlung in der Pleurahöhle
B ☐ eine Ablösung der Eihäute
C ☐ einen Aszites
D ☐ eine abnorme Vermehrung der Fruchtwassermenge

71. **Eine Zervixinsuffizienz: (3)**

A ☐ ist eine Verschlussschwäche des Gebärmutterhalses
B ☐ wird in der Schwangerschaft durch Cerclage behandelt
C ☐ wird durch eine Konisation behandelt
D ☐ kann zu Spätaborten führen

72. **Der wahrscheinliche Geburtstermin eines Kindes wird nach der Naegele-Regel errechnet: (1)**

A ☐ vom Zeitpunkt des Geschlechtsverkehrs an
B ☐ vom Zeitpunkt der Vereinigung von Ei und Samenzelle an
C ☐ vom ersten Tag der letzten Menstruation an

73. **Das Fruchtwasser: (2)**

A ☐ dient als Temperaturausgleich
B ☐ dient als Schutz gegen Traumen
C ☐ ist die einzige Nahrungsquelle des ungeborenen Kindes
D ☐ spielt bei der Geburt eine entscheidende Rolle

---

69 D   70 D   71 A, B, D   72 C   73 A, B

74. Unter einer protrahierten Geburt versteht man eine: (1)

A □ vorzeitig eingeleitete Geburt
B □ Sturzgeburt
C □ Übertragung des Kindes
D □ verzögerte, lang andauernde Geburt
E □ Geburt durch Kaiserschnitt

75. Am Ende der sechzehnten Schwangerschaftswoche beträgt die Länge des Feten: (1)

A □ 4 cm
B □ 8 cm
C □ 16 cm
D □ 32 cm

76. Neugeborene mit einem Geburtsgewicht von 2500 g und darunter werden bezeichnet als: (1)

A □ Fehlgeburt
B □ Mangelgeburt
C □ Riesenkinder
D □ reife Kinder

77. Als Fehlgeburt bezeichnet man: (1)

A □ eine Unterbrechung der Schwangerschaft
B □ die Ausstoßung der Frucht innerhalb der ersten 28 Wochen
C □ ein Kind, das während der Geburt stirbt
D □ ein Risikokind

78. Kennzeichen einer reifen Frucht: (1)

A □ Fingernägel überragen nicht die Fingerkuppen
B □ Gewicht 2 900 – 3 600 g
C □ Körperlänge 35 – 45 cm

---

74 D   75 C   76 B   77 B   78 B

79. **Die normale Länge der Nabelschnur beträgt: (1)**

A ☐ 30 cm
B ☐ 50 cm
C ☐ 80 cm
D ☐ 100 cm

80. **Wie viel Kilogramm nimmt die Mutter durchschnittlich bis zum Ende der Schwangerschaft zu: (1)**

A ☐ 2– 6 kg
B ☐ 8–12 kg
C ☐ 15–20 kg

81. **Das Mekonium: (2)**

A ☐ hat eine schwarz-grünliche Farbe
B ☐ besteht aus Schleim, Hautzellen, Galle und Haaren
C ☐ ist sehr dünnflüssig
D ☐ wird vom Neugeborenen erst ab dritten Tag nach der Geburt entleert

82. **Die normale Farbe des Fruchtwassers ist: (1)**

A ☐ rötlich
B ☐ bräunlich
C ☐ grauweißlich
D ☐ grünlich

83. **Eine normale Schwangerschaft dauert: (1)**

A ☐ 8 Lunarmonate
B ☐ 9 Lunarmonate
C ☐ 10 Lunarmonate

84. **Hyperemesis gravidarum: (2)**

A ☐ ist ein unstillbares Erbrechen
B ☐ kann zu Stoffwechselstörungen führen
C ☐ ist eine morgendliche Übelkeit mit Erbrechen
D ☐ führt nicht zur Azidose

79 B	80 B	81 A, B	82 C	83 C	84 A, B

85. Das schwangerschaftserhaltende Hormon ist: (1)

A ☐ Östradiol
B ☐ Progesteron
C ☐ Choriongonadotropin
D ☐ das somatotrope Hormon

86. Blutgefäße der Nabelschnur: (1)

A ☐ eine Arterie und eine Vene
B ☐ zwei Arterien und eine Vene
C ☐ zwei Venen und eine Arterie

87. Vena cava-Kompressionssyndrom: (2)

A ☐ tritt auf bei Rückenlagerung der Schwangeren
B ☐ kann zu einem schweren Kreislaufkollaps führen
C ☐ tritt bei längerem Stehen der Schwangeren auf
D ☐ kann zu einem Orthostasekollaps führen

88. Von der Placenta praevia spricht man: (1)

A ☐ wenn die Plazenta hoch im Fundus des Uteruskörpers sitzt
B ☐ wenn die Nachgeburt verzögert ausgestoßen wird
C ☐ wenn die Plazenta im unteren Uterussegment sitzt und den
    inneren Muttermund ganz oder teilweise bedeckt
D ☐ wenn die Plazentafunktion vorzeitig nachlässt

89. Das Gewicht der Plazenta einer reifen Frucht beträgt: (1)

A ☐ 100 – 300 g
B ☐ 400 – 600 g
C ☐ 700 – 1000 g

90. Extrauteringravidität ist eine: (1)

A ☐ Schwangerschaft ohne Befruchtung (Scheinschwangerschaft)
B ☐ Eileiterschwangerschaft
C ☐ Frühgeburt
D ☐ Schnittentbindung

| 85 B | 86 B | 87 A, B | 88 C | 89 B | 90 B |

91. Zu den Kontrolluntersuchungen der Schwangerschaft gehört nicht: (1)

A ☐ Feststellung der Kindslage
B ☐ Urinuntersuchung (Eiweiß, Zucker, Sediment)
C ☐ Röntgenaufnahme des Thorax

92. Maßnahmen während der Nachgeburtsperiode: (2)

A ☐ Dammschutz, evtl. Episiotomie
B ☐ Gewinnung der Plazenta
C ☐ vorläufiges Abnabeln des Kindes
D ☐ Kontrolle der Planzenta auf Vollständigkeit

93. Risikoneugeborene sind: (2)

A ☐ Neugeborene diabetischer Mütter
B ☐ Neugeborene mit einem Geburtsgewicht von 3500 Gramm
C ☐ Neugeborene nach Placenta praevia

94. Die Ovulation kann festgestellt werden durch: (3)

A ☐ die Messung der Basaltemperatur
B ☐ die Prüfung der Spinnbarkeit des Zervikalschleims
C ☐ den Farnkrauttest
D ☐ den Serofarbtest
E ☐ den HCG-Test

95. Mit Hilfe der Kardiotokographie: (1)

A ☐ wird nur der kindliche Herzschall aufgezeichnet
B ☐ werden die Wehentätigkeit des mütterlichen Uterus und die kindlichen Herzaktionen dargestellt
C ☐ wird die mütterliche Herzaktion aufgezeichnet

---

91 C   92 B, D   93 A, C   94 A, B, C   95 B

96. Striae gravidarum: (2)

A ☐ sind Symptome des Morbus Cushing
B ☐ sind blaurötliche Dehnungsstreifen, die später gelbweißlich
werden
C ☐ bilden sich durch Dehnung der elastischen Hautfasern
E ☐ entstehen durch Erhöhung des Glukokortikoidspiegels

97. Die Lebensfrische des Neugeborenen wird nach dem Apgar-Schema
bewertet, das u. a. folgende Kriterien enthält: (3)

A ☐ Atmung
B ☐ Muskeltonus
C ☐ Herzschlag
D ☐ Größe
E ☐ Gewicht
F ☐ Patellarsehnenreflex

---

96 B, C   97 A, B, C

2. Gynäkologie

1. Warnsymptome maligner Tumoren der Brustdrüse: (3)
   A □ bräunlich, blutige Sekretion aus der Mamille
   B □ Schwellung der axillaren Lymphknoten
   C □ prämenstruelle Schmerzen in der Brust
   D □ tastbare nicht verschiebliche Verhärtungen

2. Beim Mammakarzinom erfolgt die Metastasierung: (3)
   A □ lymphogen und haematogen
   B □ in die Ovarien
   C □ in die Leber
   D □ in das Skelettsystem
   E □ in die Nieren

3. Nachuntersuchungen nach einer Karzinomerkrankung
   (Mammakarzinom, Genitalkarzinom): (3)
   A □ Kontrollen sind notwendig um Lokalrezidive oder eine
       Metastasierung frühzeitig zu erkennen
   B □ Nachkontrollen sollen in den ersten zwei Jahren nach der
       Primärtherapie alle drei Monate durchgeführt werden
   C □ Nachuntersuchungen sind nach operativen Eingriffen nur
       einmal jährlich notwendig
   D □ ein Knochenmetastasen-Nachweis ist nicht erforderlich, da das
       Mammakarzinom nicht in die Knochen metastasiert
   E □ Untersuchungen des Blutes: Blutbild, Leukozyten, BSG,
       Gesamteiweiß, Leberenzyme, müssen regelmäßig erfolgen
   F □ nicht erforderlich sind das Röntgen von Lunge, Becken und
       Wirbelsäule

---

1 A, B, D   2 A, C, D   3 A, B, E

4. **Descensus uteri: (4)**

A ☐ die Ursache ist eine Beckenbodeninsuffizienz
B ☐ ist eine Lageveränderung des Uterus
C ☐ ist ein Gebärmuttervorfall
D ☐ führt vermehrt zu Entzündungen der ableitenden Harnwege
E ☐ ist eine Abknickung des Uterus nach vorn (Anteversio-ante-flexio)
F ☐ oft entwickelt sich eine Stressinkontinenz

5. **Kontraindikationen der Östrogenbehandlung im Klimakterium: (2)**

A ☐ atrophische Kolpitis
B ☐ Thrombosen und Embolien
C ☐ Urethrozystitis
D ☐ Hepatitis

6. **Die Östrogene: (2)**

A ☐ bewirken den Aufbau der Uterusschleimhaut in der Proliferationsphase
B ☐ regulieren den Mineralstoffwechsel
C ☐ fördern die Ausbildung der weiblichen Geschlechtsmerkmale
D ☐ fördern die Funktion der Schilddrüse

7. **Erforderliche diagnostische Maßnahme bei Blutungen in der Postmenopause: (1)**

A ☐ Abrasio
B ☐ Konisation
C ☐ Hysterosalpingographie

8. **Kontraindikationen für Ovulationshemmer sind: (2)**

A ☐ Lebererkrankungen
B ☐ Thrombosen
C ☐ Nierensteine
D ☐ Ovarialinsuffizienz
E ☐ Endometriose

---

4 A, B, D, F   5 B, D   6 A, C   7 A   8 A, B

9. Eine diagnostische und therapeutische Maßnahme beim Carcinoma in situ der Zervix ist die: (1)

A ☐ Abrasio
B ☐ Schiller-Jodprobe
C ☐ Konisation
D ☐ Kolposkopie

10. Dysmenorrhoe ist eine: (1)

A ☐ zu oft auftretende Menstruationsblutung
B ☐ zu starke Menstruationsblutung
C ☐ mit Schmerzen auftretende Menstruationsblutung
D ☐ zu selten auftretende Menstruationsblutung

11. Welche Maßnahmen sind zur Erkennung des Zervixkarzinoms am besten geeignet: (2)

A ☐ Zellabstrich von der Portio
B ☐ Kolpomikroskopie
C ☐ Hysterosalpingographie
D ☐ Pertubation
E ☐ Urinuntersuchungen

12. Unter einer Uterusexstirpation versteht man: (1)

A ☐ eine Lageveränderung des Uterus
B ☐ ein Uterusmyom
C ☐ eine operative Entfernung des Uterus
D ☐ eine Uterus-Radiumeinlage

13. Uterusmyome: (2)

A ☐ sind gutartige Geschwülste der glatten Muskulatur
B ☐ entstehen und wachsen unter Einwirkung von Östrogen
C ☐ treten erst in der Menopause auf
D ☐ sind hormonunabhängige Tumoren

| 9 C | 10 C | 11 A, B | 12 C | 13 A, B |

14. Eine Tubenligatur verhindert: (1)

    A ☐ die Bildung von Progesteron
    B ☐ die Befruchtung der Eizelle
    C ☐ die Menstruation
    D ☐ die Ovulation
    E ☐ die Sekretionsphase des Uterus

15. Pyometra ist: (1)

    A ☐ ein Abszess im Douglas-Raum
    B ☐ ein Ovarialtumor
    C ☐ eine Eiteransammlung im Cavum uteri
    D ☐ ein Karzinom des Endometriums

16. Die Sterilisierung der Frau: (1)

    A ☐ erfolgt durch Ligatur und Durchtrennung der Eileiter
    B ☐ erfolgt durch Hormonbehandlung
    C ☐ erfolgt durch operative Entfernung der Eierstöcke

17. Die Trichomonadenkolpitis ist: (1)

    A ☐ eine Infektion der Scheide durch Parasiten
    B ☐ eine meldepflichtige Geschlechtskrankheit
    C ☐ ein beginnendes Vaginalkarzinom
    D ☐ eine Infektion der Scheide durch Bakterien

18. Als Klimakterium bezeichnet man: (1)

    A ☐ die letzten Regelblutungen
    B ☐ die Übergangsphase von der vollen Geschlechtsreife bis zum
        Senium
    C ☐ eine Form der Depression

19. Menorrhagien sind: (1)

    A ☐ verlängerte Regelblutungen
    B ☐ schmerzhafte Regelblutungen
    C ☐ schwache Regelblutungen

---

14 B   15 C   16 A   17 A   18 B   19 A

20. Was versteht man unter einer Konisation: (1)

A ☐ die Entnahme eines konusförmigen Gewebstückes aus der Portio

B ☐ einen operativen Verschluss des Zervikalkanals

C ☐ einen Dammschnitt

21. Bei der Endometriose handelt es sich um: (1)

A ☐ eine Entzündung der Uterusschleimhaut

B ☐ eine funktionstüchtige Uterusschleimhaut außerhalb des normalen Bereiches

C ☐ eine Verdickung des Beckenbindegewebes

22. Folge der Endometriose ist: (1)

A ☐ ein therapieresistenter Fluor vaginalis

B ☐ eine zyklisch auftretende Blutung aus Blase und Rektum

C ☐ eine Amenorrhoe

D ☐ eine Entzündung der Uterusschleimhaut

23. Menstruationsstörungen können bedingt sein durch: (2)

A ☐ körperliche Überanstrengung

B ☐ hormonelle Störungen

C ☐ zu reichliche Nahrungszufuhr

D ☐ zu wenig Bewegung

24. Descensus uteri ist: (1)

A ☐ eine Senkung der Gebärmutter

B ☐ eine Entzündung der Gebärmutter

C ☐ ein Vorfall der Gebärmutter

25. Ursachen eines Descensus uteri: (2)

A ☐ Anteflexio-Anteversio-Lage des Uterus

B ☐ Übergewicht

C ☐ konstitutionelle Bindegewebschwäche

| 20 A | 21 B | 22 B | 23 A, B | 24 A | 25 B, C |

26. Bösartige Geschwülste am weiblichen Genital sind: (2)

A ☐ Chorionepitheliom
B ☐ Kollumkarzinom
C ☐ Myom
D ☐ Schokoladenzyste

27. Die erste Phase des menstruellen Zyklus ist die: (1)

A ☐ Sekretionsphase
B ☐ Proliferationsphase
C ☐ Corpus-luteum-Phase

28. Menopause ist: (2)

A ☐ das Ende der zyklischen Ovarialfunktion
B ☐ die Zeit zwischen zwei Menstruationen
C ☐ der Zeitpunkt der letzten Regel
D ☐ das Klimakterium

29. Ursachen für Lageveränderungen des Uterus: (2)

A ☐ Dysmenorrhoen
B ☐ Insuffizienz des Beckenbodens
C ☐ Erschlaffung des Haft- und Bandapparates
D ☐ Adnexitis

30. Möglichkeiten der Kastration: (2)

A ☐ operative Entfernung der Keimdrüsen (Hoden, Ovarien)
B ☐ Ausschaltung der Keimdrüsen (Hoden, Ovarien) durch Röntgenbestrahlung
C ☐ Unterbindung oder Durchtrennung der Tuben
D ☐ Unterbindung oder Durchtrennung der Samenleiter

31. Kolpitis ist eine: (1)

A ☐ Entzündung der Zervix
B ☐ Entzündung der Vagina
C ☐ Entzündung von Tube und Ovar
D ☐ Entzündung der Vulva

---

26 A, B   27 B   28 A, C   29 B, C   30 A, B   31 B

32. **Unter einer Amenorrhoe versteht man: (1)**

A ☐ eine zu seltene Regelblutung
B ☐ eine zu schwache Regelblutung
C ☐ ein Fehlen der Regelblutung
D ☐ eine unregelmäßige Regelblutung

33. **Eine Dermoidzyste ist: (1)**

A ☐ eine Zyste in der weiblichen Brust
B ☐ ein Ovarialkarzinom
C ☐ eine angeborene Missbildung

34. **Endometritis ist eine: (1)**

A ☐ Entzündung der Vagina
B ☐ Entzündung der Uterusschleimhaut
C ☐ Entzündung des Beckenbindegewebes

35. **Bartholinitis: (2)**

A ☐ ist eine entzündliche Zystenbildung im Bereich der Vulva
B ☐ ist der Primäreffekt bei der Lues
C ☐ tritt meistens einseitig auf
D ☐ ist ein bösartiger Tumor der Bartholin-Drüsen

36. **Unter einer Oophoritis versteht man: (1)**

A ☐ eine Entzündung der Eileiter
B ☐ eine Entzündung der Eierstöcke
C ☐ eine Entzündung der Vulva
D ☐ eine Entzündung der Uterusschleimhaut

37. **Die Soor-Kolpitis: (2)**

A ☐ wird hervorgerufen durch den Candida albicans-Pilz
B ☐ kann mit Moronal behandelt werden
C ☐ wird mit Penicillin behandelt
D ☐ ist eine Streptokokken-Infektion

32 C	33 C	34 B	35 A, C	36 B	37 A, B

38. Unter einem Kollumkarzinom versteht man: (1)

A ☐ ein Portio- und Zervixkarzinom
B ☐ ein Karzinom des Cavum uteri
C ☐ ein Vulvakarzinom

39. Eine Blutung nach der Menopause ist in erster Linie verdächtig auf: (1)

A ☐ ein Korpuskarzinom
B ☐ ein Uterusmyom
C ☐ einen Ovarialtumor
D ☐ einen Zervixpolypen

40. Der häufigste gutartige Tumor der weiblichen Brust ist das: (1)

A ☐ Sarkom
B ☐ Fibroadenom
C ☐ Lipom

41. Vaginalatresie ist: (1)

A ☐ eine zu enge Scheide
B ☐ ein Erregerbefall der Scheide
C ☐ ein angeborener Verschluss der Scheide

42. Zervixkarzinom: (2)

A ☐ ist der häufigste bösartige Genitaltumor der Frau
B ☐ starke Schmerzen im Unterleib sind ein Frühsymptom
C ☐ es entsteht überwiegend im Grenzbereich von Plattenepithel und Drüsenepithel der Cervix uteri

43. Zur gesunden Scheidenflora gehören: (2)

A ☐ Streptokokken
B ☐ Milchsäurebakterien
C ☐ Candida albicans
D ☐ Kolibakterien
E ☐ Döderlein-Stäbchen

---

38 A   39 A   40 B   41 C   42 A, C   43 B, E

44. **Erstes Symptom eines Korpuskarzinoms: (1)**

A ☐ Blutungen in der Menopause
B ☐ Dysmenorrhoen
C ☐ starke Leibschmerzen

45. **Die Zykluslänge wird vor allem bestimmt durch die: (1)**

A ☐ Sekretionsphase
B ☐ Proliferationsphase
C ☐ Desquamationsphase
D ☐ Lutealphase

46. **Carcinoma in situ ist die Bezeichnung für: (2)**

A ☐ ein Oberflächenkarzinom
B ☐ ein sehr schnell wachsendes Karzinom
C ☐ ein Kollumkarzinom im Stadium Null
D ☐ ein Korpuskarzinom

47. **Das häufigste weibliche Genitalkarzinom ist das: (1)**

A ☐ der Vulva
B ☐ der Vagina
C ☐ des Uterus
D ☐ der Tuben
E ☐ der Ovarien

48. **Die häufigsten Folgen einer Adnexitis sind: (2)**

A ☐ Endometriose
B ☐ Korpuspolyp
C ☐ Sterilität
D ☐ Ovarialkarzinom
E ☐ Eileiterkarzinom
F ☐ Extrauteringravidität
G ☐ Fehlgeburten

---

44 A   45 B   46 A, C   47 C   48 C, F

49. Wichtigstes Frühsymptom des Gebärmutterhalskrebses: (1)

A ☐ Schmerz
B ☐ Anämie
C ☐ Hypermenorrhoe
D ☐ blutiger Ausfluss
E ☐ Gewichtsabnahme

50. Mammakarzinom: (1)

A ☐ Hauptsitz ist der untere innere Quadrant der Brustdrüse
B ☐ die Metastasierung erfolgt lymphogen in die regionären
    Lymphknoten
C ☐ Fernmetastasen entstehen im Magen und im Dickdarm

51. Korpuskarzinom: (2)

A ☐ ist ein Adenokarzinom
B ☐ ist das Genitalkarzinom der jüngeren Frau
C ☐ Leitsymptom ist die Blutung in der Postmenopause
D ☐ ist prognostisch ungünstiger als das Zervixkarzinom

52. Zur Diagnostik des Korpuskarzinoms gehört: (1)

A ☐ die Hysterosalpingographie
B ☐ die Kolposkopie
C ☐ die Abrasio
D ☐ die Chrobak-Sondenprobe

53. Normale Lage des Uterus bei einer geschlechtsreifen Frau: (1)

A ☐ Anteversio – Anteflexio uteri
B ☐ Retroversio uteri
C ☐ Elevatio uteri
D ☐ Dextroposito uterie
E ☐ Anteposito uteri

---

49 D   50 B   51 A, C   52 C   53 A

54. Zu den Krebsvorsorgeuntersuchungen der Frau gehören folgende Maßnahmen: (3)

A ☐ rektale Untersuchung
B ☐ Phosphatasenbestimmung
C ☐ Tomographie
D ☐ gynäkologische Untersuchung und Zellabstrich von der Portio
E ☐ Tastuntersuchung der Brust
F ☐ Blutbild und BSG

55. Wie groß ist der reine Blutverlust bei einer normalen Menstruation: (1)

A ☐ etwa   20 ml
B ☐ etwa   50 ml
C ☐ etwa 200 ml
D ☐ etwa 350 ml

56. Mittelschmerz ist: (1)

A ☐ der Schmerz bei einer Ovulation
B ☐ der Schmerz während der Menstruation
C ☐ ein Schmerz, der in der Mitte des Oberbauches lokalisiert ist

57. Das Gewicht des Uterus einer nicht schwangeren gesunden Frau beträgt etwa: (1)

A ☐   20– 40 g
B ☐   50– 80 g
C ☐ 100–200 g

58. Unter Menarche versteht man: (1)

A ☐ die erste Ovulation
B ☐ die erste Menstruation
C ☐ die Geschlechtsreife
D ☐ die Pubertät

---

54 A, D, E   55 B   56 A   57 B   58 B

59. Welche diagnostische und therapeutische Maßnahme ist zur Feststellung eines Korpuspolypen am besten geeignet: (1)
   A ☐ Abstrich von der Portio
   B ☐ Kolposkopie
   C ☐ Konisation
   D ☐ Abrasio

60. Ein Prolapsus uteri: (2)
   A ☐ ist eine Anomalie des Uterus
   B ☐ ist ein Vorfall der Gebärmutter
   C ☐ führt zu häufigen Zystitiden
   D ☐ kann zu einer Amenorrhoe führen

61. Welche Aussagen sind falsch: (3)
   A ☐ bei der Wertheim-Meigs-Operation werden vaginal Uterus und Adnexen entfernt
   B ☐ unter einer fraktionierten Abrasio versteht man die gesonderte Gewinnung von Zervixschleimhaut und Korpusschleimhaut
   C ☐ eine therapeutische Zervixkonisation wird durchgeführt bei einem Carcinoma in situ
   D ☐ die Wertheim-Meigs-Operation ist eine abdominale Radikalexstirpation von Uterus, Adnexen, parametranem Beckenbindegewebe, Lymphknoten und dem oberen Drittel der Vagina
   E ☐ stärkere Grade des Genitalprolapses bessern sich schnell durch Beckenbodengymnastik
   F ☐ Uterusmyome können durch eine Abrasio entfernt werden

62. Symptome einer Adnexitis: (2)
   A ☐ hohes Fieber
   B ☐ Leukopenie
   C ☐ Bauchdeckenspannung
   D ☐ blutige Stühle

---

59 D   60 B, C   61 A, E, F   62 A, C

63. Eine Mammographie ist eine: (1)

A ☐ röntgenologische Darstellung der weiblichen Brust
B ☐ Probeexzision
C ☐ röntgenologische Darstellung der Milchgänge
D ☐ nuklearmedizinische Untersuchung der weiblichen Brust

64. Eine Hypermenorrhoe ist: (1)

A ☐ eine verlängerte Regelblutung
B ☐ eine schmerzhafte Regelblutung
C ☐ eine verstärkte Regelblutung

65. Die Färbung der Portio-Zellabstriche erfolgt nach der: (1)

A ☐ Ziehl-Neelsen-Methode
B ☐ Giemsa-Methode
C ☐ Papanicolaou-Methode

---

63 A   64 C   65 C

XVII. Orthopädie

1. Das früheste Anzeichen für die sog. angeborene Hüftluxation ist: (1)
   A ☐ eine Asymetrie der Gesäßfalten
   B ☐ ein Watschelgang
   C ☐ die Schonhaltung des betroffenen Beines
   D ☐ der Berührungsschmerz der betroffenen Hüfte

2. Das Ortolani-Zeichen ist ein spür- und hörbares Schnappen an welchem Gelenk: (1)
   A ☐ Hüftgelenk
   B ☐ Schultergelenk
   C ☐ Kniegelenk
   D ☐ Ellenbogengelenk

3. Richtige Aussagen zur Schultersteife (»frozen shoulder«): (4)
   A ☐ Fibrosierung und Schrumpfung der Gelenkkapsel
   B ☐ häufiger primär als sekundär
   C ☐ häufiger sekundär als primär
   D ☐ verläuft in der primären Form in vier Stadien
   E ☐ disponiert sind junge Erwachsene
   F ☐ Funktionsstörungen erst relativ spät
   G ☐ eine kranio-mediale Verschiebung und Rotationsfehlstellung des fehlgebildeten Schulterblattes

4. Die unspezifische Spondylitis ist eine: (1)
   A ☐ durch unspezifische Erreger hervorgerufene Osteomyelitis eines Wirbelkörpers
   B ☐ Verschleißerkrankung im Bereich der Lendenwirbelsäule mit unbekannter Genese
   C ☐ Entzündung der Dornfortsätze
   D ☐ durch unspezifische Erreger verursachte Entzündung der Knorpelflächen des Kniegelenkes

---

1 A   2 A   3 A, C, D, F   4 A

5. Zu den aseptischen Knochennekrosen gehören nicht: (3)

A ☐ Morbus Paget
B ☐ Morbus Perthes
C ☐ Morbus Scheuermann
D ☐ Spondylitis tuberculosa

6. Das Stadium I des Morbus Sudeck zeigt folgende Symptome: (3)

A ☐ Hyperämie
B ☐ blasse Glanzhaut
C ☐ ödematöse Schwellung
D ☐ Muskelatrophie
E ☐ Spontan- und Bewegungsschmerz
F ☐ Kontrakturen

7. Die dynamische Hüftschraube (DHS): (1)

A ☐ wird zur Osteosynthese hüftgelenksnaher Oberschenkel-
     frakturen verwendet
B ☐ kommt zur Hüftkopffixierung bei der akuten Epiphysenlösung
     zur Anwendung
C ☐ dient der Fixierung von hüftgelenksnahen Fragmenten bei einer
     Beckenringfraktur

8. Richtige Aussagen zur Spondylitis tuberculosa: (5)

A ☐ bevorzugt untere BWS und LWS
B ☐ Brustwirbelsäule am häufigsten betroffen
C ☐ Frühsymptome wie bei den anderen Formen der Tuberkulose
D ☐ es kann zur Frühlähmung durch Einengung des Spinalkanals
     kommen
E ☐ CT und/oder NMR-Diagnostik sind ungeeignet
F ☐ lokalisierter Klopf- und Druckschmerz
G ☐ eine konservative Therapie ist nicht möglich
H ☐ eine absolute Operationsindikation sind neurologische Ausfälle

---

5 A, C, D   6 A, C, E   7 A   8 A, C, D, F, H

9. **Richtige Aussagen zur sog. angeborenen Hüftluxation: (4)**

A ☐ Vorkommen im Geschlechtsverhältnis Mädchen:Knaben 6:1
B ☐ tritt nur einseitig auf
C ☐ in ca. 40 % der Fälle doppelseitig
D ☐ immer erworben
E ☐ multifaktorielles Erbleiden
F ☐ nur eine operative Korrektur ist möglich
G ☐ die konservative Therapie steht am Anfang

10. **Eine entzündliche Gelenkerkrankung nennt man: (1)**

A ☐ Arthrose
B ☐ Arthritis
C ☐ Bursitis
D ☐ Arthrogryposis

11. **Richtige Aussagen zur Epiphysiolysis capitis femoris: (4)**

A ☐ typische Erkrankung des Neugeborenen
B ☐ tritt während der Pubertät auf
C ☐ in ca. 50−60 % der Fälle beidseitig
D ☐ tritt in ca. 80 % der Fälle nur einseitig auf
E ☐ die akute Epiphysenlösung ist ein orthopädischer Notfall
F ☐ meist ist eine konservative Therapie in Form einer strikten
Bettruhe für 4−6 Wochen erfolgreich
G ☐ es kommt nur die operative Therapie in Frage

12. **Die NEUTRAL-NULL-METHODE dient: (1)**

A ☐ der Beurteilung der Muskelkraft
B ☐ zur Dokumentation der Gelenkbeweglichkeit
C ☐ der Berechnung einer exakten Lage des Patienten auf dem
Extensionstisch
D ☐ zur Berechnung der Gelenkwinkel bei Anlage von Arm- und
Beingipsverbänden

---

9 A, C, E, G   10 B   11 B, C, E, G   12 B

13. **Das wichtigste Untersuchungsverfahren der Neugeborenenhüfte: (1)**

A ☐ Ultraschall
B ☐ CT
C ☐ NMR
D ☐ Arthroskopie

14. **Die Einengung beim Karpaltunnelsyndrom betrifft den: (1)**

A ☐ Nervus medianus
B ☐ Nervus radialis
C ☐ Nervus ulnaris
D ☐ Nervus ischiadicus

15. **Das Plasmozytom: (4)**

A ☐ ist der häufigste primäre bösartige Knochentumor
B ☐ das bevorzugte Erkrankungsalter liegt zwischen 3–5 Jahren
C ☐ die Betroffenen sind meist älter als 40 Jahre
D ☐ geht vom Knochenmarksraum aus
E ☐ entwickelt sich in Gelenkkapseln, Muskeln und Sehnen
F ☐ es kommt zu persistierenden unklaren Knochenschmerzen
G ☐ verläuft völlig beschwerdefrei (=Zufallsbefund)

16. **Die häufigste orthopädisch-geburtstraumatische Verletzung ist: (1)**

A ☐ die obere Armplexuslähmung
B ☐ die Schulterluxation
C ☐ die Schlüsselbeinfraktur
D ☐ eine Epiphysenverletzung
E ☐ eine Fraktur eines langen Röhrenknochens

17. **Die Bursitis ist eine: (1)**

A ☐ Entzündung der Strecksehnen der Finger
B ☐ Schleimbeutelentzündung
C ☐ Entzündung der Knorpelflächen des Kniegelenkes
D ☐ aseptische Knochennekrose des zweiten Halswirbels
E ☐ Entzündung der Gelenkfortsätze der Brustwirbelkörper

---

13 A   14 A   15 A, C, D, F   16 C   17 B

18. Klinische Zeichen eines lumbalen Bandscheibenschadens: (6)

A ☐ Lasègue-Zeichen negativ

B ☐ Lasègue-Zeichen positiv

C ☐ auslösbarer Ortolani-Klick

D ☐ Steifhaltung des betreffenden Wirbelsäulenabschnittes

E ☐ Schmerzausstrahlung in den Unterleib, Blasen- und Darmdrang können einen »akuten Bauch« vortäuschen

F ☐ Paresen im Bereich der Unterschenkelmuskulatur

G ☐ es besteht ein positives Trendelenburg-Zeichen

H ☐ Druckschmerz im Bereich des betroffenen Lumbalabschnittes

J ☐ entsprechend der Höhe des Vorfalles kann es zu einer Quadriceps-Schwäche oder einer Fußheberschwäche kommen

K ☐ starke Verminderung des Gesamteiweißes im Liquor

L ☐ Druckminderung im Duralraum

M ☐ der Patient zeigt eine Kyphose der BWS

19. Die progressive Muskeldystrophie: (3)

A ☐ ist eine angeborene, erbliche Stoffwechselstörung der quergestreiften Muskulatur

B ☐ beruht auf einem stoffwechselbedingten Zerfall der längsgestreiften Muskulatur

C ☐ zeigt einen erhöhten CK-Wert im Serum

D ☐ zeigt einen erhöhten SGPT-Wert im Serum

E ☐ kann durch Krankengymnastik im Verlauf günstig beeinflusst werden

F ☐ kann nur symptomatisch behandelt werden (keine Kausaltherapie)

---

20. **Beim muskulären Schiefhals: (4)**

A ☐ ist der Kopf zur gesunden Seite geneigt, Gesicht und Kinn zur kranken Seite gedreht

B ☐ ist der Kopf zur kranken Seite geneigt, Gesicht und Kinn zur gesunden Seite gedreht

C ☐ besteht eine Gesichtsasymmetrie

D ☐ ist die krankseitige Gesichtshälfte schmaler und länger

E ☐ ist der M.sternocleidomastoideus einseitig verkürzt

F ☐ besteht eine skoliotische Haltung der Wirbelsäule

G ☐ zeigt der Patient eine Brustwirbelsäulenkyphose

21. **Unter Endoprothese versteht man: (1)**

A ☐ den Ersatz eines fehlenden Gliedmaßenteiles

B ☐ den Ersatz eines erkrankten oder zerstörten Gewebeteiles bzw. Organteiles durch nachgebildete Ersatzstücke aus Fremdmaterial

C ☐ den Ersatz eines fehlenden Knochenteiles durch einen Knochenteil eines tierischen Spenders

22. **Aussagen zur akuten Osteomyelitis: (5)**

A ☐ entsteht durch Ansiedlung von Eitererregern, vorwiegend auf dem Blutweg (zahlreiche Streuherde)

B ☐ sie befällt vorwiegend die großen Gelenke

C ☐ entsteht immer durch direkte Traumen der Knochen mit Ansiedlung von ubiquitären Keimen

D ☐ befällt vorwiegend die langen Röhrenknochen

E ☐ der Knochen ist druckempfindlich

F ☐ sie verläuft absolut symptomlos (Zufallsbefund)

G ☐ Symptome: Herdumgebung gerötet und geschwollen, Belastungsschmerz, Fieber, BKS-Erhöhung

H ☐ es kann zur Sequesterbildung kommen

J ☐ die Therapie ist grundsätzlich operativ

---

20 B, C, E, F   21 B   22 A, D, E, G, H

23. Bei der Perthes-Erkrankung handelt es sich um: (1)

A ☐ eine septische Nekrose der proximalen Femurkopfepiphyse

B ☐ eine aseptische Nekrose der proximalen Femurkopfepiphyse

C ☐ ein pubertäres Wirbelgleiten infolge angeborener Bindegewebs-schwäche

D ☐ die einzige Komplikation der Hüftgelenktuberkulose des Jugendlichen

E ☐ die degenerative Erkrankung des Daumengrundgelenkes

F ☐ ein spontanes Auseinanderweichen eines oder beider Iliosakral-gelenke

24. Zu den Symptomen der progessiv chronischen Polyarthritis gehören: (4)

A ☐ Müdigkeit, Abgeschlagenheit, Gewichtsverlust (Prodromal-stadium)

B ☐ Schwellung, Rötung und eventuell Ergussbildung an den großen Gelenken (Knie, Hüfte)

C ☐ allmählicher Beginn mit zunehmenden Schmerzen und Gelenkschwellungen

D ☐ typische Morgensteife

E ☐ typische Abendsteife

F ☐ progressive Gelenkzerstörung mit Funktionseinschränkungen

G ☐ als Leitsymptom gilt der akute Schmerzanfall, der sich bevorzugt am Großzehengrundgelenk abspielt

H ☐ die Hautpartien über den betroffenen Gelenken sind deutlich kühler sowie marmoriert

---

23 B   24 A, C, D, F

25. **Die progressiv chronische Polyarthritis (pcP): (5)**

A ☐ ist das Folgestadium des akuten rheumatischen Fiebers
B ☐ wird als rheumatoide Arthritis eingestuft
C ☐ ist eine konstitutionell bedingte familiär-erbliche Allgemein-
erkrankung
D ☐ verläuft immer akut
E ☐ verläuft schleichend oder in Schüben
F ☐ beruht auf einer Staphylokokkenerkrankung mit nachfolgender
Änderung des Immunsystems
G ☐ befällt Frauen etwa 3-mal häufiger als Männer
H ☐ befällt zu 80 % Männer im dritten bis fünften Lebensjahrzehnt
J ☐ ist eine typische Erkrankung der Kinder zwischen einem und
zehn Jahren
K ☐ zeigt häufig einen positiven Ausfall der Rheumareaktionen
L ☐ zeigt keinen positiven Ausfall der Rheumareaktionen

26. **Die Pathogenese der progessiv chronischen Polyarthritis zeigt: (2)**

A ☐ eine weitgehende Destruktion der Diaphysen der langen
Röhrenknochen (frühes Stadium)
B ☐ eine Synoviaentzündung mit Proliferation und erhöhtem
Gefäßreichtum (frühes Stadium)
C ☐ im Fortschreiten der Erkrankung eine Ausbreitung des
Granulationsgewebes über den Gelenkknorpel mit fortschrei-
tender Zerstörung des Knorpels
D ☐ die Anfüllung des Markraumes mit Granulationsgewebe und
Zerstörung der Corticalis

27. **Welche Aussagen sind zur Pathogenese der Osteomyelitis richtig: (5)**

A ☐ die Krankheit entsteht in über 95 % bei Kindern und Jugendlichen
B ☐ bevorzugt werden die gelenknahen Abschnitte der Röhrenknochen befallen
C ☐ die Krankheit entsteht vorwiegend bei Menschen zwischen
30 und 40 Jahren
D ☐ bevorzugt wird die Knorpelschicht eines Gelenkes befallen

---

25 B, C, E, G, K   **26** B, C   **27** A, B, E, F, J

E ☐ es kommt zur Bildung von Markphlegmonen

F ☐ durch Eiterungen zwischen Periost und Kortikalisoberfläche
wird die Kompakta von Eiter umspült und von der Gefäßversorgung abgeschnitten. Es entstehen Sequester

G ☐ durch Eiterungen wird zuerst die Knorpelschicht des Gelenkes,
später die Gelenkkapsel zerstört. Die Eiterherde bleiben auf
Knorpel und Kapsel beschränkt

H ☐ die Entzündung verläuft schmerzlos

J ☐ die Sequester können spontan abgestoßen werden

28. Unter Amelie versteht man: (1)

A ☐ eine Missgeburt ohne ausgebildete Wirbelsäule

B ☐ das vollständige Fehlen einer oder mehrerer Extremitäten

C ☐ das Fehlen endständiger Gliedabschnitte

D ☐ eine Robbengliedrigkeit (Hand oder Fuß sitzen dicht oder
ziemlich nahe am Rumpf)

E ☐ das angeborene Fehlen von Fingern oder Zehen bzw. Handoder Fußstrahlern

29. Unter Skoliose versteht man: (1)

A ☐ eine Rückgratverbiegung nach hinten, physiologisch angedeutet
in der Brustwirbelsäule

B ☐ die seitliche Verbiegung der Wirbelsäule mit Drehung der
einzelnen Wirbelkörper

C ☐ eine unnatürliche Neigung des Beckens nach vorne

D ☐ eine Verbreiterung des Hüftgelenkspaltes infolge einer früheren
traumatischen Luxation

30. Das Schubladenphänomen tritt auf bei: (1)

A ☐ einem Riss des inneren Meniskus

B ☐ einem Kreuzbandriss des Kniegelenkes

C ☐ einer rechtskonvexen Skoliose

D ☐ einer Klavikularfraktur

E ☐ der jugendlichen Epiphysenlösung

28 B   29 B   30 B

31. Unter Myogelosen versteht man: (2)

A ☐ den fortschreitenden Muskelschwund beim Jugendlichen

B ☐ eine lokale Muskelspannung durch Überanspruchung von Muskelgruppen

C ☐ eine lokale Muskelverkrampfung durch Schmerzfixation arthrotischer Gelenke

D ☐ Gelenkentzündungen oder Reizungen durch Pilzbefall

32. Unter einer Dysmelie versteht man: (1)

A ☐ eine Störung der Extremitätenentwicklung

B ☐ eine schmerzhafte Regelblutung in Folge einer Beckenanomalie

C ☐ die pathologische Abweichung von der normalen Schädelform

D ☐ ein Stammeln infolge von Kieferanomalien

33. Unter der Little-Erkrankung: (1)

A ☐ versteht man eine Störung des Muskeltonus und der Muskelkoordination durch Schädigung des zentralen Nervensystems (angeboren/erworben) mit spastischer Lähmung der willkürlichen Bewegungen

B ☐ versteht man den Zwergwuchs durch Unterfunktion der Schilddrüse

C ☐ fasst man alle frühkindlichen Wirbelsäulenverkrümmungen zusammen, die durch den Geburtsvorgang entstehen

D ☐ fasst man alle Arten der aseptischen Knochennekrosen zusammen

34. Welche Aussagen zur Spondylolisthese (Wirbelgleiten) treffen zu: (5)

A ☐ der Gleitvorgang betrifft den 5. Lendenwirbelkörper zu 80 %, den 4. Lendenwirbelkörper zu 20 %

B ☐ die Gleitrichtung zielt nach vorne

C ☐ der Wirbelkörper gleitet in alle Richtungen

D ☐ das Gleiten hat seine Ursache in einem Spalt in der Interartikularportion (Isthmus) des Wirbelbogens (Spondylolyse)

---

31 B, C   32 A   33 A   34 A, B, D, E, G

E ☐ Ursache ist eine angeborene, erbliche Bogendysplasie; auch exogene Ursachen sind möglich

F ☐ die Ursache ist immer traumatisch

G ☐ das Gleiten findet zwischen dem zehnten und sechzehnten Lebensjahr statt und ist mit dem Wachstumsabschluss beendet

H ☐ das Gleiten findet zwischen dem vierten Lebensmonat und dem fünften Lebensjahr statt

35. Die Spondylarthrose: (2)

A ☐ ist eine Veränderung der Bandscheibenverbindungen und Wirbelbogengelenke

B ☐ findet man nur im Bereich der Lendenwirbelsäule

C ☐ ist eine Erkrankung des Wirbelkörpers in Form einer Auflockerung im Bereich der Brustwirbel 1–6

D ☐ ist eine degenerative Erkrankung des Dornfortsatzes

E ☐ ist eine Degeneration der Deckplatten und Bandscheiben (HWS)

F ☐ ist im gesamten Bereich der Wirbelsäule anzutreffen

36. Sudeck-Dystrophie (Morbus Sudeck): (4)

A ☐ eine Funktionsstörung der großen Gelenke

B ☐ eine Funktionsstörung auf neurovegetativer Basis an Weichteilen und Knochen

C ☐ lokale Durchblutungsstörungen, Schmerzen, Funktionseinschränkung

D ☐ Kinder gehören zu den Hauptbetroffenen

E ☐ klassischer Verlauf in 5 Stadien

F ☐ typischer Verlauf in 3 Stadien

G ☐ adäquate Therapie nur durch Operation

H ☐ Auslösung durch Traumen, zu enge Verbände

J ☐ eine Funktionsstörung auf Grund einer Stoffwechselstörung

35 A, F   36 B, C, F, H

37. **Bei der Gicht: (7)**

A ☐ handelt es sich um eine dominant erbliche Purinstoffwechsel-störung

B ☐ handelt es sich um eine erbliche Stoffwechselerkrankung mit Befall der quergestreiften Muskulatur

C ☐ lagern sich Uratkristalle im Gelenk selbst oder im para-artikulären Gewebe ab

D ☐ treten Schmerzattacken akut auf und treffen in klassischer Form das Großzehengrundgelenk

E ☐ beginnen die Schmerzen zunächst langsam und steigern sich dann über meist 5–6 Stunden in kaum noch ertragbare Bereiche. Befallen hierbei ist in typischer Weise das Daumen-grundgelenk

F ☐ ist das Gelenk im Anfall geschwollen, rot und heiß

G ☐ ist das Gelenk im Anfall blass, zyanotisch, hypertherm und marmoriert. Eine Schwellung besteht nicht

H ☐ besteht die Therapie in strenger Diät (purinarme oder -freie Kost)

J ☐ muss der Harnsäurespiegel durch Dauermedikation herab-gesetzt werden

K ☐ kann bei Gelenkdeformierungen chirurgisch interveniert werden

38. **Welche Aussagen zur Spondylarthritis ankylopoetica (Strümpell-Bechterew-Marie-Krankheit) sind richtig: (5)**

A ☐ Schmerzen an Fersen, Knien, Hüften, Kreuzschmerzen (morgendlich)

B ☐ sie ist die schwerste Komplikation der Wirbelsäulentuberkulose

C ☐ es kommt zu langsam fortschreitenden Verknöcherungen der Iliosakralfugen, der kleinen Wirbelgelenke, des Kapselbandap-parates, der Rippengelenke und der Schulter- und Hüftgelenke

D ☐ der Verknöcherungsprozess findet mit Ausbildung der so genannten »Bambusstabform« der Wirbelsäule seinen Abschluss

---

37 A, C, D, F, H, J, K   38 A, C, D, F, G

E ☐ der Versteifungsprozess wandert von kranial nach kaudal
F ☐ es werden vorwiegend Männer zwischen 20 und 40 Jahren befallen
G ☐ eine Frühdiagnose ist durch die Röntgendarstellung der Iliosakralgelenke möglich

39. **Welche Veränderungen gehören nicht zum Krankheitsbild der Arthrosis deformans: (2)**

A ☐ Bälkchenstrukturverdichtung
B ☐ Verlust des Knorpels
C ☐ Defekt des Knorpels
D ☐ Umwandlung des Knorpels
E ☐ Entzündung des Knochens
F ☐ Entzündung des Knorpels
G ☐ Ergüsse in der Kapsel
H ☐ Bildung freier Gelenkkörper

40. **Das X-Bein oder Genu valgum: (5)**

A ☐ zeigt ein nach innen vorspringendes Kniegelenk
B ☐ kann in geringen Graden bei gesunden Kindern zwischen 2 und 5 Jahren physiologisch vorkommen (zeigt eine Neigung zur Spontanheilung)
C ☐ beruht immer auf einer Bänderschwäche des Kniegelenkes
D ☐ kann rachitisch bedingt sein
E ☐ resultiert ausschließlich aus einer falschen Tragetechnik des Kindes im Neugeborenenalter (Tragen auf demselben Arm)
F ☐ kommt immer einseitig vor
G ☐ kann beidseitig vorkommen
H ☐ muss bei erfolgloser konservativer Therapie operativ behandelt werden
J ☐ ist immer traumatisch bedingt

---

39 E, F   **40** A, B, D, G, H

41. Die Verschleißerscheinungen eines Gelenkes (degenerativer Vorgang) bezeichnet man mit: (1)

A ☐ Spondylose
B ☐ Spondylitis
C ☐ Arthritis
D ☐ Arthrose
E ☐ Lordose
F ☐ Kontraktur

42. Was versteht man unter einer Spondylose: (1)

A ☐ eine degenerative Erkrankung der Wirbelkörper
B ☐ das Abgleiten eines Wirbels über den anderen infolge Spaltbildung im Zwischengelenkstück des Wirbelbogens
C ☐ eine hypertrophe Verdichtung der Knochenspongiosa
D ☐ eine unspezifische Wirbelkörperentzündung infolge hämatogener Ansiedlung von Eitererregern
E ☐ eine aseptische Knorpelnekrose an den Gelenkflächen der großen Gelenke (Knie, Hüfte)

43. Eine übermäßige Vorwärtsausbiegung der Wirbelsäule bezeichnet man als: (1)

A ☐ Kyphose
B ☐ Skoliose
C ☐ Lordose
D ☐ Gibbus
E ☐ Rippenbuckel

44. Die Paget-Erkrankung: (5)

A ☐ die Erkrankung befällt hauptsächlich Männer ab dem 40. Lebensjahr, die Ursache ist unbekannt
B ☐ die durch einen Virus hervorgerufene Erkrankung kommt zu 90 % bei Kindern unter 14 Jahren vor
C ☐ ein schnell ablaufender pathologischer Knochenumbau mit Verdickungen und Verbiegungen, eine Umwandlung in eine maligne Entartung ist möglich

---

41 D   42 A   43 C   44 A, C, D, F, H

D ☐ der Verlauf ist schleichend und kann symptomlos sein
E ☐ der Verlauf ist stürmisch, starke Schmerzen in den Gelenken
F ☐ sie verläuft in drei Stadien
G ☐ eine frühzeitige operative Behandlung zeigt gute Erfolge
H ☐ die Behandlung ist symptomatisch, evtl. korrigierende Eingriffe

45. Eine fibröse Versteifung des Großzehengrundgelenkes bezeichnet man mit: (1)

A ☐ Hallux valgus
B ☐ Hallux rigidus
C ☐ Hallus flexus
D ☐ Dupuytren-Kontraktur
E ☐ Karpaltunnelsyndrom

46. Behandlung eines akuten Bandscheibenschadens: (4)

A ☐ Overhead-Lagerung
B ☐ Stufenbett-Lagerung
C ☐ Analgetika und Wärmeapplikation
D ☐ sofortige operative Intervention
E ☐ Schellen-Extension
F ☐ Massagen
G ☐ bei hartnäckigen Beschwerden und Versagen einer konservativen Therapie operative Entfernung des Prolaps

47. Die angeborene Hüftgelenksverrenkung kann beim Kind behandelt werden durch: (4)

A ☐ eine Overhead-Extension
B ☐ einseitige Extension mit der Crutchfield-Zange unter Abstützung des gesunden Beines
C ☐ die so genannte »Pfannendachplastik«, wenn konservative Maßnahmen nicht zum Erfolg führten
D ☐ eine Pavlik-Bandage
E ☐ eine Totalendoprothese in den ersten zwei Lebensjahren
F ☐ eine Spreizhosen-Lagerung

---

45 B   46 B, C, F, G   47 A, C, D, F

48. **Richtige Aussagen zur Arthrosis deformans: (3)**

A ☐ eine entzündliche Gelenkerkrankung durch Ansiedlung von Erregern auf lymphatischem Wege

B ☐ man unterscheidet primäre und sekundäre Arthrosen

C ☐ die Reaktion auf ein Missverhältnis zwischen Leistungsfähigkeit und Beanspruchung des Gelenkknorpels

D ☐ schleichender Beginn und wechselnder Verlauf

E ☐ ein Gelenkleiden mit extrem schnellem Verlauf; mit Erreichung schwerster Gelenkzerstörungen 6–18 Wochen nach dem ersten Auftreten von Steifigkeiten

49. **Welche Aussagen zur Epiphysenlösung der Hüfte treffen zu: (5)**

A ☐ die jugendliche Hüftkopflösung gehört zur Gruppe der aseptischen Knochennekrosen

B ☐ sie tritt vorwiegend bei Personen zwischen 30 und 40 Jahren auf (Männer und Frauen gleich)

C ☐ sie betrifft vorwiegend Knaben zwischen dem zwölften und sechzehnten Lebensjahr und tritt hauptsächlich beidseitig auf

D ☐ sie tritt vorwiegend an der rechten Hüfte auf

E ☐ durch einen Erweichungsprozess in der oberen Metaphyse des Femur kommt es zu einer langsamen oder plötzlichen Verschiebung zwischen Kopf und Hals

F ☐ in der Regel rutscht der Hals nach vorn oben

G ☐ durch ein Nachgeben des Pfannenbodens kommt es zu einer Einklemmung des Kopfes; Verdrehung und Fraktur des Schenkelhalses mit Epiphysenwanderung

H ☐ meist rutscht der Hals nach hinten unten

J ☐ ein operatives Fixieren mittels Drahtung oder Nagelung verhütet die Verschiebung oder hält sie auf

K ☐ sie betrifft vorwiegend besonders schlanke und zarte Personen

---

48 B, C, D   49 A, C, E, F, J

50. Bei der Implantation einer Totalendoprothese des Hüftgelenkes ersetzt man: (1)

A □ die Hüftgelenkpfanne mit Kopf- und Halsanteilen
B □ den pfannennahen Anteil des Darmbeines
C □ den proximalen Oberschenkelschaft
D □ die beiden Trochanter

51. Die spastischen Lähmungen: (4)

A □ sind immer angeboren
B □ können angeboren und erworben sein
C □ sind durch einen Muskelkrampf gekennzeichnet
D □ zeigen einen erhöhten Muskeltonus
E □ zeigen einen verminderten Tonus
F □ werden durch einen Krankheitsherd in der Hirnrinde oder in der Pyramidenbahn hervorgerufen
G □ treten bei Leitungsunterbrechungen des peripheren motorischen Neurons auf
H □ zeigen eine verminderte Reflexbereitschaft

52. Die operative Versteifung eines Gelenkes nennt man: (1)

A □ Tenotomie
B □ Arthrorise
C □ Arthrodese
D □ Endoprothese
E □ Osteotomie
F □ Ankylose

53. Die Little-Erkrankung ist: (2)

A □ schon im ersten Lebensjahr diagnostizierbar
B □ frühzeitig durch Anomalien im Reflexverhalten erkennbar
C □ erst im vierten Lebensjahr erkennbar, da die Reifung der Pyramidenbahnen erst jetzt einsetzt, und das komplizierte Zusammenspiel der Willkürmotorik deutlich wird
D □ bei frühzeitiger Erkennung und Behandlung heilbar

---

50 A   51 B, C, D, F   52 C   53 A, B

54. Welche Aussagen zum akuten Gelenkrheumatismus (Polyarthritis rheumatica acuta – rheumatisches Fieber) sind richtig: (3)

A ☐ es handelt sich um eine nach Infektionen mit betahämolytischen Streptokokken der Gruppe A auftretende Allgemeinerkrankung, die vor allem am Herzen, an den Gelenken und an der Haut zu entzündlichen Läsionen führt

B ☐ es handelt sich um eine nach Infektionen mit Staphylokokken (Staphylococcus flavus) auftretende Allgemeinerkrankung, die an den Gelenken und an der Haut zu entzündlichen Läsionen führt

C ☐ befallen werden vorzugsweise Kinder und jüngere Erwachsene

D ☐ befallen werden vorzugsweise Erwachsene zwischen dem vierten und sechsten Lebensjahrzehnt

E ☐ in 80 % der Fälle werden Frauen befallen

F ☐ eine Geschlechtsbevorzugung ist nicht nachweisbar

G ☐ dem Gelenkbefall geht immer eine Arthrosis deformans voraus

55. Unter Osteoporose versteht man: (1)

A ☐ eine Degeneration der Zwischenwirbelscheiben

B ☐ eine lokalisierte oder generalisierte Atrophie des knöchernen Skeletts (unzureichende Bildung von Knochengrundsubstanz)

C ☐ eine Form der aseptischen Knochennekrose mit Bildung von freien Gelenkkörpern

56. Unter Pseudarthrose versteht man: (2)

A ☐ eine Falschgelenkbildung

B ☐ eine bewegliche Verbindung in der Kontinuität des Knochens an pathologischer Stelle

C ☐ die Verschmälerung des Hüftgelenkspaltes durch Abbau der Gelenkknorpelschicht

D ☐ Gelenkschmerzen, die primär an anderen Stellen entstehen und zum Gelenk hinziehen

E ☐ die Verformung der Wirbelkörper bei der idiopathischen Skoliose

---

54 A, C, F   **55** B   **56** A, B

57. **Das Ewing-Sarkom: (4)**

A ☐ zeigt schon früh Metastasen in anderen Knochen
B ☐ ist der zweithäufigste Skelett-Tumor bei Kindern
C ☐ wird durch den Ziff-Inhibitionstest diagnostiziert
D ☐ tritt nur bei Erwachsenen auf
E ☐ bevorzugt die Metaphyse der langen Röhrenknochen
F ☐ bevorzugt die Brustwirbel beim Erwachsenen
G ☐ verursacht die typische Gibbus-Bildung
H ☐ ist mit Sicherheit nur histologisch zu diagnostizieren

58. **Die Kardinalsymptome des rheumatischen Fiebers sind: (5)**

A ☐ Fieber
B ☐ Schmerzen und Steifigkeiten bevorzugt primär an den kleinen Gelenken
C ☐ Polyarthritis der großen Gelenke
D ☐ Rötung und Schwellung der Gelenke
E ☐ typische spindelförmige Auftreibung der kleinen Gelenke
F ☐ Schmerzhaftigkeit der Gelenke nur im Ruhezustand
G ☐ typischer Morgenschmerz
H ☐ sprunghaftes Nacheinander der einzelnen Gelenkaffektionen
J ☐ ein Gelenk wird grundsätzlich nur einmal befallen
K ☐ Karditis mit anfangs diskreten Symptomen
L ☐ schwerste Herzrhythmusstörungen vom ersten Gelenkbefall an

59. **Die seitliche Verbiegung der Wirbelsäule bezeichnet man mit: (1)**

A ☐ Lordose
B ☐ Kyphose
C ☐ Skoliose
D ☐ Gibbus
E ☐ Rippenbuckel

---

57 A, B, E, H   **58** A, C, D, H, K   **59** C

60. Welche Aussagen zur Scheuermann-Krankheit sind richtig: (4)

A ☐ es kommt zur Ausbildung einer rechtskonvexen Skoliose

B ☐ es kommt häufig zur Ausbildung einer Kyphose (Kyphoskoliose)

C ☐ es entstehen typische Keilwirbel

D ☐ es kommt zu Serienabbrüchen der Dornfortsätze mit dadurch bedingter Verziehung der Wirbelsäule

E ☐ Zwischenwirbelscheibengewebe dringt durch Lücken und schwache Stellen des Bandapparates in den Wirbelkanal und verursacht Rückenschmerzen

F ☐ es kommt zur Bildung der Schmorl-Knorpelknötchen

G ☐ die Zwischenwirbelscheiben werden dicker

H ☐ die Krankheit kann therapiert werden mit Massagen und Gymnastik, evtl. ein entlastendes Korsett

J ☐ die einzig wirksame Therapie besteht in einer sofortigen kombinierten auto- und alloplastischen Versteifung der Wirbelsäule nach Harrington

61. Das multiple Myelom: (4)

A ☐ befällt bevorzugt Knaben im Alter von 10–15 Jahren

B ☐ befällt bevorzugt Männer im Alter von 40–60 Jahren

C ☐ ist eine hochgradig maligne Tumorerkrankung

D ☐ ist ein gutartiger Tumor der langen Röhrenknochen

E ☐ befällt hauptsächlich Wirbelsäule, Schädeldach und Rippen

F ☐ nimmt seinen Ausgang vom Periost der Röhrenknochen

G ☐ geht vom Knochenmark aus

62. Welche Aussagen zur Skoliose sind richtig: (4)

A ☐ man versteht darunter eine dauernde seitliche Verbiegung der Wirbelsäule

B ☐ man versteht darunter eine über das normale Maß hinausgehende, flachbogige, nach hinten konvexe Dauerverbiegung der Wirbelsäule oder eines Teiles von ihr

---

60 B, C, F, H   **61** B, C, E, G   **62** A, C, E, H

C ☐ der entstehende Rippenbuckel entsteht von hinten gesehen auf der konvexen Seite der Skoliose, von vorne gesehen auf der Konkavseite

D ☐ der Rippenbuckel entsteht von hinten gesehen auf der konkaven Seite der Skoliose, von vorne gesehen auf der Konvexseite

E ☐ die Wirbelkörper werden auf der konkaven Seite stark zusammengepresst

F ☐ die Wirbelkörper werden auf der konvexen Seite zusammengepresst

G ☐ der Rippenbuckel entsteht durch Verbiegung des Sternums

H ☐ der Rippenbuckel entsteht durch Achsendrehung der Wirbelkörper

63. Eine Luxation der Hüfte durch Gewalteinwirkung während der Geburt: (1)

A ☐ ist völlig unmöglich

B ☐ ist nur bei Zangengeburten möglich

C ☐ ist durch Druck der Uteruswand bei vorliegender Prädisposition möglich

D ☐ wird durch die Elastizität der kindlichen Hüftgelenke enorm erleichtert

64. Behandlungsprinzipien zur Therapie des Erwachsenenplattfußes: (4)

A ☐ unter Umständen ist eine operative Korrektur angezeigt

B ☐ eine Heilung ist auch bei Erwachsenen in 90 % der Fälle möglich

C ☐ im Vordergrund steht, die Beschwerdefreiheit und Arbeitsfähigkeit zu erreichen

D ☐ Einlagen bringen bei Erwachsenen immer den gewünschten Erfolg

E ☐ Einlagen nach Gipsabdruck können bei nicht völlig flachem Fußgewölbe Erfolg zeigen

F ☐ physiotherapeutische Behandlung der kleinen Fußmuskeln und der Wadenmuskulatur, evtl. elektrische Stimulation

G ☐ eine zufriedenstellende Therapie ist unmöglich

---

63 C   64 A, C, E, F

65. **Welche Aussagen zur Verhütung eines Plattfußes beim Kind sind richtig: (3)**

A ☐ Kleinkinder früh zum Stehen und Gehen zwingen

B ☐ Kleinkinder nicht zum frühzeitigen Stehen und Gehen zwingen

C ☐ Stehen und Gehen des Kleinkindes über die Ermüdungsgrenze hinaus hat entgegen weitläufiger Meinung keinen schädlichen Einfluss auf die Leistungsfähigkeit des Fußes

D ☐ Kleinkinder und Schulkinder sollten mit auswärts gedrehten Fußspitzen laufen, hierdurch wird der innere Fußrand gehoben und mit der Zeit das Fußgewölbe hochgedrückt

E ☐ Barfußlaufen begünstigt eine Plattfußstellung und sollte vermieden werden

F ☐ Kinder sollten viel barfuß laufen, nach Möglichkeit auf solchen Unterlagen, die einen Reiz auf die weiche Haut des Fußgewölbes ausüben (frisch geschnittenes Gras, runde Kieselsteine)

G ☐ dem Kind müssen so früh wie möglich feste Schuhe angezogen werden. Ideal sind Schuhe mit festem Oberleder

H ☐ auf regelmäßig durchzuführende Fußgymnastik sollte geachtet werden

66. **Bei der Luxatio coxae congenita: (4)**

A ☐ besteht zunächst nur eine dysplastische Hüftgelenkanlage

B ☐ wandert der Kopf, durch das Unvermögen der Pfanne zur Abstützung begünstigt, allmählich auf die Darmbeinschaufel

C ☐ wandert der Kopf wegen der fehlenden Abstützung aus der Pfanne auf das Schambein

D ☐ bildet der Kopf unter Hinterlassung einer Gleitspur eine Sekundärpfanne auf der Darmbeinschaufel

E ☐ bildet der Kopf unter Hinterlassung einer Schleifspur unterhalb des oberen Schambeinastes eine Sekundärpfanne

F ☐ ist die knorpelige Gelenkpfanne im wesentlichen intakt, aber etwas zu seicht und das Pfannendach zu steil

G ☐ ist die Gelenkpfanne zu tief, und das Pfannendach ist zu tief gezogen. Dadurch wird der Kopf nach unten weggedrückt

---

65 B, F, H   66 A, B, D, F

67. Eine kongenitale Hüftgelenkluxation kann nachgewiesen werden durch: (3)

A ☐ das positive Trendelenburg-Zeichen
B ☐ das negative Trendelenburg-Zeichen
C ☐ den negativen Ortolani-Klick
D ☐ eine Asymmetrie der Gesäßfalten (einseitige H.)
E ☐ ein Krepitationsgeräusch
F ☐ abnorme Beweglichkeit des betroffenen Beines
G ☐ das Röntgenbild

68. Klinische Zeichen der Erb-Lähmungen: (4)

A ☐ ausgeprägte sensible Störungen des betroffenen Armes und der Schulter
B ☐ sensible Störungen sind nicht sehr ausgeprägt
C ☐ schlaffe Paralyse der kleinen Hand- und Fingermuskeln mit späterer Klauenhanddeformität
D ☐ Unfähigkeit zur Hebung des Oberarmes, Unfähigkeit zur Beugung des Unterarmes und zur Supination des Unterarmes
E ☐ Finger und Hand sind beweglich
F ☐ Finger und Hand stehen auf Dauer in einer Pfötchenstellung
G ☐ der Arm hängt in Innenrotations-, Adduktions- und Pronationsstellung
H ☐ der Arm hängt in Außenrotations-, Abduktions- und Supinationsstellung
J ☐ der Arm ist hypotherm, marmoriert und neigt zu Ulzerationen

69. Die Scheuermann-Krankheit befällt: (1)

A ☐ vornehmlich die untere Lendenwirbelsäule
B ☐ ausschließlich die Halswirbelsäule
C ☐ die untere Brustwirbelsäule und die obere Lendenwirbelsäule
D ☐ in 85 % der Fälle das rechte Iliosakralgelenk

---

67 D, F, G   68 B, D, E, G   69 C

70. **Welche Aussagen zum Klumpfuß sind richtig: (4)**

A ☐ die meisten Klumpfüße sind erst nach der Geburt entstanden

B ☐ er kommt bei Jungen häufiger vor als bei Mädchen

C ☐ er entsteht durch einen Defekt in der fötalen Entwicklungsphase des Kindes

D ☐ der Weg zur fertigen Missbildung führt über ein gestörtes Muskelgleichgewicht (häufig Waden- und Peronealmuskeln)

E ☐ er entsteht zu 80 % durch Einwärtsdrehung und Aufbiegung während des Geburtsvorganges (Grifftechnik)

F ☐ die Behandlung darf erst mit Ende des zweiten Lebensjahres einsetzen

G ☐ die Behandlung setzt unmittelbar nach der Geburt ein

H ☐ die Behandlung darf erst nach Abschluss des Knochenwachstums einsetzen

71. **Welche Aussagen zum lumbalen Bandscheibenschaden sind richtig: (5)**

A ☐ er entsteht in der Hauptsache an der Kreuz-Lendenverbindung

B ☐ der degenerative Bandscheibenschaden beginnt häufig im dritten Lebensjahrzehnt

C ☐ der degenerative Bandscheibenschaden beginnt nur im höheren Lebensalter

D ☐ die Ursache besteht in einer Auffaserung des umhüllenden Faserringes

E ☐ die Ursache ist immer traumatisch und wird durch einen Abriss des Querfortsatzes eines Lendenwirbelkörpers (Processus costarius) hervorgerufen

F ☐ eine eventuelle Lähmung wird durch das Auslaufen des Nucleus pulposus hervorgerufen

G ☐ am häufigsten tritt das Bandscheibengewebe seitlich in der Nähe des Foramen intervertebrale aus und drückt auf die entsprechende Nervenwurzel

H ☐ Hauptsymptom ist das negative Lasègue-Zeichen

J ☐ Hauptsymptom ist das positive Lasègue-Zeichen

---

70 B, C, D, G   71 A, B, D, G, J

72. **Klinische Zeichen des angeborenen Klumpfußes:** (4)

A ☐ der Fuß ist vermehrt nach außen gedreht
B ☐ der Fuß ist einwärts gedreht
C ☐ der Fuß ist dorsal flektiert
D ☐ Einwärtsknickung des Vorfußes gegenüber dem Rückfuß
E ☐ der äußere Fußrand ist angehoben
F ☐ Spitzfußstellung
G ☐ das Fußgewölbe ist platt
H ☐ die Muskeln des Unterschenkels sind unterentwickelt
J ☐ die Muskeln des Unterschenkels sind sehr stark ausgeprägt

---

72 B, D, F, H

XVIII. Urologie

1. Das alarmierendste Symptom eines Tumors im Bereich der Nieren und der ableitenden Harnwege: (1)

   A ☐ ist die Kolik
   B ☐ ist eine schmerzlose Makrohämaturie
   C ☐ sind Beschwerden beim Wasserlassen (Dysurie)
   D ☐ ist Eiweiß im Urin

2. Welche Aussagen zur Nierentransplantation sind richtig: (3)

   A ☐ die Spenderniere wird oberhalb der kranken Niere eingepflanzt
   B ☐ die kranke Niere wird nur in Ausnahmefällen entfernt
   C ☐ die Einpflanzung erfolgt in der Fossa iliaca
   D ☐ zur Transplantation werden nur tierische Nieren benutzt
   E ☐ Nieren von weiblichen Spendern zeigen eine bessere Einheilungstendenz
   F ☐ die Empfänger müssen aus immunbiologischen Gründen älter als 40 Jahre sein
   G ☐ die größten Probleme bestehen in der Durchbrechung der Immunbarriere
   H ☐ zur Einpflanzung gelangen Nieren von lebenden Spendern oder Leichennieren

3. Unter der Nephropexie versteht man: (1)

   A ☐ eine abnorme Beweglichkeit der Niere
   B ☐ die Eröffnung eines Harnleiters
   C ☐ die operative Fixation der Niere in einer richtigen Position (bei Senkniere)
   D ☐ die Eröffnung des Nierenbeckens
   E ☐ eine chronische Intoxikation der Nieren durch Barbiturate

---

1 B   2 C, G, H   3 C

4. Unter der so genannten »Dysurie« versteht man: (2)

A ☐ ein erschwertes Wasserlassen gegen einen stärkeren Widerstand
B ☐ einen präurämischen Zustand
C ☐ eine Aplasie der Harnröhre
D ☐ ein erschwertes Erektionsvermögen
E ☐ einen Druckverlust beim Wasserlassen
F ☐ eine Blaseninkontinenz
G ☐ eine pathologische Verfärbung des Urins
H ☐ eine Pyurie

5. Die Hodentorsion: (4)

A ☐ hat immer eine traumatische Ursache
B ☐ kann nach Belastungen (Springen oder Radfahren) auftreten
C ☐ ist eine Drehung des abnorm beweglichen Hodens um die Achse des Samenstranges
D ☐ ist eine spontane Verlagerung des Hodens in den Leistenkanal
E ☐ verlangt sofortige chirurgische Intervention
F ☐ führt bei Nichterkennung zur aseptischen Nekrose des Hodens
G ☐ löst man mit krampflösenden Mitteln
H ☐ hat immer eine entzündliche Ursache

6. Eine Urethraruptur kann entstehen durch: (3)

A ☐ einen Beckenringbruch
B ☐ eine Paraphimose
C ☐ eine Hydrozele
D ☐ transurethral eingeführte Instrumente
E ☐ Pfählungsverletzungen
F ☐ eine Hodentorsion
G ☐ eine Hodenluxation

4 A, E   **5** B, C, E, F   **6** A, D, E

7. **Symptome des Blasenulkus: (4)**

A ☐ Urinabgang durch das Rektum
B ☐ Tenesmen
C ☐ Anurie
D ☐ Pollakisurie
E ☐ Hämaturie
F ☐ Dauererektion
G ☐ Miktionsschmerz mit Ausstrahlungen in Rektumregion oder Kreuzregion
H ☐ starke Gewichtsabnahme

8. **Symptome einer akuten Steineinklemmung: (2)**

A ☐ starke Kopfschmerzen
B ☐ dumpfe Schmerzen (Druckgefühl)
C ☐ krampfartige oder stechende Schmerzen in der befallenen Lendengegend
D ☐ urämischer Zustand
E ☐ Hämaturie
F ☐ Nachweis von Bakterien im Urin
G ☐ hypertonische Krisen

9. **Unter Uroflowmetrie versteht man: (1)**

A ☐ die Messung des maximalen Harnvolumens
B ☐ die glomeruläre Filtration
C ☐ den Nierenplasmastrom
D ☐ die Restharnbestimmung

10. **Unter einer Hydrozele versteht man: (1)**

A ☐ eine Flüssigkeitsansammlung innerhalb der Hodenhüllen
B ☐ die Erweiterung des Plexus pampiniformis (Insuffizienz der venösen Klappen)
C ☐ die traumatische oder entzündlich bedingte Ausbildung einer intra- oder extravaginalen Samenretentionszyste (meist am oberen Hodenpol)

---

7 B, D, E, G   8 C, E   9 A   10 A

11. Mit Epispadie bezeichnet man: (2)

A ☐ eine starke Krümmung der Harnröhre
B ☐ eine untere Harnröhrenspalte
C ☐ eine Hemmungsmissbildung der Harnröhre
D ☐ eine obere Harnröhrenspalte
E ☐ den Scheiden-Damm-Schnitt zur Vermeidung von Dammrissen
F ☐ die Ausbildung und Entwicklung von nur einem Hoden

12. Unter Hypospadie versteht man: (2)

A ☐ eine obere Harnröhrenspalte
B ☐ eine untere Harnröhrenspalte
C ☐ eine mangelhafte Erektionsfähigkeit durch eine Bindegewebsschwäche
D ☐ eine verminderte Harnproduktion
E ☐ eine verminderte Spermaproduktion
F ☐ eine angeborene Missbildung der Harnröhre

13. Hauptsymptome der Zystitis: (3)

A ☐ Anurie
B ☐ heftige Miktionsbeschwerden
C ☐ dauernder, unüberwindlicher Harndrang
D ☐ Brennen und Schmerzen bei und nach dem Wasserlassen
E ☐ starke Blutungen vor dem Wasserlassen
F ☐ Erbrechen (spastisch)
G ☐ Hodenschwellungen
H ☐ Schwellungen in der Leistengegend

14. Ursachen einer Enuresis nocturna: (3)

A ☐ eine Harnwegentzündung
B ☐ bestimmte psychogene Faktoren
C ☐ eine Blasenentleerungsstörung
D ☐ eine Hydrozele
E ☐ eine Mitralstenose
F ☐ ein endständiger Anus praeternaturalis

---

11 C, D   12 B, F   13 B, C, D   14 A, B, C

15. **Die so genannte »Balkenblase«: (1)**

A ☐ ist eine starre, unelastische Blase durch Kalkeinlagerung

B ☐ entsteht durch eine Missbildung der Blasenwand, wobei eine längliche Blasenform entsteht

C ☐ entsteht durch eine kompensatorische Hypertrophie der Blasenmuskulatur, bei der einzelne Muskelbündel als »Balken« im Zytoskop sichtbar werden

D ☐ beruht auf einer Missbildung der Einmündungsstellen der Harnleiter, wobei diese ein- oder beidseitig etwa 2–3 cm in das Lumen der Blase ragen und eine Balkenform zeigen

16. **Ursache einer Balkenblase: (1)**

A ☐ Nierenbeckensteine

B ☐ Harnleiterstrikturen

C ☐ Blasenentleerungsstörungen (Abflussbehinderungen)

D ☐ renale Hypertonie

E ☐ Hydrozelenbildung

17. **Die Paraphimose: (1)**

A ☐ ist eine angeborene Missbildung

B ☐ entsteht durch Einklemmen der zu engen phimotischen Vorhaut des Penis hinter dem Eichelkranz

C ☐ ist eine Komplikation der Gonorrhoe

D ☐ entsteht durch eine Einklemmung der Harnröhre in den Blasenhals

18. **Unter einer Nierenagenesie versteht man: (1)**

A ☐ das Vorhandensein zu großer Nieren

B ☐ das Fehlen einer oder beider Nieren

C ☐ das Vorhandensein von zu kleinen, nicht leistungsfähigen Nieren

D ☐ das Vorhandensein von beiden Nieren, aber ohne Ureterverbindung zur Blase

---

15 C   16 C   17 B

19. Beim primären vesiko-ureteralen Reflux: (2)

A ☐ liegt eine erworbene Veränderung im Bereich der Harnleiter-Blasenverbindung vor

B ☐ liegt eine angeborene Veränderung im Bereich der Harnleiter-Blasenverbindung vor

C ☐ kommt es zu einem Rückstau des Harns in den Ureter und eventuell in das Nierenbecken

D ☐ liegt eine erworbene Veränderung im Bereich der Mündungsstelle des Ureters in das Nierenbecken vor

E ☐ kommt es zu einem ständigen, tropfenweisen Austritt von Urin in den Retroperitonealraum

20. Der vesiko-ureterale Reflux: (1)

A ☐ wird nicht behandelt, da er sich mit Abschluss des Längenwachstums auswächst

B ☐ kann mit dem so genannten »Blasentraining« erfolgreich behandelt werden

C ☐ muss chirurgisch behandelt werden. (Der Harnleiter wird neu in die Blase eingepflanzt)

D ☐ wird durch eine Elektroresektion beseitigt, die vor Abschluss des zehnten Lebensjahres durchgeführt werden muss

21. Beim Kryptorchismus: (4)

A ☐ handelt es sich um eine harmlose Entwicklungsstörung der Harnleiter

B ☐ handelt es sich um eine harmlose Entwicklungsstörung der Hoden

C ☐ handelt es sich um eine Lageanomalie der Hoden, die sich nach dem ersten Lebensjahr noch nicht an der normalen Stelle befinden

D ☐ unterscheidet man vier Formen bzw. Lokalisationen

E ☐ kann als Spätkomplikation eine Sterilität eintreten

F ☐ kommt es in der Folge zum vesiko-ureteralen Reflux

G ☐ sollte die notwendige Korrektur der Lageanomalie bis zum fünften Lebensjahr durchgeführt sein

---

18 B   19 B, C   20 C   21 C, D, E, G

22. Bei der Klassifikation der Tumoren im Urogenitalbereich nach dem TNM-System steht das Symbol »N« für: (1)

A ☐ Fernmetastasen
B ☐ nicht operabel
C ☐ Lymphknoten
D ☐ hämatogene Streuung
E ☐ Tumor

23. Welche Aussagen zur Zystenniere sind richtig: (3)

A ☐ es besteht eine Fehlentwicklung der Sammelrohre (fehlende Vereinigung der Tubuli mit den Glomerula)
B ☐ es ist immer nur eine Zyste – meist am oberen Nierenpol – vorhanden
C ☐ beide Nieren sind in der Körpermitte durch eine bindegewebige Brücke verbunden
D ☐ sie beruht immer auf einem nachgeburtlichen Trauma
E ☐ eine Nephrektomie ist kontraindiziert und nur bei vitaler Indikation erlaubt
F ☐ durch die Missbildung kommt es zur fortschreitenden Niereninsuffizienz
G ☐ durch eine plastische Operation werden Tubuli und Glomerula verbunden

24. Das Prostataadenom: (6)

A ☐ ist der bösartige Tumor der Prostata
B ☐ geht von den periurethralen Drüsen aus
C ☐ wird irreführenderweise als Prostatahypertrophie bezeichnet
D ☐ ist eine gutartige Geschwulst
E ☐ tritt gehäuft jenseits des fünfzigsten Lebensjahres auf
F ☐ zeigt einen in drei Stadien einteilbaren Verlauf
G ☐ ist frühzeitig als Schwellung an der Peniswurzel tastbar
H ☐ bildet die so genannten echten Prostatasteine
J ☐ wird als Hemmungsmissbildung angesehen
K ☐ wird mittels Prostatektomie entfernt
L ☐ wird nicht operativ entfernt, da es zu Hormonentgleisungen kommen kann

---

22 C   23 A, E, F   24 B, C, D, E, F, K

25. Nierenzysten: (6)

A ☐ treten nur einseitig auf
B ☐ werden als solitäre Nierenzysten bezeichnet
C ☐ können einseitig oder doppelseitig auftreten
D ☐ können erworben oder angeboren sein
E ☐ sind immer angeboren
F ☐ sitzen oft am oberen oder unteren Nierenpol
G ☐ bilden sich immer in der Mitte des Nierenbeckens in Höhe der Uretereinmündung
H ☐ können maligne entarten
J ☐ sollten immer total entfernt werden
K ☐ sind harmlos und werden nicht behandelt

26. Welche Aussagen zum Megaureter sind nicht richtig: (3)

A ☐ es handelt sich um die schwerste Form der angeborenen kindlichen Harnwegsmissbildungen
B ☐ es handelt sich um eine leichte Form eines Korkenzieherureters
C ☐ es kann zu monströsen Erweiterungen des Harnleiters kommen mit kontinuierlichem Verlust der funktionellen Nierenleistung
D ☐ die Krankheit kann jahrelang symptomlos verlaufen
E ☐ der Megaureter verursacht von Anfang an typische Zeichen wie Fieberschübe und renalen Zwergwuchs
F ☐ im jugendlichen Alter neigen leichte Formen ohne Infektion zur spontanen Rückbildung
G ☐ alle fortgeschrittenen Fälle bedürfen einer operativen Therapie
H ☐ ein Megaureter im jugendlichen Alter sollte sofort, einschließlich der zugehörigen Niere, exstirpiert werden

27. Welches klinische Zeichen passt nicht zum Phäochromozytom: (1)

A ☐ Schweißausbruch
B ☐ Glykosurie
C ☐ konstante Hypertonie
D ☐ konstante Hypotonie
E ☐ Leukozytose während des Anfalls

---

28. **Das Blasenulkus: (4)**

A ☐ stellt einen umschriebenen Schleimhautdefekt mit Penetration in die Muskularis dar

B ☐ sitzt immer an der Blasenaußenseite und penetriert nach innen

C ☐ ist eine angeborene Schleimhautläsion der Blase

D ☐ verursacht im fortgeschrittenen Stadium eine Schrumpfung der Blase

E ☐ führt auf Dauer zu einer Überdehnung der Blase

F ☐ wird durch spezifische und unspezifische, bakterielle Infekte hervorgerufen

G ☐ kann traumatisch bedingt sein

29. **Welche Aussagen zum Prostatakarzinom sind richtig: (4)**

A ☐ bei etwa 20 % aller Männer im höheren Lebensalter findet man in der Prostata latente Karzinomanlagen

B ☐ Frühsymptom ist das äußerst schmerzhafte Wasserlassen

C ☐ eine Metastasierung der Geschwulst wurde noch nicht beobachtet

D ☐ es erfolgt eine frühe Metastasierung

E ☐ hauptsächlich bilden sich Knochenmetastasen in der unteren Wirbelsäule und in den Beckenknochen

F ☐ am häufigsten kommt es zu Hodenmetastasen

G ☐ eine Früherkennung ist praktisch nur durch eine Vorsorge-Rektaluntersuchung möglich

H ☐ die Erhöhung der sauren Phosphatase ist das erste Frühsymptom

30. **Die Infiltrationstiefe eines Tumors wird mit den arabischen Ziffern 1–4 gekennzeichnet. Welches Stadium trifft auf einen Tumor zu, welcher die Organgrenzen überschritten, aber noch nicht Nachbarorgane infiltriert hat: (1)**

A ☐ T1

B ☐ T2

C ☐ T3

D ☐ T4

---

28 A, D, F, G   29 A, D, E, G   30 C

31. Bei der Blasenekstrophie: (4)

A ☐ handelt es sich um eine ausgeprägte Hypospadie
B ☐ handelt es sich um einen Defekt der vorderen Blasen- und
Bauchwand (Spaltblase)
C ☐ liegen die Hinterwand der Blase und der Harnröhre schlüssel-
förmig offen
D ☐ ist die Harnröhre bis zur Peniswurzel völlig offen (Unterseite)
E ☐ bestand eine Hemmungsmissbildung durch die Kloaken-
membran
F ☐ geht immer eine Pfählungsverletzung voraus
G ☐ kann eine chirurgische Behandlung Besserung bringen
(plastische Nachbildung der Blase)

32. Die so genannte »Wanderniere« bezeichnet man als: (1)

A ☐ Nephrolithiasis
B ☐ Nephropexie
C ☐ Nephrohydrose
D ☐ Nierenhypoplasie
E ☐ Nephroptose

33. Bei der Rekonstruktion der Harnblase: (2)

A ☐ ist die plastische Bildung der Blase möglich
B ☐ bereitet die Formung der Blase die größten technischen
Schwierigkeiten
C ☐ ist es technisch am leichtesten möglich, einen funktions-
tüchtigen Verschlussmechanismus herzustellen
D ☐ ist das Problem der Inkontinenz noch nicht gelöst

---

31 B, C, E, G   32 E   33 A, D

34. **Welche Aussagen zur Wanderniere sind richtig: (5)**

A ☐ durch pathologische Veränderungen ist der Halteapparat so gelockert, dass es zu Harnleiterabknickungen kommen kann

B ☐ es kommt zu einer Minderdurchblutung und Harnstauung im Stehen

C ☐ während des Bückens kann die Niere zwischen Zwerchfell und Magen eingeklemmt werden

D ☐ durch die Wanderung nach oben kann durch Druck auf das Colon transversum ein mechanischer Ileus ausgelöst werden

E ☐ in Extremfällen kann die Niere (im Stehen) im kleinen Becken lokalisiert werden

F ☐ die Patienten geben nachts die heftigsten Beschwerden an

G ☐ sie tritt bevorzugt bei jüngeren Frauen auf

H ☐ eine operative Korrektur ist nur in sehr schweren Fällen erforderlich

35. **Unter Orchiektomie versteht man: (1)**

A ☐ die Fixation des Hodens im Hodensack

B ☐ die operative Entfernung des Hodengewebes unter Erhaltung der Hüllen und der Anhangsgebilde

C ☐ die Durchtrennung der Samenleiter

D ☐ die Schlitzung der Harnleitermündung in der Blase

E ☐ die Entfernung des vorderen Penisteiles

36. **Die Phimose: (5)**

A ☐ ist immer angeboren

B ☐ kann angeboren oder erworben sein

C ☐ ist eine Verengung des äußeren Vorhautringes

D ☐ ist eine Verengung der Harnröhre an der Peniswurzel

E ☐ kann zu Harnentleerungsstörungen führen

F ☐ kann zur Impotentia generandi führen

G ☐ muss nach vergeblichen, konservativen Bemühungen operativ korrigiert werden

H ☐ ist ein Zustand vor dem Priapismus

---

34 A, B, E, G, H   **35** B   **36** B, C, E, F, G

37. Zur Therapie des Prostataadenoms stehen zur Verfügung: (4)

A ☐ transurethrale Elektroresektion
B ☐ transrektale Elektroresektion
C ☐ suprapubische Prostatektomie
D ☐ retropubische Prostatektomie
E ☐ perineale Elektroresektion
F ☐ perineale Prostatektomie
G ☐ rektale Prostatektomie

38. Zu den Blasentumoren zählen: (3)

A ☐ Hypernephrome
B ☐ Papillome
C ☐ papilläre Karzinome
D ☐ Plattenepithelkarzinome
E ☐ Seminome
F ☐ Wilms-Tumoren

39. Das Sarkom der Prostata: (4)

A ☐ ist sehr selten
B ☐ befällt fast ausschließlich Kinder vor dem zehnten Lebensjahr
C ☐ befällt ausschließlich Männer im sechsten Lebensjahrzehnt
D ☐ führt über eine Einengung des Rektums zur Obstipation
E ☐ entwickelt sich schmerzfrei
F ☐ ist im allgemeinen therapieresistent
G ☐ kann durch eine rechtzeitige Prostatektomie geheilt werden

40. Bei der Ureter-Scheiden-Fistel: (2)

A ☐ kommt es zu einem kontinuierlichen, unbeeinflussbaren Urinabgang aus der Scheide
B ☐ ist die normale Blasenentleerung aufgehoben
C ☐ ist meist eine gynäkologische Operation die auslösende Ursache
D ☐ kommt es zum Auftreten von Vaginalsteinen

---

37 A, C, D, F   38 B, C, D   39 A, B, D, F   40 A, C

XIX. Psychiatrie

1. Die zwangsweise Unterbringung eines Patienten in einer geschlossenen psychiatrischen Klinik, über mehr als 24 Stunden, kann beschlossen werden vom: (1)

    A ☐ Hausarzt
    B ☐ Arzt für Psychiatrie
    C ☐ Amtsarzt
    D ☐ Gesundheitsamt
    E ☐ Amtsrichter

2. Bei schizophrenen Patienten: (2)

    A ☐ sind gehäuft Krampfanfälle zu erwarten
    B ☐ sind Gefühlsausbrüche ohne erkennbaren Grund zu erwarten
    C ☐ ist nur der Arzt Ansprechpartner für den Patienten
    D ☐ ist auf Grund von Geschmackshalluzinationen mit Essensverweigerungen zu rechnen
    E ☐ ist darauf zu achten, dass die Patienten grundsätzlich auf einer geschlossenen Station untergebracht werden

3. Was sind Halluzinationen: (1)

    A ☐ Bewusstseinsstörungen
    B ☐ Denkstörungen
    C ☐ Gefühlsstörungen
    D ☐ Wahrnehmungen ohne Objekt in allen Sinnesbereichen
    E ☐ Orientierungsstörungen
    F ☐ Ideenflucht

---

1 E   2 B, D   3 D

4. Eine Neurose ist: (1)

A ☐ eine Geisteskrankheit mit primär organischen Ursachen
B ☐ eine Verwirrtheit, bei der sich die Realität mit Traumbildern im Denken des Patienten abwechselt
C ☐ eine endogene Psychose
D ☐ eine schlechte Angewohnheit
E ☐ eine Nervenerkrankung
F ☐ ein Zeichen von Unsicherheit bei psychisch labilen Menschen
G ☐ eine seelische Erkrankung, der unbewusste seelische Konflikte zu Grunde liegen

5. Was versteht man unter einer Amnesie: (1)

A ☐ eine zeitlich begrenzte Denkstörung
B ☐ einen zeitlich begrenzten Erinnerungsverlust
C ☐ eine zeitlich begrenzte motorische Unruhe
D ☐ eine zeitlich begrenzte Orientierungsstörung
E ☐ eine zeitlich begrenzte Gefühlsstörung

6. Welches Symptom tritt bei Patienten mit manisch depressiven Psychosen auf: (1)

A ☐ optische Halluzinationen
B ☐ Geruchs-Halluzinationen
C ☐ Zerfahrenheit
D ☐ akustische Halluzinationen

7. Unter einem Durchgangssyndrom versteht man: (1)

A ☐ eine reversible psychische Funktionsminderung
B ☐ eine Phase trauriger Verstimmung
C ☐ eine psychomotorische Antriebssteigerung
D ☐ Heiterkeit ohne entsprechenden Anlass

---

4 G   5 B   6 C   7 A

8. Wie heißen die drei Grade der Oligophrenie: (3)

A ☐ Debilität
B ☐ Mikrozephalie
C ☐ Imbezillität
D ☐ Stupor
E ☐ Kretinismus
F ☐ Idiotie

9. Unter Legasthenie versteht man: (1)

A ☐ eine Lese-/Rechenschwäche
B ☐ eine Lese-/Rechtschreibschwäche
C ☐ eine angeborene Hörschwäche
D ☐ eine Seh-/Hörschwäche
E ☐ eine krankhafte Nervenschwäche

10. Bei einem Intelligenzquotienten von 30–59 sprechen wir von: (1)

A ☐ Debilität
B ☐ Imbezillität
C ☐ Idiotie

11. Die Phenylketonurie (Fölling-Krankheit): (3)

A ☐ kann in den ersten Lebenstagen durch die Eisenchloridprobe
   nachgewiesen werden
B ☐ kann durch den Guthrie-Test in den ersten Lebenstagen
   nachgewiesen werden
C ☐ führt unbehandelt zum Schwachsinn
D ☐ wird mit einer phenylalaninreichen Kost behandelt
E ☐ wird durch Fehlen von Phenylalaninhydrolase verursacht

12. An Anorexia nervosa erkranken vorwiegend: (1)

A ☐ Kinder im Alter von 2–4 Jahren
B ☐ Kinder im Alter von 5–12 Jahren
C ☐ Frauen und Mädchen im Alter von 12–25 Jahren
D ☐ Männer im Alter von 40–50 Jahren
E ☐ Frauen während der Menopause

---

8 A, C, F   9 B   10 B   11 B, C, E   12 C

13. Welche Fehlleistungen sind bei Süchtigen häufig zu beobachten: (3)
    A ☐ mangelnde Gemeinschaftsfähigkeit
    B ☐ Haltlosigkeit
    C ☐ Willensschwäche
    D ☐ Homosexualität
    E ☐ neurotische Fehlentwicklungen
    F ☐ übertriebener Ordnungssinn

14. Zeichen der senilen Demenz: (1)
    A ☐ anhaltende Kopfschmerzen
    B ☐ Verlust der Spontansprache
    C ☐ Schwerhörigkeit
    D ☐ Sehstörungen
    E ☐ ausgeprägte Gedächtnis- und Merkfähigkeitsstörungen

15. Wann treten die pyknoleptischen Anfälle am häufigsten auf: (1)
    A ☐ im Säuglingsalter
    B ☐ im Schulkindalter
    C ☐ nach der Pubertät

16. Die Zyklothymie: (1)
    A ☐ verläuft in Schüben
    B ☐ wird oft von Suizidversuchen begleitet
    C ☐ ist bei Frauen abhängig vom Zyklus

17. Welche Aussagen sind für die cerebrale Angiographie zutreffend: (2)
    A ☐ Darstellung der Hirngefäße durch Röntgenaufnahmen
    B ☐ Kontrastmittel wird in die Vena subclavia injiziert
    C ☐ Röntgendarstellung der inneren und äußeren Hirnhohlräume
    D ☐ Röntgendarstellung findet nach Austausch von Liqour gegen
        Luft statt
    E ☐ Kontrastmittel wird in die Arteria carotis injiziert

---

13 A, B, C   14 E   15 B   16 B   17 A, E

18. **Das Down-Syndrom: (1)**

A ☐ entsteht durch eine Chromosomenanomalie
B ☐ ist gut therapierbar
C ☐ entsteht durch eine Stoffwechselstörung
D ☐ wird auch Fölling-Krankheit genannt

19. **Was bedeutet Agnosie: (1)**

A ☐ Abbau des Visus und des Gehörs
B ☐ artikulatorische Sprachstörung
C ☐ Störung des Erkennens bei ungestörter Funktion der entsprechenden Sinnesorgane
D ☐ periodische Trunksucht
E ☐ psychische Übererregbarkeit

20. **Welche Angaben sind für die Manie zutreffend: (3)**

A ☐ Heiterkeit ohne entsprechenden Anlass
B ☐ traurige Verstimmung
C ☐ während der manischen Phase sind die Patienten suizidgefährdet
D ☐ Antriebs-, Denk- und Willenshemmung
E ☐ Psychomotorische-Antriebssteigerung
F ☐ prophylaktische Behandlung erfolgt mit Lithium-Salz

21. **Welche Störungen zählen zu den endogenen Psychosen: (2)**

A ☐ Schizophrenie
B ☐ Epilepsie
C ☐ Delirium tremens
D ☐ Zyklophrenie
E ☐ Mongolismus

22. **Zu den Okkasionskrämpfen gehören: (2)**

A ☐ Pyknolepsie
B ☐ Fieberkrämpfe
C ☐ Affektkrämpfe
D ☐ BNS-Krämpfe

---

18 A   **19** C   **20** A, E, F   **21** A, D   **22** B, C

23. Was bedeutet Regression: (1)

A ☐ Entwicklungsstillstand

B ☐ Störung im Sprachrhythmus

C ☐ Zurückgehen bereits entwickelter Verhaltensweisen auf meist infantile Stufen

D ☐ aggressive Reaktionen gegenüber der Umwelt

24. Die Wochenbettpsychose: (1)

A ☐ entsteht durch Potenz- und Libidostörungen

B ☐ entsteht durch Trennungserlebnisse

C ☐ ist eine ausgelöste endogene Psychose

D ☐ ist immer eine exogene Psychose

E ☐ ist eine Schizophrenia simplex

25. Welches Symptom wird nicht beim epileptischen Anfall (Grand mal) beobachtet: (1)

A ☐ unwillkürliche Urinentleerung

B ☐ Pupillenverengung bei Lichteinfall

C ☐ Zungenbiss

D ☐ klonische Krämpfe

26. Welche Symptome sind charakteristisch für Absencen: (2)

A ☐ 3-Sekunden-Spike-wave-Rhythmus im EEG

B ☐ Zungenbiss

C ☐ langfristiger Bewusstseinsverlust

D ☐ symmetrische Klonismen der Augen- und Gesichtsmuskulatur

27. Die besten Erfolge bei der Therapie der Zwangsneurosen werden erzielt mit: (1)

A ☐ der Verhaltenstherapie

B ☐ der Psychoanalyse

C ☐ dem autogenen Training

---

23 C   24 C   25 B   26 A, D   27 A

28. Was versteht man unter einem Status epilepticus: (1)

A ☐ einen bis drei Minuten dauernden epileptischen Anfall
B ☐ mehrere Anfälle ohne Wiedereintreten des Bewusstseins
C ☐ die genaue Beschreibung eines epileptischen Anfalls
D ☐ den Aufnahmebefund eines Epileptikers

29. Tonisch-klonische Sprachrhythmusstörungen bezeichnet man als: (1)

A ☐ Stottern
B ☐ Stammeln
C ☐ Mutismus
D ☐ Poltern
E ☐ Lispeln

30. Welche Aussagen sind für die Pneumenzephalographie zutreffend: (2)

A ☐ Darstellung der Hirngefäße durch Röntgenaufnahmen
B ☐ Kontrastmittel wird in die Vena subclavia injiziert
C ☐ Kontrastmittel wird in die Arteria carotis injiziert
D ☐ Röntgendarstellung der inneren und äußeren Hirnhohlräume
E ☐ Röntgendarstellung findet nach Austausch von Liqour gegen Luft statt

31. Bei welchen Krankheiten (Störungen) besteht ein erhöhtes Suizidrisiko: (2)

A ☐ Homosexualität
B ☐ Suchtleiden (Alkohol, Betäubungsmittel, etc.)
C ☐ Epilepsie
D ☐ depressiver Verstimmung

32. Welche Erscheinungen gehören nicht zum Bild der Absencen: (2)

A ☐ Bewusstseinspause bis zu 20 Sekunden
B ☐ Verdrehen des Kopfes und der Augen nach oben (»Hans-guck-in-die-Luft«)
C ☐ Nestelbewegungen mit den Händen
D ☐ Einnässen
E ☐ Ankündigung durch eine Aura

---

28 B   29 A   30 D, E   31 B, D   32 D, E

33. Welche Angaben sind für die Depression zutreffend: (5)
   A ☐ Heiterkeit ohne entsprechenden Anlass
   B ☐ Psychomotorische-Antriebssteigerung
   C ☐ prophylaktische Behandlung mit Lithium-Salz
   D ☐ die Therapie besteht in strenger Bettruhe und Isolierung
   E ☐ traurige Verstimmung
   F ☐ Depressive sind während des Umschwungs (Beginn und Ende der Phase) suizidgefährdet
   G ☐ Antriebs-, Denk- und Willenshemmung
   H ☐ depressive Reaktionen treten häufig nach einer Belastung auf (Todesfall, Trennung etc.)

34. Mutismus: (2)
   A ☐ wird durch Röntgenstrahlen ausgelöst
   B ☐ ist gewolltes oder ungewolltes Schweigen bei intaktem Sprachvermögen
   C ☐ tritt häufig bei Schizophrenen infolge des fehlenden Kontaktbedürfnisses auf
   D ☐ ist der Fachterminus für Stummheit
   E ☐ ist immer Folge einer anatomischen Fehlbildung

35. Projektion ist eine: (1)
   A ☐ Identifikation
   B ☐ Suchtentwicklung
   C ☐ Übertragung von eigenen, negativen Gefühlsimpulsen auf einen anderen Menschen
   D ☐ ungewöhnlich starke Ausprägung des Ödipuskomplexes
   E ☐ Wahnentwicklung bei normaler psychischer Funktion

36. Im Alkoholdelirium treten auf: (3)
   A ☐ Zittern
   B ☐ Halluzinationen
   C ☐ hypersoziales Verhalten
   D ☐ Verwirrtheit
   E ☐ logische Kontinuität
   F ☐ Zungen- und Schlundkrämpfe

---

33 C, E, F, G, H   34 B, C   35 C   36 A, B, D

37. **Was versteht man unter Paranoia: (1)**

A ☐ Wahnentwicklung bei erhaltener Klarheit des übrigen Denkens, Wollens und Handelns

B ☐ herabgesetzte Konzentrationsfähigkeit

C ☐ symptomatische Depressionen

D ☐ Wahnentwicklung bei gestörter psychischer Funktion

38. **Das Korsakow-Syndrom: (1)**

A ☐ tritt oft als Symptom der Schizophrenie auf

B ☐ ist ein psychischer Defektzustand nach langem, chronischem Alkoholabusus

C ☐ ist eine Reizleitungsstörung auf Grund von Tablettenabusus

D ☐ tritt bei Frauen so gut wie nie auf

39. **Welche Aussagen zur Organneurose treffen zu: (2)**

A ☐ die Zwangsneurose ist eine Organneurose

B ☐ sie manifestiert sich gerne im Herz-Kreislauf-System

C ☐ es handelt sich meist um funktionelle Beschwerden ohne organische Ausfälle

D ☐ sie manifestiert sich nicht im Magen-Darm-Trakt

E ☐ sie lässt sich mit dem Hamburg-Wechsler-Test nachweisen

40. **Welche Inhalte hat die Psychiatrie-Enquete von 1975: (2)**

A ☐ die Forderung, die Stellenpläne in der Psychiatrie zu reduzieren

B ☐ die Psychiatrie soll gemeindenah praktiziert werden

C ☐ die seelisch Kranken sollen den körperlich Kranken gleichgestellt werden

D ☐ die Landeskrankenhäuser sollen von ihrer Aufnahmepflicht befreit werden

| 37 A | 38 B | 39 B, C | 40 B, C |

41. Der Weg einer Zwangseinweisung nach dem Gesetz zur Unter-
    bringung psychisch Kranker beinhaltet: (1)
    A ☐ Einweisung kann nur durch richterliche Verfügung erfolgen
    B ☐ jeder behandelnde Arzt kann einweisen
    C ☐ Einweisung kann nur mit Zustimmung der Patienten erfolgen
    D ☐ Einweisung kann in jedes Krankenhaus erfolgen
    E ☐ Einweisung kann auch durch gefährdete Angehörige erfolgen

42. Welche der folgenden Reha-Möglichkeiten für psychisch Erkrankte
    treffen zu: (2)
    A ☐ Beschäftigungstherapie
    B ☐ Arbeitstherapie
    C ☐ Isolation
    D ☐ ausschließlich Gruppentherapie

43. Welche Veränderungen treten bei der Parkinson-Krankheit häufig
    auf: (3)
    A ☐ Antriebsschwäche
    B ☐ Psychomotorikverarmung
    C ☐ Psychomotoriksteigerung
    D ☐ depressive Verstimmungszustände
    E ☐ manische Phasen
    F ☐ Psychomotorische-Antriebssteigerung

44. Welche Aussagen zur Schizophrenie treffen zu: (2)
    A ☐ sie verläuft in Schüben
    B ☐ sie verläuft in Phasen
    C ☐ als Symptom treten Denkstörungen auf
    D ☐ sie wird auch als exogene Psychose bezeichnet
    E ☐ sie tritt erst nach dem 50. Lebensjahr auf

41 A   42 A, B   43 A, B, D   44 A, C

45. Welche Aussagen zur Imbezillität treffen zu: (2)

A ☐ sie ist ein Schweregrad des Schwachsinns
B ☐ die Menschen kennzeichnet eine völlige Bildungsunfähigkeit
C ☐ die Menschen sind noch in der Lage, praktisch etwas zu leisten
D ☐ die Vorstufe der Imbezillität ist die Idiotie

46. Welche Erkrankungen, die mit Schwachsinn einhergehen, haben ihre Ursache in Chromosomenanomalien: (2)

A ☐ Galaktosämie
B ☐ Niemann-Pick-Krankheit
C ☐ Mongolismus
D ☐ Kretinismus
E ☐ Klinefelter-Syndrom

47. Was sind Halluzinationen: (2)

A ☐ vollkommene Enthemmungen
B ☐ Sinnestäuschungen
C ☐ Ideenflucht
D ☐ Versündigungsideen
E ☐ Wahrnehmungen ohne Objekt in allen Sinnesbereichen
F ☐ Bewusstseinsverlust

48. Welche Halluzinationen treten häufig bei Delirien auf: (3)

A ☐ Geschmack-Halluzinationen
B ☐ Geruch-Halluzinationen
C ☐ Optische-Halluzinationen
D ☐ Taktile-Halluzinationen
E ☐ Kinästhetische-Halluzinationen

XX. Neurologie

1. Welche Aussagen über die zentralen Lähmungen sind richtig: (2)
   A ☐ Muskeltonus ist herabgesetzt bis aufgehoben
   B ☐ spastische Tonuserhöhung
   C ☐ Eigenreflexe sind abgeschwächt oder erloschen
   D ☐ Eigenreflexe sind meistens gesteigert
   E ☐ Babinski-Reflex nicht vorhanden

2. Periphere Sensibilitätsstörungen beruhen auf einer Schädigung: (1)
   A ☐ des Zentralnervensystems
   B ☐ außerhalb des Zentralnervensystems

3. Gutartige Tumoren des Nervengewebes: (2)
   A ☐ Melanom
   B ☐ Chondrom
   C ☐ Neurinom
   D ☐ Meningeom
   E ☐ Glioblastom

4. Welchen Ausfall zeigt ein Patient, bei dem es zur Ruptur eines Hirngefäßaneurysmas und somit zu einer Schädigung des rechten hinteren Stirnlappenanteils gekommen ist: (1)
   A ☐ Querschnittlähmung
   B ☐ Halbseitenlähmung rechts
   C ☐ Halbseitenlähmung links
   D ☐ sensorische Aphasie

---

1 B, D   2 B   3 C, D   4 C

5. **Wie verständigen Sie sich mit einem Patienten, der mit einer Aphasie auf Ihrer Station liegt: (3)**

A ☐ Sie sprechen langsam in kurzen, einfachen Sätzen und unterstreichen Ihre Sätze mit Gesten

B ☐ Sie sprechen sehr laut, damit der Patient Sie versteht

C ☐ Sie sprechen häufig mit dem Patienten, auch wenn er nicht begreift oder sich nicht verständlich machen kann

D ☐ Sie benutzen ausschließlich Schriftkarten

E ☐ Sie vermeiden Überanstrengungen, denn bei Erschöpfung und emotionaler Belastung verschlimmert sich die Aphasie

6. **Welche charakteristischen Symptome verursacht das subdurale Hämatom: (3)**

A ☐ Blutung aus den Ohren

B ☐ Schwindel-Erbrechen

C ☐ Druckpuls

D ☐ Miosis auf der Herdseite

E ☐ Mydriasis auf der Herdseite

F ☐ fadenförmiger, tachykarder Puls

7. **Trismus ist ein Krampf: (1)**

A ☐ der gesamten Körpermuskulatur

B ☐ der Kaumuskulatur

C ☐ der Streckmuskulatur des Nackens und des Rückens

D ☐ einzelner Muskelfasern

8. **Welche Reflexe gehören zu den physiologischen Eigenreflexen: (3)**

A ☐ Trizepsreflex

B ☐ Bauchhautreflex

C ☐ Babinski-Reflex

D ☐ Achillessehnenreflex

E ☐ Patellarsehnenreflex

---

5 A, C, E   6 B, C, E   7 B   8 A, D, E

9. Unter Ataxie versteht man: (1)

A ☐ eine Störung der Bewegungs-Koordination
B ☐ eine Störung des optischen oder akustischen Erkennens
C ☐ die Unfähigkeit zu lesen
D ☐ die Unfähigkeit zu rechnen

10. Bei Verdacht auf raumbeengende Prozesse im Spinalkanal wird die Liquorpassage geprüft mit: (1)

A ☐ der Pandy-Probe
B ☐ dem Queckenstedt-Versuch
C ☐ der Rivalta-Probe

11. Opisthotonus ist ein Krampf: (1)

A ☐ einzelner Muskelfasern
B ☐ der gesamten Körpermuskulatur
C ☐ der Kaumuskulatur
D ☐ der Streckmuskulatur des Nackens und des Rückens

12. Welche Aussagen über die peripheren Lähmungen sind richtig: (3)

A ☐ Atrophie des gelähmten Muskels setzt nach 3–4 Wochen ein
B ☐ Muskeltonus ist herabgesetzt bis aufgehoben
C ☐ Babinski-Reflex meistens vorhanden
D ☐ Eigenreflexe sind abgeschwächt oder erloschen
E ☐ Eigenreflexe sind meistens gesteigert
F ☐ spastische Tonuserhöhung
G ☐ immer eine Para- oder Tetraparese

13. Der Muskeltonus ist bei einseitiger Kleinhirnerkrankung: (1)

A ☐ auf der Gegenseite vermindert
B ☐ auf der gleichen Seite vermindert
C ☐ auf der Gegenseite erhöht
D ☐ auf der gleichen Seite erhöht

---

9 A   10 B   11 D   12 A, B, D   13 B

14. **Symptome der Polyneuritis: (4)**

A ☐ Parästhesien (Ameisenlaufen)
B ☐ Paresen mit Muskelatrophie
C ☐ Sehnenreflexe gesteigert
D ☐ Koordinationsstörungen
E ☐ Sehnenreflexe herabgesetzt
F ☐ Stauungspapille
G ☐ klonische Krämpfe

15. **Welcher Tumor verursacht am häufigsten Hirnmetastasen: (1)**

A ☐ Dickdarmkarzinom
B ☐ Leberkarzinom
C ☐ Bronchialkarzinom
D ☐ Prostatakarzinom

16. **Tonische Krämpfe: (2)**

A ☐ sind kurzdauernde, schnell aufeinander folgende Muskel-
kontraktionen
B ☐ unwillkürliche Muskelkontraktionen
C ☐ willkürliche Muskelkontraktionen
D ☐ haben eine Dauer von Minuten bis zu Tagen
E ☐ grob- oder feinschlägige rhythmische Zuckungen, die schnell
aufeinander folgen
F ☐ Zuckungen einzelner Muskelbündel ohne Bewegungseffekt

17. **Miosis bedeutet: (1)**

A ☐ Ungleichheit der Pupillen
B ☐ abnorme Enge der Pupillen
C ☐ abnorme Weite der Pupillen
D ☐ absolute Pupillenstarre

---

14 A, B, D, E   15 C   16 B, D   17 B

18. Anisokorie bedeutet: (1)

    A ☐ absolute Pupillenstarre
    B ☐ abnorme Enge der Pupillen
    C ☐ abnorme Weite der Pupillen
    D ☐ halbseitige Gesichtsfeldeinschränkung
    E ☐ Ungleichheit der Pupillen

19. Das Epiduralhämatom ist eine Blutansammlung zwischen: (1)

    A ☐ Dura mater und Schädelkalotte
    B ☐ Arachnoidea und Dura mater
    C ☐ Pia mater und Arachnoidea

20. Eine Polyneuritis kann auftreten als Folge von: (3)

    A ☐ Missbildungen
    B ☐ EEG-Untersuchungen
    C ☐ Herdinfekten
    D ☐ Alkoholintoxikation
    E ☐ Diphtherie
    F ☐ Koordinationsstörungen

21. Welcher Reflex gehört zu den physiologischen Fremdreflexen: (1)

    A ☐ Bizepsreflex
    B ☐ Radiusperiostreflex
    C ☐ Babinski-Reflex
    D ☐ Patellarsehnenreflex
    E ☐ Bauchhautreflex

22. Welche Aussagen über die Poliomyelitis sind richtig: (2)

    A ☐ spastische Parese
    B ☐ schlaffe Parese
    C ☐ Hinterhörner werden zerstört
    D ☐ Vorderhornzellen gehen zu Grunde

| 18 E | 19 A | 20 C, D, E | 21 E | 22 B, D |

23. **Welche Maßnahmen ergreifen Sie, wenn ein Patient in Ihrer Gegenwart einen Krampfanfall erleidet: (3)**

A ☐ Sie bleiben bei dem Patienten, bis der Anfall beendet ist
B ☐ Sie holen sofort einen Arzt
C ☐ Sie geben dem Patienten etwas Kühles zu trinken
D ☐ Sie stecken dem Patienten ein Tuch zwischen die Zähne
E ☐ Sie lassen den Patienten liegen und entfernen Gegenstände, an denen er sich verletzen könnte
F ☐ Sie fixieren den Patienten

24. **Kardinalsymptome des Parkinson-Syndroms: (3)**

A ☐ Trismus
B ☐ Tremor
C ☐ Beugestellung des Körpers
D ☐ Salbengesicht
E ☐ Gesichtszyanose
F ☐ tonische Krämpfe

25. **Bei welchen Erkrankungen kann eine abnorme Weite der Pupillen beobachtet werden: (3)**

A ☐ Glaukom
B ☐ Koma
C ☐ epileptischer Anfall
D ☐ Sympathikuslähmung
E ☐ Tabes
F ☐ progressive Paralyse
G ☐ Meningitis

26. **Als Meningozele bezeichnet man: (1)**

A ☐ eine Verschmelzung zweier oder mehrerer Halswirbel
B ☐ eine Viruserkrankung, die besonders die Stammganglien befällt
C ☐ ein Austreten von Hirnhäuten durch einen Knochendefekt der Wirbelsäule (von Haut überdeckt)
D ☐ eine intrazerebrale Blutung

---

23 A, D, E   24 B, C, D   25 A, B, C   26 C

27. Das Elektroenzephalogramm: (1)
   A ☐ ist eine Aufzeichnung der Spannungsschwankungen des Gehirns
   B ☐ ist eine Aufzeichnung des Intelligenz-Quotienten
   C ☐ erlaubt in erster Linie Rückschlüsse auf die Intelligenz
   D ☐ ist die Darstellung des intrakraniellen Liquorraumes

28. Bei welchen Erkrankungen kann eine abnorme Enge der Pupillen beobachtet werden: (3)
   A ☐ epileptischer Anfall
   B ☐ progressive Paralyse
   C ☐ Meningitis
   D ☐ Sympathikuslähmung
   E ☐ Glaukom
   F ☐ Okulomotoriuslähmung

29. Welche Aussagen über die »schlaffe Lähmung« sind richtig: (2)
   A ☐ Muskelatrophie
   B ☐ Muskeltonus erhöht
   C ☐ Sehnenreflexe vorhanden
   D ☐ tritt auf bei Erkrankungen des zentralen motorischen Neurons (Rinde, Pyramidenbahn)
   E ☐ tritt auf bei Erkrankungen im peripheren motorischen Neuron (Vorderhorn des Rückenmarks oder peripherer Nerv)

30. Welcher Reflex gehört zu den pathologischen Reflexen: (1)
   A ☐ Bizepsreflex
   B ☐ Babinski-Reflex
   C ☐ Bauchhautreflex
   D ☐ Achillessehnenreflex

27 A   28 B, C, D   29 A, E   30 B

31. **Symptome bei Meningitis: (5)**

A ☐ Kopfschmerzen
B ☐ Lähmung des weichen Gaumens
C ☐ Erbrechen
D ☐ Krampfanfälle
E ☐ Nackensteifigkeit
F ☐ schlaffe Lähmung
G ☐ Kernig-Zeichen positiv
H ☐ Lähmung der Atemmuskulatur

32. **Welche Aussagen über die Reflexe sind richtig: (2)**

A ☐ Eigenreflex: die sensiblen Rezeptoren liegen im Erfolgsorgan
B ☐ Eigenreflex: die vermittelnden Rezeptoren liegen in der Haut
C ☐ Fremdreflex: die sensiblen Rezeptoren liegen im Erfolgsorgan
D ☐ Fremdreflex: die vermittelnden Rezeptoren liegen in der Haut

33. **Der Patellarsehnenreflex: (2)**

A ☐ ist gesteigert bei Unterbrechung des sensiblen Reflexbogen-
anteils
B ☐ ist gesteigert bei Rückenmarkerkrankungen oberhalb des
Reflexbogens
C ☐ ist aufgehoben bei Rückenmarkerkrankungen oberhalb des
Reflexbogens
D ☐ ist aufgehoben bei Neuritis des Nervus femoralis
E ☐ ist gesteigert bei Tabes dorsalis

34. **Pneumenzephalographie ist: (1)**

A ☐ eine Aufzeichnung der Aktionsstromtätigkeit des Gehirns
B ☐ eine Darstellung der Hirngefäße
C ☐ die röntgenologische Darstellung des intrakraniellen
Liquorraumes nach Luftfüllung

---

31 A, C, D, E, G   32 A, D   33 B, D   34 C

35. Symptome der Apoplexie cerebri: (2)

A □ Paraplegie
B □ Hemiplegie
C □ Muskeltonus der gelähmten Extremitäten ist in der ersten Zeit herabgesetzt (schlaff)
D □ Muskeltonus der gelähmten Extremitäten ist in der ersten Zeit gesteigert (spastisch)

36. Welche Aussagen über die Paresen sind richtig: (2)

A □ Hemiparese: beide Beine sind gelähmt
B □ Paraparese: eine Körperseite ist gelähmt
C □ Tetraparese: alle Extremitäten sind gelähmt
D □ Monoparese: je ein Arm und ein Bein sind gelähmt
E □ Hemiparese: eine Körperseite ist gelähmt
F □ Paraparese: je ein Arm und ein Bein sind gelähmt

37. Welche Aussagen über die »spastische Lähmung« sind zutreffend: (2)

A □ der Muskeltonus ist vermindert
B □ der Sehnenreflex ist vorhanden
C □ tritt auf bei Erkrankungen des zentralen motorischen Neurons (Rinde, Pyramidenbahn)
D □ tritt auf bei Erkrankungen im peripheren motorischen Neuron (Vorderhorn des Rückenmarks oder peripherer Nerv)

38. Myelitis ist eine Entzündung: (1)

A □ der Hirnhäute
B □ des Rückenmarks
C □ des Gehirns
D □ der Hirnventrikel

---

35 B, C   36 C, E   37 B, C   38 B

39. Symptome der Neuralgien: (3)

A ☐ Schmerzen nur im Bereich des betroffenen Nerven
B ☐ Lähmungen
C ☐ Druckempfindlichkeit des Nerven
D ☐ Schmerzen treten anfallsweise und sehr heftig auf
E ☐ Sensibilitätsausfälle
F ☐ Reflexstörungen

40. Tetanus ist ein Krampf: (1)

A ☐ einzelner Muskeln
B ☐ der Streckmuskulatur des Nackens und des Rückens
C ☐ der Kaumuskulatur
D ☐ der gesamten quergestreiften Muskulatur

41. Ursachen der infantilen Zerebralparese: (2)

A ☐ Gehirnblutung
B ☐ perinataler Sauerstoffmangel des Kindes
C ☐ arteriosklerotischer Parkinsonismus
D ☐ Tabes dorsalis

XXI. Dermatologie – Geschlechtskrankheiten

1. Die Bartflechte ist eine: (1)

   A ☐ Staphylokokkeninfektion
   B ☐ Pilzerkrankung
   C ☐ Manifestation der Lues

2. Ulcus cruris ist: (1)

   A ☐ ein Stadium der Lues
   B ☐ ein Unterschenkelgeschwür
   C ☐ eine Furunkulose
   D ☐ der syphilitische Primäraffekt

3. Typisches Symptom der Psoriasis vulgaris: (1)

   A ☐ Rötung und Schwellung
   B ☐ Geschwüre
   C ☐ Feigwarzen (spitze Kondylome)
   D ☐ silberweiße Schuppen

4. Die spezifische Behandlung der Scabies erfolgt mit: (1)

   A ☐ Sulfonamiden
   B ☐ Antibiotika
   C ☐ Kaliumpermanganat
   D ☐ Jacutin

5. Lokal angewandte Kortisonpräparate wirken: (2)

   A ☐ durchblutungshemmend
   B ☐ durchblutungsfördernd
   C ☐ entzündungshemmend
   D ☐ entzündungsfördernd
   E ☐ juckreizstillend

| 1 B | 2 B | 3 D | 4 D | 5 C, E |

6. **Das endogene Ekzem (Neurodermitis): (2)**

   A ☐ kommt oft schon im Säuglingsalter als so genannter Milch-
   schorf vor

   B ☐ steht im Zusammenhang mit der Aufnahme von Milch-
   produkten

   C ☐ zeigt eine Vielgestaltigkeit (Polymorphie) der Effloreszenzen

   D ☐ ist eine Staphylokokkeninfektion

7. **Welche Organe können von der Gonorrhoe befallen werden: (3)**

   A ☐ Muskeln

   B ☐ Geschlechtsorgane

   C ☐ Knochen

   D ☐ Nieren

   E ☐ Augen

   F ☐ Gelenke

8. **Welche Geschlechtskrankheiten werden vorwiegend mit Penicillin
   behandelt: (2)**

   A ☐ Gonorrhoe

   B ☐ Lues

   C ☐ Ulcus molle

   D ☐ Lymphogranuloma inguinale

9. **Bösartige epitheliale Geschwülste der Haut: (2)**

   A ☐ Hämangiom

   B ☐ Basaliom

   C ☐ Spinaliom

   D ☐ Lipom

   E ☐ Fibrom

   F ☐ Xanthom

---

6 A, C   7 B, E, F   8 A, B   9 B, C

10. **Welche Aussage trifft für die Quaddel (Urtica) zu: (1)**
  A ☐ Abschilferung der Hornschicht (Oberhaut)
  B ☐ oberflächlicher Substanzdefekt der Oberhaut
  C ☐ Hohlraum mit bindegewebiger Wand, in dem sich Schweiß, Talg, etc. befindet
  D ☐ mit Eiter gefülltes Bläschen
  E ☐ Ausschwitzung von Gewebeflüssigkeit in die Oberhaut und Lederhaut (Bestandsdauer einige Stunden)

11. **Die Ichthyosis wird behandelt mit: (1)**
  A ☐ Vitamin A
  B ☐ Vitamin B
  C ☐ Vitamin C
  D ☐ Vitamin D
  E ☐ Vitamin E
  F ☐ Vitamin K

12. **Wo tritt die Schuppenflechte bevorzugt auf: (1)**
  A ☐ am Stamm
  B ☐ an den Fußsohlen
  C ☐ in den Handinnenflächen
  D ☐ an der Streckseite der Extremitäten

13. **Viruserkrankungen der Haut: (3)**
  A ☐ Erysipel
  B ☐ Impetigo contagiosa
  C ☐ Herpes simplex
  D ☐ Follikulitis
  E ☐ Pemphigoid des Neugeborenen
  F ☐ Feigwarzen
  G ☐ Stomatitis aphthosa

---

10 E   11 A   12 A   13 C, F, G

14. Gutartige epitheliale Geschwülste der Haut: (3)

A ☐ Spinaliom
B ☐ Basaliom
C ☐ Hämangiom
D ☐ Lipom
E ☐ Fibrom

15. Zu den Sekundäreffloreszenzen gehören: (4)

A ☐ Schuppe (Squama)
B ☐ Atrophie
C ☐ Ulkus
D ☐ Kruste
E ☐ Fleck (Macula)
F ☐ Knötchen (Papula)
G ☐ Zyste

16. Zu den Primäreffloreszenzen gehören: (4)

A ☐ Schuppe (Squama)
B ☐ Fleck (Macula)
C ☐ Geschwür (Ulkus)
D ☐ Narbe (Cicatrix)
E ☐ Quaddel (Urtica)
F ☐ Knötchen (Papula)
G ☐ Bläschen (Vesicula)

17. Welche der folgenden Hautkrankheiten sind bakteriell verursacht: (3)

A ☐ Periporitis
B ☐ Impetigo contagiosa
C ☐ Windpocken
D ☐ Ecthyma
E ☐ vulgäre Warzen
F ☐ Stomatitis aphthosa

---

14 C, D, E   **15** A, B, C, D   **16** B, E, F, G   **17** A, B, D

18. Albinismus ist eine: (1)

A ☐ erworbene bakterielle Pigmenterkrankung
B ☐ erworbene Viruserkrankung der Haut
C ☐ angeborene Pigmentmangelerkrankung

19. Gonorrhoe hat eine Inkubationszeit von: (1)

A ☐ 2–3 Tagen
B ☐ 2–3 Wochen
C ☐ 2–3 Monaten
D ☐ 2–3 Jahren

20. Das Überstehen einer Gonorrhoe hinterlässt: (1)

A ☐ lebenslängliche Immunität
B ☐ eine Immunität von 2–3 Jahren
C ☐ keine Immunität

21. Erythema nodosum ist eine: (1)

A ☐ Pilzerkrankung
B ☐ Virusinfektion
C ☐ Soormykose
D ☐ besondere Hautreaktionsform bei verschiedenen Erkrankungen
   (Rheumatismus, Tbc)
E ☐ ansteckende Hautkrankheit

22. Zur Diagnostik des allergischen Ekzems wird folgender Hauttest angewandt: (1)

A ☐ Subkutantest
B ☐ Intrakutantest
C ☐ Epikutantest
D ☐ Submucosatest

| 18 C | 19 A | 20 C | 21 D | 22 C |

435

23. **Endogene Ekzeme werden lokal behandelt mit: (1)**

A ☐ Schüttelmixturen
B ☐ Antihistaminika
C ☐ trockenen Pasten
D ☐ Ölen

24. **Bei welchen Hauterkrankungen wird eine Ultraviolettbestrahlung durchgeführt: (2)**

A ☐ chronische Urtikaria
B ☐ Furunkel
C ☐ vulgäres Ekzem
D ☐ Akne vulgaris

25. **Bei welchen Hautkrankheiten besteht Ansteckungsgefahr: (4)**

A ☐ Milzbrand
B ☐ Tuberkulose
C ☐ Impetigo
D ☐ Mikrosporie
E ☐ Vitiligo
F ☐ Albinismus
G ☐ Leukoderm
H ☐ Lupus vulgaris

26. **Syphilis hat eine Inkubationszeit von: (1)**

A ☐ 5 Tagen
B ☐ 2 Wochen
C ☐ 3 Wochen
D ☐ 5 Wochen
E ☐ 4–5 Monaten
F ☐ 2–3 Jahren

---

23 C   24 A, D   25 A, B, C, D   26 C

27. Erstes Hautsymptom der Syphilis: (1)

A ☐ Syphilid
B ☐ spitze Kondylome
C ☐ vulgäre Warzen
D ☐ Ulcus durum (Primäraffekt)
E ☐ Ulcus molle

28. Hämangiome: (1)

A ☐ müssen immer operativ entfernt werden
B ☐ werden durch mehrere Punktionen entfernt
C ☐ heilen nur durch Bestrahlung vollständig aus
D ☐ heilen meist spontan aus

29. Impetigo contagiosa ist: (1)

A ☐ eine allergische Hauterkrankung
B ☐ eine durch Staphylokokken verursachte, infektiöse Haut-
erkrankung
C ☐ der Hautausschlag bei angeborener Syphilis

30. Tumoren an der Haut können: (2)

A ☐ gutartig sein und multipel auftreten, wie Fibrome und Lipome
B ☐ bösartiger Natur sein, wie Melanome oder Spinaliome
C ☐ nicht auf dem Boden eines Lupus vulgaris entstehen
D ☐ nicht Ausdruck einer Geschlechtskrankheit sein

31. Bei der Gonorrhoe: (4)

A ☐ erfolgt die Infektion durch den Geschlechtsverkehr
B ☐ sind die Erreger gramnegative Diplokokken
C ☐ sind die Erreger grampositive Diplokokken
D ☐ besteht eine chiffrierte Meldepflicht für alle Kranken
E ☐ kann eine Monarthritis auftreten
F ☐ entsteht nach dreiwöchiger Inkubationszeit der Primäraffekt
G ☐ tritt ein makulöses Exanthem auf
H ☐ werden die Erreger diaplazentar in der ersten Schwanger-
schaftshälfte auf den Feten übertragen

---

27 D   28 D   29 B   30 A, B   31 A, B, D, E

XXII. Krankheiten von Mundhöhle, Rachen, Nase und Ohren

1. Wichtige Pflegemaßnahmen bei Trachealkanülenträgern: (2)

   A ☐ regelmäßige O_2-Therapie (morgens, mittags und abends)
   B ☐ Anfeuchtung der Einatmungsluft
   C ☐ regelmäßiges Absaugen und Reinigen der Innenkanüle
   D ☐ regelmäßiges Umlagern des Patienten (wechselnde Seitenlagerung)

2. Eine Bellocq-Tamponade: (2)

   A ☐ wird bei einer schwer zu stillenden Nasenblutung angelegt
   B ☐ kann nach wenigen Stunden wieder entfernt werden
   C ☐ wird in der Regel nach 48 Stunden entfernt bzw. gewechselt
   D ☐ erfordert keine Ergänzungstherapie, wie z. B. Antibiotika, Sedativa, Analgetika

3. Nach Eingriffen im Naseninneren wird herausfließendes Wundsekret: (1)

   A ☐ in einer Schale aufgefangen
   B ☐ durch einen Kompressionsverband gestaut
   C ☐ durch eine Nasenschleuder aufgefangen
   D ☐ in Reagenzgläsern aufgefangen (24-Stunden-Sekret)

4. Die Frenzel Leuchtbrille: (1)

   A ☐ wird zur Transillumination (Diaphanoskopie) der Kiefernhöhlen benötigt
   B ☐ verhindert die Fixation des Auges bei der Beobachtung des Nystagmus
   C ☐ findet Anwendung bei der Spiegeluntersuchung des Nasenrachenraumes

---

1 B, C   2 A, C   3 C   4 B

5. Symptome der Laryngitis acuta: (3)

A ☐ Heiserkeit
B ☐ lebensbedrohliche Atemnot
C ☐ Trockenheit im Hals
D ☐ Rötung der Kehlkopfschleimhaut
E ☐ offener Mund, fliehendes Kinn
F ☐ nasale Sprache

6. Symptome der akuten Sinusitis: (3)

A ☐ Kopfschmerzen
B ☐ Schluckbeschwerden
C ☐ Schwerhörigkeit
D ☐ eitriger Nasenausfluss
E ☐ verstärkte Schmerzen beim Husten, Schneuzen und Bücken
F ☐ starke Schmerzen im Ohr

7. Therapeutische, pflegerische Maßnahmen bei Nasenbluten: (3)

A ☐ flache Lagerung
B ☐ aufrechte Lagerung
C ☐ Zusammendrücken der Nasenflügel
D ☐ Eiskrawatte in den Nacken
E ☐ UV-Bestrahlung
F ☐ Kompression der Arteria temporalis

8. Was versteht man unter Parazentese: (1)

A ☐ Schnitt ins Trommelfell
B ☐ Entfernung der Rachenmandeln
C ☐ Nekrose der Ohrspeicheldrüse
D ☐ Entzündung aller Nasennebenhöhlen

---

5 A, C, D   6 A, D, E   7 B, C, D   8 A

9. **Audiometrie:** (2)

A ☐ ist eine Methode zur Prüfung der Sprachbildung
B ☐ ist eine Methode zur Prüfung des Gehörs
C ☐ wird mit Hilfe von Sinustönen durchgeführt
D ☐ ist eine Gleichgewichtsprüfung
E ☐ ist eine rotatorische Prüfung

10. **Therapeutische Maßnahmen bei akuter Tonsillitis:** (4)

A ☐ Eiskrawatte
B ☐ Parazentese
C ☐ flüssige Kost
D ☐ Halswickel
E ☐ Antibiotika
F ☐ Cortison
G ☐ Mundspülungen mit Kamille
H ☐ Tracheotomie
J ☐ Instillation mit Mentholparaffin

11. **Häufig rezidivierende Entzündungen der Gaumenmandeln (durch Streptokokken) werden operativ entfernt:** (2)

A ☐ weil sie zu fokaltoxischen Fernerkrankungen führen können
B ☐ weil sie zu einem Peritonsillarabszess führen können
C ☐ weil sie heftige Schluckbeschwerden verursachen
D ☐ weil sich die Entzündung häufig auf die Nasennebenhöhlen ausbreitet

12. **Welche Erkrankungen gehen mit Gehörverschlechterung einher:** (2)

A ☐ Otitis media
B ☐ Othämatom
C ☐ Ohrfurunkel
D ☐ Otosklerose
E ☐ Parotitis

---

9 B, C   **10** C, D, E, G   **11** A, B   **12** A, D

13. **Die Durchgängigkeit der Ohrtrompete wird geprüft: (1)**

A ☐ mit dem Valsalva-Versuch
B ☐ durch die Elektronystagmographie
C ☐ durch Röntgenkontrastaufnahmen

14. **Nach einer Tonsillektomie: (4)**

A ☐ wird der Patient flach gelagert
B ☐ wird der Patient mit leicht erhöhtem Oberkörper gelagert
C ☐ muss der Patient das Blut in eine bereitstehende Schale spucken
D ☐ führt verschlucktes Blut nicht zu Komplikationen
E ☐ wird eine Eiskrawatte über den Kehlkopf gelegt (kontinuierlich)
F ☐ wird eine Eiskrawatte in den Nacken gelegt (kontinuierlich)
G ☐ erhält der Patient in den ersten Tagen flüssig-passierte Kost

15. **Komplikationen der akuten Sinusitis: (2)**

A ☐ Pharyngitis
B ☐ Osteomyelitis
C ☐ Mastoiditis
D ☐ Durchbruch in die Orbita
E ☐ Labyrinthitis

16. **Eine Behinderung der Nasenatmung ist nicht gegeben bei: (1)**

A ☐ Septumverkrümmung
B ☐ Polypen
C ☐ Schwellung der Schleimhaut, wie bei Schnupfen
D ☐ Gaumensegellähmung

---

13 A   14 B, C, F, G   15 B, D   16 D

17. Komplikationen der akuten, eitrigen Mittelohrentzündung: (4)

A ☐ Pharyngitis
B ☐ Parotitis
C ☐ Mastoiditis
D ☐ Labyrinthitis
E ☐ Choanalatresie
F ☐ Fazialisparese
G ☐ Sinusthrombose

18. Therapeutische Maßnahmen bei akuter, eitriger Mittelohrentzündung: (3)

A ☐ Eisblase
B ☐ Bettruhe
C ☐ Antibiotikabehandlung
D ☐ Parazentese
E ☐ Cortisonbehandlung
F ☐ feuchte Wärme

19. Ursachen der Sinusitis: (3)

A ☐ Otitis media
B ☐ Schnupfen (Grippe)
C ☐ Masern
D ☐ Typhus
E ☐ Nasenbluten
F ☐ Othämatom

---

17 C, D, F, G   18 B, C, D   19 B, C, D

20. Welche Symptome sprechen für eine akute, eitrige Mittelohrentzündung: (6)

A □ Gleichgewichtsstörungen
B □ Schwellung der Augenlider
C □ starke Schmerzen im Ohr
D □ Ohrensausen
E □ Geruchsstörungen
F □ Klopfen im Ohr
G □ Schwerhörigkeit
H □ eitriger Ausfluss aus der Nase
J □ Temperaturanstieg
K □ gerötetes und vorgewölbtes Trommelfell
L □ randständige Trommelfellperforation

21. Die akute, eitrige Mittelohrentzündung entsteht vorwiegend durch Streptokokken. Diese gelangen am häufigsten in das Mittelohr: (1)

A □ durch das perforierte Trommelfell
B □ über die Ohrtrompete
C □ durch Blutgefäße (hämatogen)
D □ durch Lymphgefäße (lymphogen)

22. Therapeutische Maßnahmen bei akuter Sinusitis: (4)

A □ abschwellende Nasentropfen
B □ Eisblase
C □ Antibiotika
D □ Kamillendämpfe
E □ Kopflichtbäder
F □ Röntgenbestrahlung
G □ Cortison (lokal)

XXIII. Augenheilkunde

1. Beim Erwachsenen besteht die medikamentöse Behandlung des Glaukoms in der lokalen Anwendung von: (1)
   - A ☐ Mydriatika
   - B ☐ Diuretika
   - C ☐ Miotika
   - D ☐ Antibiotika
   - E ☐ Atropin

2. Bei einer Augenverletzung spült man das Auge von: (1)
   - A ☐ lateral nach nasal
   - B ☐ nasal nach lateral
   - C ☐ oben nach unten
   - D ☐ unten nach oben

3. Welches Medikament darf im akuten Glaukom-Anfall nicht verabreicht werden: (1)
   - A ☐ Atropin
   - B ☐ Mydriatika
   - C ☐ Miotika

4. Zu den Brechungsfehlern gehören: (3)
   - A ☐ Astigmatismus
   - B ☐ Myopie
   - C ☐ Keratomalazie
   - D ☐ Ametropie
   - E ☐ Konjunktivitis
   - F ☐ Chalazion
   - G ☐ Dakryostenose

| 1 | C 2 | B 3 | A 4 |

5. Eine Augenhintergrunduntersuchung sollte durchgeführt werden bei Verdacht auf: (3)

A ☐ Diabetes mellitus

B ☐ renale Hypertonie

C ☐ Anämie

D ☐ essentielle Hypertonie

E ☐ Bronchiektasen

F ☐ Hypovolämie

6. Mit welchem Instrument wird der Augenhintergrund untersucht: (1)

A ☐ Refraktometer

B ☐ Ophthalmoskop

C ☐ Perimeter

D ☐ Spaltlampe

E ☐ Nystagmusbrille

7. Kurzsichtigkeit wird korrigiert durch: (2)

A ☐ Sammellinsen

B ☐ Zerstreuungslinsen

C ☐ Konkavgläser

D ☐ Konvexgläser

8 . Wie lautet der Fachausdruck für Alterssichtigkeit: (1)

A ☐ Myopie

B ☐ Presbyopie

C ☐ Hyperopie

D ☐ Hypometrie

E ☐ Ametropie

F ☐ Emmetropie

9. Welches Medikament verursacht bei lokaler Anwendung eine Pupillenverengung: (1)

A ☐ Hedroxyamphetamin-Lösung
B ☐ Phenylephrin-Lösung
C ☐ Zyklopentolat
D ☐ Homatropin
E ☐ Pilocarpin

10. Alterssichtige können ihre Augen nicht einstellen auf: (1)

A ☐ nahe Gegenstände
B ☐ entfernte Gegenstände
C ☐ helle Gegenstände
D ☐ dunkle Gegenstände

11. Eine akute Konjunktivitis ist gekennzeichnet durch: (3)

A ☐ Rötung der Augenbindehaut
B ☐ Schwellung der Augenbindehaut
C ☐ Verengung der Pupille
D ☐ Trübung der Hornhaut
E ☐ starke Absonderung

---

9 E   10 A   11 A, B, E

XXIV. Anästhesie – Intensivpflege

1. Richtige Aussagen zur Glasgow-Koma-Skala: (2)
   A ☐ dient zur Beurteilung der Bewusstseinslage
   B ☐ stellt eine Aufstellung von Hirnverletzungen dar
   C ☐ die Anzahl der Tage einer Bewusstlosigkeit
   D ☐ maximal können 15 Punkte erreicht werden

2. Welche Substanzen sind im Dialysat nicht enthalten: (3)
   A ☐ Kreatinin
   B ☐ Natrium
   C ☐ Fluor
   D ☐ Calcium
   E ☐ Aluminium

3. Welche Symptome sprechen für eine Erschöpfung des Patienten bei der Entwöhnung von einer Beatmung: (4)
   A ☐ vermehrtes Trachealsekret
   B ☐ Tachypnoe
   C ☐ Streckkrämpfe
   D ☐ Unruhe
   E ☐ Schweißausbrüche
   F ☐ abnehmendes Hubvolumen
   G ☐ erhöhter Hirndruck

4. Welche Aussagen sind falsch: (2)
   A ☐ die Bauchlage wird beim Beatmungspatienten nur zur Dekubitusprophylaxe durchgeführt
   B ☐ bei der Bauchlage kommt es u. a. nach kurzer Zeit zu Lidödemen
   C ☐ die Bauchlage wird in zweistündigem Wechsel mit der Rückenlage durchgeführt
   D ☐ die Bauchlage wird bei Patienten mit einem ARDS durchgeführt

---

1 A, D   2 A, C, E   3 B, D, E, F   4 A, C

5. Eine Aspiration bei einem bewusstlosen Patienten kann man am sichersten verhindern mit einem: (1)

A ☐ Safar-Tubus
B ☐ Guedel-Tubus
C ☐ Wendl-Tubus
D ☐ Endotracheal-Tubus

6. Eine Maskennarkose darf nicht durchgeführt werden bei: (3)

A ☐ zahnlosen Patienten
B ☐ Kindern unter 6 Jahren
C ☐ Patienten in Kopf-Tief-Lage
D ☐ Patienten in Kopf-Hoch-Lage
E ☐ nicht nüchternen Patienten
F ☐ Eingriffen im Thorax- und Bauchbereich

7. Welche der genannten Maßnahmen sind primäre Detoxikationsmaßnahmen: (3)

A ☐ forcierte Diurese
B ☐ Gabe von Kohle
C ☐ Magenspülung
D ☐ Dialyse
E ☐ Induktion von Erbrechen

8. Welches sind die möglichen Komplikationen einer PEEP-Beatmung: (3)

A ☐ Lungenödem
B ☐ Blutdruckabfall
C ☐ Pneumothorax
D ☐ Behinderung des venösen Rückflusses zum rechten Herzen
E ☐ erhöhter Hirndruck

---

5 D   6 C, E, F   7 B, C, E   8 B, C, E

9. Bei welchem Narkotikum ist mit einem Blutdruckanstieg zu rechnen: (1)

A ☐ Isofluran (Forene)
B ☐ Halothan
C ☐ Ketamine (Ketanest)
D ☐ Ethrane (Enflurane)

10. Bei welchen der genannten Erkrankungen ist eine Beatmung mit PEEP angezeigt: (3)

A ☐ Intoxikationen
B ☐ Status asthmaticus
C ☐ Rechtsherzinsuffizienz
D ☐ Brustwandverletzungen
E ☐ Apoplex
F ☐ Lungenödem
G ☐ Spannungspneumothorax

11. Eine intratracheale Gabe über den Beatmungstubus ist möglich bei: (3)

A ☐ Adrenalin (Suprarenin)
B ☐ Furosemid (Lasix)
C ☐ Atropin
D ☐ Lidocain (Xylocain)
E ☐ Dopamin

12. Bei welchen anatomischen Verhältnissen muss man mit einer eventuell erschwerten Intubation rechnen: (3)

A ☐ kurzer dicker Hals
B ☐ eingeschränkte Beweglichkeit der Kiefergelenke
C ☐ kleine Zunge
D ☐ vorstehende Schneidezähne
E ☐ zahnloser Ober- und Unterkiefer

---

9 C   10 B, D, F   11 A, C, D   12 A, B, D

13. **Eine Hypothermie bei Kleinkindern führt zu folgenden Störungen: (3)**

A ☐ Hypoglykämie
B ☐ metabolische Alkalose
C ☐ Lipolyse und Ketoazidose
D ☐ Hyperventilation
E ☐ u. U. Schock

14. **Welche Aussagen zur malignen Hyperthermie sind richtig: (4)**

A ☐ Häufigkeit bei Kindern/Jugendlichen 1:15000
B ☐ wird durch Lachgas/Fentanyl ausgelöst
C ☐ eine lebensbedrohliche Narkosekomplikation
D ☐ wird durch Triggersubstanzen wie Halothan oder Succinylcholin ausgelöst
E ☐ Frühsymptom ist Fieber bis über 42 °C
F ☐ der erhöhte Muskeltonus ist ein frühes Warnzeichen
G ☐ sie ist nicht vererblich

15. **In extremen Notfällen kann es erforderlich werden, ohne vorherige Blutgruppenbestimmung und ohne Kreuzprobe Blut zu transfundieren. Welche Blutgruppe muss dieses Blut besitzen: (1)**

A ☐ Null positiv
B ☐ Null negativ
C ☐ AB positiv
D ☐ AB negativ

16. **Welche Aussagen zur Narkoseführung bei einem Patienten mit Asthma sind richtig: (3)**

A ☐ nach Möglichkeit eine Regionalanästhesie bevorzugen
B ☐ bei kurzer Operationsdauer ist eine Intubationsnarkose vorzuziehen
C ☐ zur Einleitung ist besonders Etomidate und Ketanest geeignet
D ☐ bei akuter Bronchokonstriktion keine Opioide
E ☐ Patient muss mit erhöhtem Oberkörper auf dem Operationstisch gelagert werden

---

13 A, C, E   14 A, C, D, F   15 B   16 A, C, D

17. **Welche Aussagen zu den physiotherapeutischen Maßnahmen während einer Beatmung über einen längeren Zeitraum treffen zu: (2)**

A ☐ Verflüssigung und Absaugung des Tracheobronchialsekretes sind wichtige Maßnahmen

B ☐ passives Durchbewegen aller Gelenke beim sedierten und relaxierten Patienten ist obligat

C ☐ vor Beginn von aktiven Bewegungsübungen dürfen eventuelle Schmerzen nicht ausgeschaltet werden, da sie eine Überforderung des Patienten verhindern

D ☐ ein 2-stündiger Lagewechsel ist nicht sinnvoll, da dadurch der Sauerstoffbedarf des Patienten erhöht wird

18. **Welche Aussage zur maschinellen Beatmung trifft zu: (1)**

A ☐ sie bewirkt immer eine Druckerhöhung im Thoraxraum mit entsprechenden Auswirkungen auf die einzelnen Organe

B ☐ ein Barotrauma kommt bei jeder maschinellen Beatmung vor

C ☐ das Atemzeitverhältnis (I:E) sollte immer 2:1 sein, weil dadurch ein besserer Gasaustausch gewährleistet ist

D ☐ kleine Atemzugvolumen und hohe Atemfrequenzen sind sinnvoll, denn so wird die optimale Oxygenisierung des Blutes gewährleistet

19. **Welche Aussage zum PEEP trifft nicht zu: (1)**

A ☐ der PEEP stabilisiert die Alveolen und verhindert den Alveolarkollaps in der Exspirationsphase

B ☐ beim Schädel-Hirn-Trauma muss ein größtmöglicher PEEP gewährt werden, weil das geschädigte Gehirn ausreichend oxygenisiert werden muss

C ☐ der PEEP bewirkt eine Vergrößerung der funktionellen Residualkapazität

D ☐ bei der Einstellung des PEEP muss der kardiovaskuläre Zustand des Patienten berücksichtigt werden

---

17 A, B   18 A   19 B

20. **Typische Anzeichen einer tyreotoxischen Krise sind: (2)**

A ☐ vermehrte CO_2-Produktion
B ☐ Absinken der Körpertemperatur
C ☐ Sinustachykardie
D ☐ bradykarde Herzrhythmusstörungen
E ☐ Atemdepression

21. **Welche Aussage zur Entstehung des ARDS (adult respiratory distress syndrome) trifft zu: (1)**

A ☐ Patienten mit ARDS haben eine erhöhte Compliance und eine vergrößerte funktionelle Residualkapazität (FRC)
B ☐ durch die Verminderung des Rechts-Links-Shunts kommt es zu Dyspnoe und Hypoxämie
C ☐ Patienten mit ARDS haben eine Steigerung der Kapillarpermeabilität im Bereich der Lunge und dadurch bedingt ein Übertritt von Plasma in das Lungeninterstitium
D ☐ durch eine Störung im Surfactantsystem kommt es zur Erhöhung der Compliance der Lunge

22. **Richtige Aussagen zum Atemkalk: (4)**

A ☐ er dient zur Anfeuchtung der Narkosegase im halbgeschlossenen System auf ca. 99 %
B ☐ er absorbiert CO_2 aus der Exspirationsluft
C ☐ ein CO_2-Absorber mit 700 ml Inhalt reicht für 1,5 Stunden Narkosedauer
D ☐ durch eine chemische Reaktion schlägt der Atemkalk bei Erreichen seiner maximalen Bindungskapazität in eine intensive Grünfärbung um
E ☐ die Erwärmung des Absorbers ist das Zeichen für einen funktionierenden Absorber
F ☐ ein verbrauchter Absorber nimmt eine blaue Farbe an
G ☐ ein Absorber mit 700 ml Inhalt reicht für eine Narkosedauer von ca. 8 Stunden

---

20 A, C   21 C   22 B, C, E, F

23. Der Endotrachealtubus, der eine in die Tubuswand eingebaute Metallspirale besitzt, ist der: (1)

A ☐ Woodbridge-Tubus
B ☐ Magill-Tubus
C ☐ Oxford-Tubus
D ☐ Carlens-Tubus

24. Als Kontraindikation für eine Periduralanästhesie in der Geburtshilfe gelten: (3)

A ☐ Quick-Wert über 100 %
B ☐ Quick-Wert unter 50 %
C ☐ Infektionen im Injektionsbereich
D ☐ Thrombozyten unter 100.000
E ☐ erhöhtes Bilirubin im Serum

25. Welche Aussagen zur Periduralanästhesie (PDA) treffen zu: (4)

A ☐ sie ist technisch einfacher als die Spinalanästhesie
B ☐ sie ist technisch wesentlich schwieriger als eine Spinalanästhesie
C ☐ zum Aufsuchen des Periduralraumes wendet man die sog. »Widerstandsverlust-Methode« an
D ☐ durch eine Sympathikusblockade kommt es zu einer starken Beeinträchtigung der Darmtätigkeit
E ☐ mit höherprozentigen Lokalanästhetika beeinflusst man auch das Druck-Berührungs-Empfinden und blockiert die motorischen Nerven
F ☐ mit niederprozentigen Lokalanästhetika erreicht man gezielt eine Schmerzausschaltung
G ☐ sie ist für jugendliche Patienten nicht geeignet (Kontraindikation)

23 A   24 B, C, D   25 B, C, E, F

26. **Richtige Aussage zum MAC-Wert: (1)**

   A ☐ diejenige Konzentration eines Inhalationsanästhetikums, bei der 50 % der Patienten auf einen definierten Schmerzreiz mit keiner Schmerzreaktion mehr reagieren

   B ☐ diejenige Konzentration eines Inhalationsanästhetikums, die maximal im direkten Umkreis eines Narkosegerätes (Zwei-Meter-Radius) bestehen darf

   C ☐ definierter Wert über die Transportfähigkeit einer Narkoseabsaugeinrichtung

27. **Richtige Aussagen zu Etomidat (Hypnomidate): (5)**

   A ☐ es gehört nicht in die Barbituratreihe
   B ☐ ein sehr potentes Hypnotikum
   C ☐ ein ultrakurzes Hypnotikum aus der Barbituratreihe
   D ☐ die Wirkungsdauer beträgt ca. 3–4 Minuten
   E ☐ es besitzt eine hohe analgetische Wirkung
   F ☐ geeignet zur Narkoseeinleitung bei Risikopatienten
   G ☐ es bewirkt einen dosisabhängigen Blutdruckabfall
   H ☐ es erzeugt nur eine leichte Atemdepression

28. **Welche Aussagen zur Larynxmaske treffen zu: (3)**

   A ☐ der geblockte Wulst der Maske legt sich trichterförmig um den Kehlkopfeingang und dichtet ihn ab
   B ☐ ein vollständiger Ersatz für die endotracheale Intubation
   C ☐ bietet einen absoluten Schutz im Falle einer Aspiration
   D ☐ kein absoluter Schutz bei Regurgitation
   E ☐ ein Ersatz für die Gesichtsmaske bei größerer Sicherheit
   F ☐ sie ist nur geeignet für Kinder bis zu 25 kg

---

26 A   27 A, B, D, F, H   28 A, D, E

29. Zu den Kontraindikationen einer Plexusanästhesie gehören: (3)

A ☐ Allergie gegen Lokalanästhetika
B ☐ Kopfschmerzanamnese
C ☐ nicht kooperativer Patient
D ☐ Verdacht auf einen erhöhten Hirndruck
E ☐ entzündliche Veränderungen der Lymphgefäße bzw. -knoten
F ☐ Alter des Patienten über 40 Jahre
G ☐ Diabetes

30. Welche der genannten Herzrhythmusstörungen sind akut lebensbedrohlich: (2)

A ☐ AV-Block 2. Grades
B ☐ Vorhofflimmern
C ☐ Kammerflattern
D ☐ Kammerflimmern
E ☐ Sick-Sinus-Syndrom

31. Die Nervenblockade nach Oberst dient: (1)

A ☐ zur Ausschaltung der Nerven an einem Finger
B ☐ zur Therapie des postspinalen Kopfschmerzes
C ☐ zur Schmerzstillung bei einer Rippenfraktur
D ☐ zur Ausschaltung des Plexus brachialis

32. Indikationen zum Einsatz eines Pulmonaliskatheters: (4)

A ☐ Schock
B ☐ Sepsis
C ☐ massive Volumenumsätze
D ☐ künstliche Beatmung
E ☐ engmaschige Kontrolle der arteriellen Blutgase
F ☐ längerfristige Therapie mit Katecholaminen
G ☐ ständige Messung des ZVD

---

29 A, C, E   30 C, D   31 A   32 A, B, C, F

33. Zu den nichtdepolarisierenden Muskelrelaxanzien gehören: (4)

A ☐ Alloferin
B ☐ Succinyl
C ☐ Pancuronium
D ☐ Lysthenon
E ☐ Norcuron
F ☐ Tracrium

34. Welche der folgenden Aussagen zu Isofluran (Forene) treffen zu: (3)

A ☐ es steigert die Hirndurchblutung
B ☐ darf bei Patienten mit erhöhtem Hirndruck nicht eingesetzt werden
C ☐ eine klare, süßlich riechende Flüssigkeit
D ☐ es senkt den intrakraniellen Druck
E ☐ es führt zu keiner Änderung des Blutdruckverhaltens
F ☐ es führt zu einer starken, dosisabhängigen Atemdepression

35. Richtige Aussagen zur balancierten Anästhesie: (2)

A ☐ eine Kombination von Inhalations- und Neuroleptanästhesie
B ☐ für Operationen, die kürzer sind als 30 Minuten
C ☐ für Eingriffe, die länger dauern (ab ca. 30–45 Minuten)
D ☐ eine gleichzeitige Anwendung eines Lokalanästhesieverfahrens mit einer Inhalationsnarkose

36. Richtige Aussage zur Beatmungsform IPPV: (1)

A ☐ Beatmung mit intermittierendem Überdruck, d. h. das Druckniveau fällt zum Teil auf Null ab
B ☐ Beatmung mit permanent positivem Druck, d. h. mit PEEP
C ☐ druckunterstützende Spontanatmung zur Reduzierung der Atemarbeit

---

33 A, C, E, F   34 A, B, F   35 A, C   36 A

37. Das Luftvolumen, das nach einer maximalen Ausatmung noch in der Lunge verbleibt, ist das: (1)

A ☐ inspiratorische Reservevolumen
B ☐ exspiratorische Reservevolumen
C ☐ Residualvolumen

38. Depolarisierende Muskelrelaxanzien sind: (1)

A ☐ antagonisierbar
B ☐ nicht antagonisierbar

39. Der Sellick-Handgriff dient: (1)

A ☐ zur Verhinderung einer passiven Regurgitation bei der sog. »Ileuseinleitung«
B ☐ zur Unterstützung des Unterkiefers bei der Einführung des Endotrachealtubus
C ☐ zur Öffnung des Mundes im Rahmen einer Reanimation

40. Richtige Aussagen zu Sevofluran (Sevorane): (5)

A ☐ zur Einleitung und Unterhaltung einer Inhalationsnarkose
B ☐ hat einen unangenehm stechenden Geruch
C ☐ ist eine nicht brennbare Flüssigkeit
D ☐ braucht einen speziellen Verdampfer
E ☐ erhöht den intrakraniellen Druck nur geringfügig
F ☐ verursacht eine verlängerte Aufwachzeit
G ☐ flutet rasch an
H ☐ Patienten wachen sehr schnell wieder auf

41. Die funktionelle Residualkapazität (FRC) ist die: (1)

A ☐ Summe aus Vitalkapazität und Residualvolumen
B ☐ Summe aus exspiratorischem Reservevolumen, inspiratorischem Reservevolumen und Atemzugvolumen
C ☐ Summe aus exspiratorischem Reservevolumen und Residualvolumen

---

37 C   38 B   39 A   40 A, C, E, G, H

42. **Die Anfeuchtung des Atemgases beim intubierten Patienten erfolgt mit: (2)**

A ☐ dem Kaltvernebler
B ☐ einer künstlichen Nase
C ☐ mittels Sterilwasserkaskade
D ☐ mit einem Klimagerät
E ☐ mittels Spezialfiltern

43. **Absolute Indikationen zur Intubation: (3)**

A ☐ ein nicht »nüchterner« Patient
B ☐ Eingriffe, die höchstens 30 Minuten dauern
C ☐ Eingriffe, die länger als 30 Minuten dauern
D ☐ Patienten, die älter als 40 Jahre sind
E ☐ Patienten mit einem zurückliegenden Herzinfarkt
F ☐ Bauch- und Thoraxeingriffe
G ☐ endoskopische Eingriffe

44. **Richtige Aussagen zur Beatmung: (3)**

A ☐ bei hohem Flow erfolgt eine gleichmäßigere Luftverteilung in den verschiedenen Lungenbereichen
B ☐ Inspirationszeit und Inspirationspause werden als Inspirationsdauer bezeichnet
C ☐ druckgesteuerte Beatmungsgeräte können eine Änderung des Atemwiderstandes nicht kompensieren
D ☐ bei einer kontrollierten Beatmung kann der Patient die Frequenz durch »triggern« verändern
E ☐ durch Verminderung des Flows kann der Beatmungsdruck vermindert werden
F ☐ bei einem intubierten Patienten ist die Anfeuchtungs- und Erwärmungsfunktion der oberen Luftwege noch intakt
G ☐ während der Ausatmung steigt der Druck in der Lunge und im Pleuraspalt an

---

41 C   42 C, E   43 A, C, F   44 B, C, E

45. Kennzeichen des geschlossenen Narkose-Systems: (4)

A ☐ es gelangt nur ein kleiner Teil der Exspirationsluft in die Atmosphäre

B ☐ die gesamte Exspirationsluft wird nach Kohlendioxidabsorption rückgeatment

C ☐ nur der basale Sauerstoffbedarf wird ersetzt

D ☐ Narkosegas wird periodisch zugeführt

E ☐ Narkosegas wird nur am Anfang hochdosiert zugeführt

F ☐ es ist nur zur Intubationsnarkose geeignet

G ☐ die Exspirationsluft wird keiner Kohlendioxidabsorption unterzogen, sondern in einem geschlossenen Behälter entkeimt und erwärmt. Danach erfolgt die Rückatmung

46. Kennzeichen des halbgeschlossenen Narkose-Systems: (4)

A ☐ es gelangt nur ein Teil der Exspirationsluft in die Atmosphäre, der Rest wird (mit Frischgas vermischt) rückgeatmet

B ☐ die Exspirationsluft wird ganz an die Atmosphäre abgegeben

C ☐ ein Kohlendioxid-Absorber ist erforderlich

D ☐ ein Kohlendioxid-Absorber ist nicht erforderlich, da wieder Frischgas zugeführt wird

E ☐ der Frischgasstrom wird geringer eingestellt, da ein Teil der Exspirationsluft rückgeatmet wird

F ☐ der Überschuss an Narkosegas entweicht durch ein Überdruckventil

G ☐ der Frischgasstrom ist größer als der Gasverbrauch in den Lungen

47. Bei der Narkoseeinleitung wird die Konzentration im Inhalationsgemisch möglichst hoch gewählt, um: (2)

A ☐ eine schnelle Bewusstlosigkeit zu erzielen

B ☐ die Ansprechbarkeit des Patienten über längere Zeit zu erhalten

C ☐ die Exzitationsphase möglichst kurz zu halten

D ☐ die Exzitationsphase zu verlängern und zu vertiefen

E ☐ schon im Stadium II mit der Operation beginnen zu können

---

45 B, C, D, E   **46** A, C, F, G   **47** A, C

48. Bei den Narkosesystemen unterscheidet man das: (4)

A ☐ offene System
B ☐ sinusgesteuerte System
C ☐ halboffene System
D ☐ Braun-System
E ☐ halbgeschlossene System
F ☐ geschlossene System
G ☐ halbkontrollierte System
H ☐ assistierte System

49. Kennzeichen des halboffenen Narkose-Systems: (4)

A ☐ Inspirations- und Exspirationsluft sind nicht voneinander getrennt
B ☐ Inspirations- und Exspirationsluft sind streng voneinander getrennt
C ☐ die gesamte Exspirationsluft gelangt über ein Nichtrückatemventil in die Atmosphäre
D ☐ es findet eine Rückatmung statt
E ☐ es findet keine Rückatmung statt
F ☐ eine Anordnung zur Absorption von Kohlendioxid ist nicht notwendig
G ☐ ein Absorber muss dazwischengeschaltet werden
H ☐ es kann nur bei der Maskenbeatmung verwendet werden

50. Durch welche physiologischen Faktoren wird der pulmonale Gasvolumenaustausch bei der Beatmung wesentlich beeinflusst: (2)

A ☐ den elastischen Widerständen von Lunge und Thorax
B ☐ der inneren Volumengröße des Nasen-Rachen-Raumes
C ☐ dem Strömungswiderstand der Atemwege
D ☐ dem Alter des Patienten
E ☐ der Länge des apparativen Totraumes
F ☐ der Beweglichkeit des Zwerchfelles
G ☐ dem Rauminhalt des Mundes

---

48 A, C, E, F   **49** B, C, E, F   **50** A, C

51. Die Fasszange nach Magill verwendet man: (1)

A ☐ zur Einführung des Trachealtubus in den unteren Nasengang
B ☐ zur Spreizung der Stimmbänder
C ☐ zum Vorschieben des nasal eingeführten Tubus in den Larynx
D ☐ zur Anhebung des Zungengrundes

52. Ein »Intubationsversuch« am relaxierten, apnoischen Patienten ist kontraindiziert beim Vorliegen: (4)

A ☐ eines Ileus
B ☐ einer schweren Gesichtsschädelverletzung
C ☐ einer Zwerchfellhernie
D ☐ von Zuständen mit stridoröser Atmung
E ☐ einer Struma maligna
F ☐ eines Aortenaneurysmas

53. Der zentrale Venendruck beträgt bei einem achtjährigen Kind: (1)

A ☐ 3– 6 cm H_2O
B ☐ 4– 5 mm Hg
C ☐ 8–10 cm Hg
D ☐ 5–10 mm Hg

54. Vor einer Spinalanästhesie sollte der Patient auf welche der folgenden Komplikationen hingewiesen werden: (2)

A ☐ Kopfschmerzen
B ☐ Querschnittlähmung
C ☐ Bandscheibenprolaps
D ☐ Pneumothorax
E ☐ Nervenverletzung

55. Narkosesysteme zur Kindernarkose: (1)

A ☐ dürfen nur einen kleinen Totraum haben
B ☐ müssen einen verlängerten Totraum haben
C ☐ unterscheiden sich nicht von den Erwachsenennarkosesystemen

---

51 C   52 A, B, D, E   53 B   54 A, E   55 A

56. **Zur orotrachealen Intubation wird der Kopf des Patienten so gelagert, dass: (1)**

A ☐ Seh- und Trachealachse einen stumpfen Winkel bilden

B ☐ Seh- und Trachealachse eine Gerade bilden

57. **Zeichen einer Dislokation des Trachealtubus im Ösophagus: (2)**

A ☐ Meteorismus

B ☐ erhöhter Beatmungswiderstand

C ☐ fehlender Beatmungswiderstand

D ☐ Speichelfluss

E ☐ heftige Ösophagusblutungen

F ☐ Stauungspapille

G ☐ fehlende Thoraxexkursionen

58. **Die Intubation eines Ileus-Patienten erfolgt: (2)**

A ☐ in Horizontallage

B ☐ in Oberkörperhochlage (schräg gestellter Operationstisch)

C ☐ in Seitenlage (linke Seite)

D ☐ wegen der drohenden Regurgitation in Bauchlage

E ☐ erst nach pränarkotischer Einführung eines Magenschlauches und Ausheberung des Mageninhaltes

59. **Das Kinder-Narkosebesteck nach Kuhn: (3)**

A ☐ arbeitet ohne Ventile

B ☐ hat einen zur Kinderbeatmung wichtigen langen Totraum

C ☐ hat infolge der guten Durchspülung der Maske mit Frischgas praktisch keinen Totraum

D ☐ kann nur zur Inhalationsnarkose eingesetzt werden

E ☐ eignet sich für beide Narkosearten

F ☐ besitzt einen Trigger, der auf feinsten Sog reagiert

G ☐ eignet sich nur für Kinder über 6 Jahre

---

56 B   57 B, G   58 B, E   59 A, C, E

60. **Der Vorhofhöhe des rechten Herzens entspricht am exaktesten ein Punkt, der: (2)**

A ☐ $1/5$ des sagitalen Thoraxdurchmessers über der Auflagefläche des Patienten liegt

B ☐ $2/5$ des sagitalen Thoraxdurchmessers unter der Mitte des Sternums liegt

C ☐ $3/5$ des sagitalen Thoraxdurchmessers über der Auflagefläche des Patienten liegt

D ☐ $4/5$ des sagitalen Thoraxdurchmessers unter der Mitte des Sternums liegt

61. **Welche Aussagen sind richtig: (2)**

A ☐ mit dem sog. Quickwert wird die exogene Gerinnung überprüft

B ☐ die partielle Thromboplastinzeit ist verlängert bei Faktor VIII-Mangel

C ☐ mit der Thrombinzeit wird die endogene Gerinnung überprüft

D ☐ die partielle Thromboplastinzeit ist verlängert bei Faktor VII-Mangel

E ☐ der Fibrinogenspiegel muss vor jedem Eingriff überprüft werden

62. **Als Compliance bezeichnet man: (1)**

A ☐ die Dehnbarkeit des Lungengewebes, gemessen in Liter Volumenzunahme pro cm H_2O Druckanstieg

B ☐ die Dehnbarkeit der Trachea, gemessen in cm pro H_2O Druckanstieg

C ☐ den mechanischen Widerstand im Beatmungssystem in Abhängigkeit zur Länge des Totraumes

63. **Bei der Einleitung der Narkose bei einem Ileus-Patienten kann es zu folgenden Störungen kommen: (3)**

A ☐ hypertonische Krise

B ☐ Regurgitation

C ☐ Aspiration

D ☐ Hypotonie

E ☐ Laryngospasmus

F ☐ Ösophagusblutungen

---

60 B, C   61 A, B   62 A   63 B, C, D

64. Alle intravenös verabreichten Anästhetika haben folgenden gemeinsamen Nachteil: (1)

A ☐ der Auftritt von schweren Allergien ist häufig
B ☐ die Steuerbarkeit fehlt
C ☐ die schlechte Allgemeinverträglichkeit
D ☐ der anästhetische Effekt besteht für höchstens 45 Sekunden

65. Die Thoraxschublehre benutzt man zur: (2)

A ☐ Umlagerung eines Querschnittgelähmten (hohe Lähmung)
B ☐ präoperativen Atemgymnastik des Säuglings
C ☐ Bestimmung des Null-Punktes bei der Messung des zentralen Venendruckes
D ☐ Messung des kindlichen Thoraxdurchmessers
E ☐ Lagebestimmung des rechten Herzvorhofes
F ☐ genauen Bestimmung der Lungenhili
G ☐ Operationslagerung des Patienten bei einer Pneumektomie

66. Eine Narkoseeinleitung mit Barbituraten ist beim drohenden Kreislaufversagen (Schock, schwere Blutung) kontraindiziert, da: (2)

A ☐ Barbiturate einen negativen inotropen Effekt auf das Myokard ausüben
B ☐ die Blutung verstärkt wird
C ☐ es zu einer Depression des zentralen Vasomotorenzentrums kommt
D ☐ es zu einer starken Muskelerschlaffung kommt

67. Die Einleitung einer Narkose »per inhalationem« bedeutet: (1)

A ☐ das Narkosegas wird per Trachealtubus zugeführt
B ☐ das Narkosegas wird per Maske zugeführt
C ☐ die Zuführung erfolgt durch einen Verneblertrichter
D ☐ die Zuführung des Gases erfolgt durch eine Kopfhaube

---

68. Nach der versehentlichen intraarteriellen Injektion an einer oberen Extremität setzt man therapeutisch eventuell eine Stellatumblockade, um: (2)

A ☐ die starken Schmerzen auf ein Minimum zu reduzieren
B ☐ eine umfangreiche Vasodilation zu erreichen
C ☐ die Durchblutung der Extremität zu steigern
D ☐ eine Vasokonstriktion zu erreichen

69. Jede künstliche Beatmung ist unphysiologisch, da: (2)

A ☐ bei der Inspiration das Ventilationsgemisch nicht in die Lungen gesaugt, sondern gepresst wird
B ☐ bei der Einatmung das Ventilationsgemisch nicht in die Lunge gepresst, sondern gesaugt wird
C ☐ es zu einer Verminderung der Lungendurchblutung kommt
D ☐ es zu einem Druckgefälle von allen Körpervenen zum Thoraxinneren kommt (Thoraxpumpe)

70. Physiologisch beträgt das Verhältnis von Inspiration zu Exspiration: (1)

A ☐ 1 : 1,3
B ☐ 1 : 2,5
C ☐ 1 : 0,9
D ☐ 1 : 4,0

71. Bei der Beatmung mit intermittierendem Überdruck (IPPV): (1)

A ☐ breitet sich der im Respirator erzeugte positive Beatmungsdruck über die Bronchialwege in das Thoraxinnere aus. Die Exspiration erfolgt passiv
B ☐ fällt der Beatmungsdruck während der Exspiration nie gegen Null ab, sondern gegen ein um 4−10 cm H_2O erhöhtes Niveau ab
C ☐ wird die Ausatmung durch einen negativen Druck erleichtert

72. **Welche Antworten zum Lungenödem sind richtig: (3)**

A ☐ beim Linksherzversagen mit Lungenödem muss der Patient flach gelagert werden

B ☐ die Akutbehandlung des Lungenödems kann erfolgreich mit Furosemid (Lasix) und Nitroglycerin durchgeführt werden

C ☐ beim Lungenödem ist u. U. eine Respiratorbeatmung notwendig (PEEP)

D ☐ ein Lungenödem kann als Komplikation eines Herzinfarktes auftreten

E ☐ auch beim Rechtsherzversagen tritt ein Lungenödem auf

F ☐ der Auswurf ist zähflüssig, weißlich-gelb, nicht schaumig

73. **Ein Volumenmangel bis max. 10 %: (2)**

A ☐ verändert den arteriellen Blutdruck stark

B ☐ verändert frühzeitig den Venendruck

C ☐ beeinflusst kaum den arteriellen Blutdruck

D ☐ beeinflusst den Venendruck nicht

74. **Eine Zunahme des Blutvolumens um 1000 ml führt zu einer gleichsinnigen Veränderung des Venendrucks um: (1)**

A ☐ +15 cm Wassersäule

B ☐ +7 cm Wassersäule

C ☐ −5 cm Wassersäule

D ☐ −10 cm Wassersäule

75. **Die Anwendung so genannter »Atemanaleptika« in der Reanimation Neu- und Frühgeborener ist kontraindiziert, weil: (3)**

A ☐ sie einen Pneumothorax provozieren können

B ☐ sie die nach einer Asphyxie bestehende zentralnervöse Erregbarkeit noch steigern

C ☐ sie zu einer vermehrten Motorik führen (tanzende Frühgeborene)

D ☐ sie zu einem vermehrten Sauerstoffverbrauch führen

E ☐ die Entstehung eines Stressulkus begünstigt wird

---

76. Der Dehnungswiderstand des arteriellen Stromabschnittes ist gegenüber dem des gesamten Kreislaufes: (1)

A ☐ 10 x größer
B ☐ 50 x größer
C ☐ 100 x größer
D ☐ 200 x größer

77. Im Niederdruckstromsystem befinden sich etwa: (1)

A ☐ 15 % der Gesamtblutmenge
B ☐ 85 % der Gesamtblutmenge
C ☐ 10 % der Gesamtblutmenge

78. Die typischen Zugänge zur Vena cava superior erfolgen über die: (3)

A ☐ Vena subclavia
B ☐ Vena cephalica
C ☐ Vena poplitea
D ☐ Vena jugularis interna
E ☐ Vena ulnaris
F ☐ Vena iliaca externa

79. Richtige Aussage zur PEEP-Beatmung: (1)

A ☐ die Einatmung geschieht unter positivem Druck, die Ausatmung erfolgt passiv, der intrathorakale Druck fällt auf Null
B ☐ die Einatmung erfolgt unter positivem Druck, die Ausatmung erfolgt passiv, der Beatmungsdruck fällt nicht auf Null ab
C ☐ der Patient atmet spontan, während der Ein- und Ausatmung wird ein positiver Druck in den Atemwegen aufrechterhalten
D ☐ während einiger weniger maschineller Atemhübe/Minute atmet der Patient spontan, nach vorgegebener Zeit erfolgt wieder eine maschinelle Einatmung, die der Patient steuern kann (Synchronisation)

---

76 D   77 B   78 A, B, D   79 B

80. **Beatmungsdruck, Beatmungsfrequenz, Atemzugvolumen und Atem-minutenvolumen beim Neugeborenen stellt man ein anhand: (1)**

A ☐ der Hautfarbe

B ☐ der Auskultationsergebnisse

C ☐ der Blutgasanalyse

D ☐ der zentralen Venendruckwerte

E ☐ der arteriellen Blutdruckwerte

81. **Ein Patient mit einem apallischen Syndrom: (5)**

A ☐ zeigt einen Schlaf-Wach-Rhythmus bei ungestörtem Tag-Nacht-Wechsel

B ☐ zeigt einen Schlaf-Wach-Rhythmus, der aber in Bezug auf Tag-Nacht-Wechsel gestört ist

C ☐ liegt scheinbar wach, ist sich seiner selbst jedoch nicht bewusst

D ☐ kann spezialisierte und gezielte Bewegungen ausführen

E ☐ ist nicht in der Lage, spezialisierte und gezielte Einzel-bewegungen durchzuführen

F ☐ zeigt spontan ausreichend regulierte Abläufe, wie Atmung, Kreislauf und Ausscheidungen

G ☐ kann nur sehr langsam Worte formulieren

H ☐ hat einen bleibenden oder vorübergehenden Ausfall der Groß-hirnrinde mit Erhaltung der Hirnstammfunktionen

82. **Die Auskultation beider Lungenoberfelder zur richtigen Lokalisation des Endotrachealtubus nach der Intubation muss erfolgen, da ein zu: (1)**

A ☐ tiefer Sitz der Katheterspitze zur einseitigen Intubation des linken Stammbronchus führen kann

B ☐ tiefer Sitz der Katheterspitze zur einseitigen Intubation des rechten Stammbronchus führen kann

C ☐ tiefer Sitz der Katheterspitze zu einer Intubation des Mittel-fellraumes führen kann

D ☐ hoher Sitz der Katheterspitze zur isolierten Beatmung der linken Lunge führen kann

E ☐ tiefer Sitz der Katheterspitze zu einer Perforation des linken Lungenhilus führen kann

---

80 C   81 B, C, E, F, H   82 B

83. Die Punktion der Trachea erfolgt: (3)

A ☐ zwecks Gewinnung von Trachealsekret für bakteriologische Untersuchungen

B ☐ zur Schleimhautanästhesie bei solchen Patienten, die einen Endotrachealtubus nicht tolerieren

C ☐ zur Bestimmung der Residualluft bei Beatmungspatienten

D ☐ zur Vorbereitung auf eine Tracheotomie, indem eine innere Anästhesie (lokal) gesetzt wird

E ☐ zur Absaugung der tiefen Atemwege

F ☐ durch das Ligamentum zwischen Schild- und Ringknorpel

G ☐ etwa sechs Querfinger unterhalb des Kehlkopfes

84. Richtige Aussagen zur Extubation (Kinder nach Beatmungstherapie): (3)

A ☐ es sollte eine Nahrungspause von durchschnittlich 6 Stunden eingehalten werden

B ☐ sie kann erfolgen, wenn das Kind zuvor 1 Stunde ausreichend spontan durch den Tubus geatmet hat

C ☐ es besteht immer eine akute Blutungsgefahr

D ☐ nach der Extubation das Kind in Bauchlage lagern

E ☐ nach 15 Minuten erfolgt die erste Blutgasanalyse

F ☐ 2 Stunden vor der Extubation erfolgt ein letztes Absaugen

85. Durch Aufblasen der Blockermanschette des Endotrachealtubus erreicht man: (2)

A ☐ ein Festklemmen des Tubus in der Trachea, so dass zusätzliche äußere Fixierungen unnötig werden

B ☐ dass bei Beatmungen und Narkosen ein Hochströmen der Luft zwischen Katheter und Trachealwand unmöglich wird

C ☐ einen zuverlässigen Schutz vor einer möglichen Aspiration

D ☐ eine Dehnung der Trachea, so dass eine Überdruckbeatmung durchgeführt werden kann

E ☐ eine Blutstillung nach einer Koniotomie

---

83 A, B, F   84 A, D, E   85 B, C

86. Lachgas: (2)

A ☐ bewirkt eine gute Analgesie
B ☐ bewirkt nur eine kurze Anästhesie
C ☐ wirkt nur schwach analgetisch
D ☐ wirkt stark und langdauernd anästhesierend

87. Der vorteilhafteste Weg zur Vena cava beim Kind führt über die: (1)

A ☐ Vena jugularis externa
B ☐ Vena saphena magna
C ☐ Vena cephalica
D ☐ Vena subclavia

88. Eine Luftembolie entsteht nach Ansaugung (durch Venen) von: (1)

A ☐ 5– 10 ml Luft
B ☐ 1– 2 ml Luft
C ☐ 50–100 ml Luft
D ☐ 100–150 ml Luft

89. Bei der Punktion der Vena subclavia kann es zu folgenden spezifischen Komplikationen kommen: (3)

A ☐ Perforation des linken Herzventrikels
B ☐ Pneumothorax durch Verletzung der Pleura visceralis
C ☐ Neuralgien bei Plexus brachialis-Läsionen
D ☐ Hämatothorax durch Verletzung von subklavikulären Gefäßen
E ☐ Horner-Syndrom

---

86 A, B   87 A   88 C   89 B, C, D

90. Die ausgetauschte Gasmenge in der Lunge ist umso größer, je: (4)

A ☐ kleiner die Austauschfläche
B ☐ größer die Austauschfläche
C ☐ niedriger der Konzentrationsunterschied
D ☐ höher der Konzentrationsunterschied
E ☐ niedriger die Temperatur
F ☐ höher die Temperatur
G ☐ länger der Weg
H ☐ länger die Kontaktzeit
J ☐ kürzer die Kontaktzeit

91. Im kardiogenen Schock ergibt sich bei einem zunehmenden Schocksyndrom: (1)

A ☐ eine stetig größer werdende Differenz zwischen Oberflächen- und Kerntemperatur
B ☐ eine stetig kleiner werdende Differenz zwischen Oberflächen- und Kerntemperatur
C ☐ kein wesentlicher Unterschied zwischen Oberflächen- und Kerntemperatur

92. Welche Aussagen zur Entwöhnung vom Respirator treffen zu: (4)

A ☐ sie muss so früh wie möglich beginnen, um eine Inaktivierung der Atemmuskulatur zu verhindern
B ☐ die Entwöhnung ist jederzeit möglich und sollte plötzlich erfolgen
C ☐ der Patient soll wach und möglichst wenig sediert sein
D ☐ der Patient sollte anfangs noch stärker sediert sein
E ☐ sie beginnt mit der Verminderung der SIMV-Frequenz mit Unterstützung einer Atemhilfe (ASB, Flow by)
F ☐ die arterielle Blutgasanalyse ermöglicht die genaue Kontrolle über die Effektivität der Spontanatmung
G ☐ die arterielle Blutgasanalyse ist in ihrer Aussagekraft im Anfangsstadium der Entwöhnung zur Kontrolle nicht geeignet

---

90 B, D, F, H   **91** A   **92** A, C, E, F

93. Wie werden die Elektroden zum Extremitätenkardiogramm nach Einthoven angelegt: (1)

A ☐ rechter Fuß – schwarzes Kabel
     rechter Arm – rotes Kabel
     linker Arm – gelbes Kabel
     linker Fuß – grünes Kabel

B ☐ rechter Fuß – grünes Kabel
     rechter Arm – gelbes Kabel
     linker Arm – schwarzes Kabel
     linker Fuß – rotes Kabel

C ☐ rechter Fuß – schwarzes Kabel
     rechter Arm – grünes Kabel
     linker Arm – gelbes Kabel
     linker Fuß – rotes Kabel

94. Welche Aussagen zu Injektionen, Infusionen und Transfusionen über den Vena cava-Katheter sind falsch: (3)

A ☐ Medikamente müssen sehr langsam injiziert werden
B ☐ Medikamteninjektionen sollten schnell erfolgen
C ☐ kaltes Blut sollte nicht erwärmt werden
D ☐ kaltes Blut vor der Transfusion auf 35 °C erwärmen
E ☐ Drucktransfusionen können ohne Bedenken durchgeführt werden
F ☐ Drucktransfusionen sind zu vermeiden

95. Das Narkoserisiko ist deutlich erhöht bei: (2)

A ☐ vegetativer Dystonie
B ☐ Narkoseeinleitung bei vollem Magen
C ☐ Intubation von zahnlosen Patienten
D ☐ Kaiserschnittoperationen in Allgemeinanästhesie

---

93 A   94 B, C, E   95 B, D

96. **Welche Aussagen zum Absaugen des tracheotomierten Patienten sind richtig: (1)**

A ☐ das Absaugen kann wegen der erhaltenen Selbstreinigung der Luftwege unsteril erfolgen

B ☐ das Absaugen muss unter sterilen Bedingungen erfolgen, da alle physiologischen Vorgänge reduziert oder aufgehoben sind

C ☐ das Absaugen darf täglich nur einmal erfolgen, um die Trachea nicht zu reizen

D ☐ vor dem Absaugen muss der Patient unbedingt relaxiert werden (für ca. 3 Minuten)

97. **Wie viel Prozent relative Luftfeuchtigkeit sind zur Aufrechterhaltung der Flimmerepithelfunktion in der Trachea erforderlich: (1)**

A ☐ 30 %

B ☐ 70 %

C ☐ 50 %

D ☐ 10 %

98. **Die maligne Hyperthermie macht sich (intraoperativ) bemerkbar durch: (4)**

A ☐ eine Muskelrigidität, die durch Muskelrelaxanzien nicht durchbrochen werden kann

B ☐ eine Zyanose, die durch Hyperventilation mit Sauerstoff kaum zu beeinflussen ist

C ☐ ein schnelles Absinken der Körpertemperatur

D ☐ einen Anstieg der Körpertemperatur auf 41 °C und mehr

E ☐ eine erhöhte Freisetzung von Kohlendioxid

F ☐ eine Herabsetzung des Grundumsatzes

99. **Welche der genannten Pharmaka sollten bei erhöhtem Hirndruck (-ödem) nicht verwendet werden: (2)**

A ☐ Fentanyl

B ☐ Halothan

C ☐ Barbiturate

D ☐ Ketanest

---

96 B   97 B   98 A, B, D, E   99 B, D

100. Um wie viel Prozent steigt der Flüssigkeitsbedarf des Körpers bei
1 °C Kerntemperaturanstieg: (1)

A ☐ ca. 10 %
B ☐ ca. 25 %
C ☐ ca. 1 %
D ☐ ca. 50 %

101. Die Erschöpfung der Absorptionsleistung des Atemkalkes macht
sich bemerkbar durch: (2)

A ☐ den Farbumschlag des Indikators zur violetten Farbe
B ☐ einen stechenden Geruch am Ausatemventil
C ☐ eine Schrumpfung der Korngröße des Kalkes
D ☐ eine Konsistenzveränderung des Kalkes (trocken und hart)
E ☐ eine starke Erwärmung des Inspirationsfaltenschlauches

102. Der »Swan-Ganz-Ballonkatheter« dient zur: (2)

A ☐ Messung des Nierenarteriendruckes
B ☐ Messung des Pulmonalarteriendruckes
C ☐ Messung des pulmonalen Kapillardruckes
D ☐ Längenbestimmung der Harnleiter
E ☐ Blutstillung bei tiefen, cardianahen Ösophagusvarizen

103. Der zentral-venöse Druck kann erhöhte Werte zeigen bei: (3)

A ☐ einer Hypovolämie
B ☐ einer Respiratorbehandlung
C ☐ einem Spannungspneumothorax
D ☐ erfolgten Analgetikagaben
E ☐ erfolgten Histamingaben
F ☐ einem Perikarderguss

---

100 A   101 A, D   102 B, C   103 B, C, F

104. Hauptnachteil einer Tracheotomie ist die: (1)

A ☐ Verminderung des physiologischen Totraumes um die Hälfte

B ☐ Ausschaltung des Nasen-Rachen-Raumes als Befeuchtungs-
und Wärmeaggregat

C ☐ Vergrößerung des Totraumes um das Doppelte

D ☐ Verletzungsmöglichkeit der Trachealschleimhaut während der
Bronchialtoilette

E ☐ Erschwerung der Bronchialtoilette

F ☐ erschwerte Anschlussmöglichkeit an einen Respirator

105. Eine langandauernde Sauerstoffgabe von mehr als 50 % in der
Atemluft führt bei Erwachsenen zu: (2)

A ☐ einer Schädigung der Atmungsfermente

B ☐ Lungenveränderungen

C ☐ Veränderungen an der Netzhaut

D ☐ einer metabolischen Alkalose

106. Welcher physikalische Wert ist zur guten Befeuchtung der tiefen
Atemwege von großer Wichtigkeit: (1)

A ☐ die Temperatur der Raumluft

B ☐ die Temperatur der Einatmungsluft

C ☐ die Teilchengröße des Befeuchtungsmediums

D ☐ die Flowgeschwindigkeit

E ☐ der Tracheadurchmesser des Patienten

F ☐ der Härtegrad des Befeuchtungswassers

XXV. Röntgenologie

1. Kernspin(resonanz)tomographie: (5)

   A ☐ ist eine bildliche Darstellung des Körpers, mittels Radiowellen in einem Magnetfeld

   B ☐ Indikationen für die Untersuchung sind Erkrankungen des Nervengewebes (Hirn und Rückenmark)

   C ☐ ist ein Impulsechoverfahren

   D ☐ der Patient wird auf einer beweglichen Liege in die Öffnung des Kernspintomographen (in die Röhre) eingefahren

   E ☐ Beruhigung des Patienten ist wichtig, da es in der engen Röhre zu Beklemmungsgefühlen und Angstzuständen kommen kann

   F ☐ der Patient sollte einen Tag vor der Maßnahme keine feste Nahrung zu sich nehmen

   G ☐ Patienten mit Herzschrittmachern, Metallimplantaten, Metallprothesen (TEP) sind von der Untersuchung ausgeschlossen

2. Computertomographie: (5)

   A ☐ ist eine Anfertigung von rechnergesteuerten Röntgenquerschnittbildern

   B ☐ sie wird angewandt zur Diagnostik von raumfordernden Prozessen (Tumoren)

   C ☐ ist eine Ultraschalluntersuchung, die den Patienten nicht beeinträchtigt

   D ☐ während der Maßnahme muss der Patient sehr ruhig liegen

   E ☐ der ruhende Patient wird auf einer beweglichen Liege langsam durch die Öffnung des Tomographen gefahren

   F ☐ der Patient sollte gut vorbereitet und beruhigt werden, da es in der schmalen Röhre des Tomographen zu Beklemmungsgefühlen kommen kann

   G ☐ der Patient braucht bei Aufnahmen im Verdauungstrakt nicht nüchtern zu sein

---

1 A, B, D, E, G   2 A, B, D, E, F

3. Zu den Eigenschaften der Kathodenstrahlen zählen, dass: (2)
   A ☐ sie sich nicht geradlinig ausbreiten
   B ☐ Glas, Leuchtfarben und bestimmte Mineralien von ihnen zum
       Leuchten gebracht werden (Fluoreszenz)
   C ☐ sie fotografische Schichten schwärzen
   D ☐ sie sich nicht durch magnetische bzw. elektrische Felder
       ablenken lassen
   E ☐ sie fotografische Schichten aufhellen

4. Als Röntgen-Kontrastmittel werden verwendet: (2)
   A ☐ negative Kontrastmittel
   B ☐ neutrale Kontrastmittel
   C ☐ positive Kontrastmittel

5. Die Haut kann bei der Bestrahlung mit Röntgenstrahlen am besten
   geschützt werden durch: (2)
   A ☐ Salben
   B ☐ Kreuzfeuerbestrahlung
   C ☐ Betäubung
   D ☐ Rasterbestrahlung

6. Isotope: (1)
   A ☐ sind positiv und negativ geladene Atome
   B ☐ haben eine unterschiedliche Protonenzahl
   C ☐ haben eine unterschiedliche Neutronenzahl

7. Welche Aussagen über die Strahlenarten treffen zu: (2)
   A ☐ Alpha-Strahlen durchdringen Materie besser als Beta- oder
       Gamma-Strahlen
   B ☐ Gamma-Strahlen durchdringen Materie besser als Alpha- oder
       Beta-Strahlen
   C ☐ Alpha-Strahlen sind positiv geladene Teilchen
   D ☐ Gamma-Strahlen sind negativ geladene Teilchen (Elektronen)
   E ☐ Alpha-Strahlen sind negativ geladene Teilchen

---

3 B, C   4 A, C   5 B, D   6 C   7 B, C

8. Zu den positiven Kontrastmitteln gehören: (3)

A ☐ Bariumpräparate
B ☐ Kohlenmonoxid
C ☐ organische Jodverbindungen
D ☐ Distickstoffoxid
E ☐ Jodöle
F ☐ Kohlendioxid

9. Röntgenologisches Anwendungsgebiet der Barium-Präparate: (1)

A ☐ Röntgenuntersuchung der Hirnventrikel
B ☐ Röntgenuntersuchung der ableitenden Harnwege
C ☐ Röntgenuntersuchung des Magen-Darm-Traktes
D ☐ Röntgenuntersuchung der Gelenkspalten
E ☐ Röntgenuntersuchung der Gallenblase

10. Welches sind Eigenschaften von Röntgenstrahlen: (4)

A ☐ biologische Wirkung
B ☐ Durchdringungsfähigkeit
C ☐ Wärmewirkung
D ☐ fotochemische Wirkung
E ☐ Lumineszenzerzeugung

11. Welche Störung gehört nicht zu den Röntgenkontrastmittelzwischenfällen: (1)

A ☐ respiratorische Reaktionen: Tachypnoe, Dyspnoe, Glottisödem
B ☐ kardiovaskuläre Reaktionen: Schock, Kreislaufstillstand
C ☐ konvulsive Reaktionen: tonisch-klonische Krämpfe, Pfötchenstellung
D ☐ psychische Reaktionen: Halluzinationen
E ☐ Hautreaktionen: Urtikaria, Quaddelbildung, Juckreiz

---

8 A, C, E   9 C   10 A, B, D, E   11 D

12. Bei Röntgenuntersuchungen muss besonders geschützt werden: (1)

A ☐ das Herz
B ☐ das Gehirn
C ☐ die Keimdrüsen
D ☐ die Gelenke

13. Welche Krankheiten lassen sich durch eine Abdomen-Übersichts-Röntgenaufnahme im Stehen nachweisen: (2)

A ☐ Magengeschwür
B ☐ Darmtumor
C ☐ Magenperforation (freie)
D ☐ gedeckte Magenperforation
E ☐ Ileus
F ☐ Appendizitis

14. Welches Gewebe ist relativ unempfindlich gegen Röntgenstrahlen: (1)

A ☐ rotes Knochenmark
B ☐ Hodenparenchym
C ☐ Gehirn
D ☐ Endometrium

15. Die Härte der Röntgenstrahlen ist abhängig von der: (1)

A ☐ Spannung des Heizstromes
B ☐ Anodenspannung

16. Was ist eine Kymographie: (1)

A ☐ Verkrümmung der Wirbelsäule
B ☐ Röntgendarstellung von Organbewegungen
C ☐ Darstellung von Gelenken
D ☐ Darstellung der Aorta
E ☐ Darstellung einer Kyphose

| 12 C | 13 C, E | 14 C | 15 B | 16 B |

17. Wird die Distanz vom Fokus verdoppelt, so beträgt die Intensität der Röntgenstrahlung nur noch: (1)

A ☐ ein Drittel
B ☐ die Hälfte
C ☐ ein Viertel
D ☐ ein Achtel

18. Bei der Szintigraphie liegt die Strahlungsquelle: (1)

A ☐ innerhalb des Körpers
B ☐ außerhalb des Körpers

19. Radioaktive Isotopen finden Anwendung in der: (1)

A ☐ Nuklear-medizinischen-szintigraphischen Diagnostik
B ☐ physikalischen Therapie
C ☐ Röntgenkontrastdarstellung

20. Die Zeit, in der die Hälfte der Strahlungsenergie eines radioaktiven Stoffes abgegeben ist: (2)

A ☐ nennt man kritische Zeit
B ☐ ist für einen bestimmten radioaktiven Stoff nicht konstant
C ☐ nennt man Halbwertzeit
D ☐ nennt man Strahlungszeit
E ☐ ist für einen bestimmten radioaktiven Stoff konstant

21. Radioaktive Strahlen werden gemessen mit: (2)

A ☐ dem Geiger-Müller-Zählrohr
B ☐ dem Szintillationszähler
C ☐ dem Halbwertmesser
D ☐ der Telecurie-Methode
E ☐ dem Betatron

---

17 C   18 A   19 A   20 C, E   21 A, B

---

22. Angiographie ist: (1)

A ☐ die röntgenologische Darstellung von Gefäßen nach Injektion eines trijodierten fettlöslichen Kontrastmittels

B ☐ die röntgenologische Darstellung von Gefäßen nach oraler Einnahme eines trijodierten fettlöslichen Kontrastmittels

C ☐ die röntgenologische Darstellung von Gefäßen nach Injektion eines trijodierten wasserlöslichen Kontrastmittels

D ☐ die röntgenologische Darstellung von Gefäßen nach Injektion eines negativen Kontrastmittels

23. Zu den negativen Kontrastmitteln gehören: (4)

A ☐ Bariumpräparate
B ☐ organische Jodverbindungen
C ☐ atmosphärische Luft
D ☐ Sauerstoff
E ☐ Distickstoffoxid
F ☐ Jodöle
G ☐ Kohlendioxid
H ☐ Kohlenmonoxid

24. Die Mammographie ist eine: (1)

A ☐ röntgenologische Milchgangdarstellung mit Hilfe eines Kontrastmittels

B ☐ Lymphographie im Bereich der regionären Lymphknoten der Brustdrüse

C ☐ röntgenologische Weichteilaufnahme der Brust

25. Röntgenologische Anwendungsgebiete der Jodöle: (2)

A ☐ intravenöse Cholangiozystographie
B ☐ orale Cholezystographie
C ☐ Lymphographie
D ☐ Bronchographie
E ☐ Myelographie
F ☐ Urographie
G ☐ Angiographie

---

22 C   23 C, D, E, G   24 C   25 C, E

26. Bei der oralen Cholezystographie muss das Kontrastmittel: (1)

A ☐ unmittelbar vor der Röntgenaufnahme eingenommen werden
B ☐ eine Stunde vor der Röntgenaufnahme eingenommen werden
C ☐ drei Stunden vor der Röntgenaufnahme eingenommen werden
D ☐ am Vortag (abends) vor der Röntgenaufnahme eingenommen werden

27. Welche Frühschäden treten nach einem Strahlenschaden auf: (3)

A ☐ Erythem
B ☐ Geschwürsbildung
C ☐ Ulzeration mit Neigung zu krebsiger Entartung
D ☐ Haarausfall
E ☐ Leukämie
F ☐ Knochentumoren

28. Szintigraphie ist: (1)

A ☐ die Aufzeichnung der Aktionsströme des Gehirns
B ☐ eine Röntgenschichtaufnahme
C ☐ die Kontrastdarstellung von Hohlorgangen
D ☐ eine Lokalisationsuntersuchung (z. B. von Tumoren) mit radioaktiven Stoffen
E ☐ die Aufzeichnung von Infrarotstrahlen

29. Das Radionuklid 131 J hat eine Halbwertzeit von: (1)

A ☐ 8 Stunden
B ☐ 8 Tagen
C ☐ 8 Wochen
D ☐ 8 Monaten
E ☐ 8 Jahren
F ☐ 8000 Jahren
G ☐ 80000 Jahren

---

26 D   27 A, B, D   28 D   29 B

30. Myelographie ist: (1)

A ☐ die röntgenologische Darstellung des Spinalkanals nach Injektion eines Barium-Präparates

B ☐ die röntgenologische Darstellung des Spinalkanals nach Injektion von Pantopaque

C ☐ die röntgenologische Darstellung der Bronchien nach Inhalation eines negativen Kontrastmittels

D ☐ die röntgenologische Darstellung der Bronchialgefäße nach Injektionen eines trijodierten wasserlöslichen Kontrastmittels

31. Die Röntgenstrahlen gehören zu den: (1)

A ☐ UV-Strahlen

B ☐ Infrarot-Strahlen

C ☐ Gamma-Strahlen

D ☐ Wärme-Strahlen

32. Welche Aussagen zum Strahlenschutz treffen zu: (2)

A ☐ die Ausscheidungen der mit Radium bestrahlten Patienten können bedenkenlos in die Kanalisation gegeben werden

B ☐ ein mit der Kobalt-Bombe bestrahlter Patient muss von den übrigen Patienten isoliert werden

C ☐ regelmäßig strahlenexponierte Personen müssen ein Dosismessgerät tragen, das jährlich einmal kontrolliert wird

D ☐ bei der jährlichen Überwachungsuntersuchung ist in erster Linie eine BSG durchzuführen

E ☐ mit Radiojod therapierte Patienten dürfen nicht von Jugendlichen gepflegt werden

33. Prof. Dr. Wilhelm Röntgen nannte die von ihm entdeckten Strahlen: (1)

A ☐ Röntgen-Strahlen

B ☐ Gamma-Strahlen

C ☐ X-Strahlen

D ☐ UV-Strahlen

E ☐ Grenz-Strahlen

---

30 B   31 C   32 A, E   33 C

34. Als Kontrastmittel für Röntgenaufnahmen (Magen-Darm-Kanal)
verwendet man: (1)

A ☐ $BaSO_4$
B ☐ Na_2SO_4
C ☐ $CaSO_4 \times 2H_2O$

35. Welche Gallensteine sind röntgenologisch ohne Kontrastmittel
nachweisbar: (2)

A ☐ sehr kleine, maulbeerförmige Bilirubin-Kalk-Steine
B ☐ kleine fazettierte Cholesterin-Kalk-Steine
C ☐ große Solitärsteine aus Cholesterin

---

34 A   35 A, B

XXVI. Physik – Chemie

1. Atome sind die Grundbausteine aller Materie. Ein Atom besteht aus: (2)

   A ☐ dem Zentrum und der Hülle
   B ☐ dem Kern und den Elektronen
   C ☐ den Nukleonen und den Elektronen
   D ☐ dem Kern und den Ionen

2. Ein Atom ist elektrisch neutral geladen. Eine negative Ladung tragen die: (1)

   A ☐ Protonen
   B ☐ Elektronen
   C ☐ Neutronen
   D ☐ Nukleonen

3. Ein Atom ist elektrisch neutral geladen. Welche der Elementarteilchen müssen immer in gleicher Anzahl vorkommen: (1)

   A ☐ Protonen und/oder Neutronen
   B ☐ Protonen und/oder Elektronen
   C ☐ Nukleonen und/oder Elektronen
   D ☐ Elektronen und/oder Neutronen

4. Die gesamte Masse des Atoms ist im Kern konzentriert. Die Massenzahl wird bestimmt durch die Anzahl: (2)

   A ☐ der Protonen und Elektronen
   B ☐ der Protonen und Neutronen
   C ☐ der Nukleonen und Elektronen
   D ☐ der Nukleonen

---

1 B, C   2 B   3 B   4 B, D

5. Nach dem Bohr-Rutherford-Atommodell bewegen sich die Elektronen um den Atomkern: (2)

A ☐ auf 7 Schalen

B ☐ auf 4 Schalen

C ☐ auf den A-, B-, C-, D-Schalen

D ☐ auf den K-, L-, M-, N-, O-, P-, Q-Schalen

6. Atome eines Elementes besitzen eine unterschiedliche Massenzahl; diese Atome bezeichnet man als: (1)

A ☐ Ione

B ☐ Elektrolyte

C ☐ Isotope

7. Welche Aussagen über Isotope eines Elementes sind richtig: (3)

A ☐ Isotope nennt man Atome gleicher Protonenzahl, aber verschiedener Neutronenzahl

B ☐ Isotope nennt man Atome gleicher Kernladungszahl, aber verschiedener Neutronenzahl

C ☐ Isotope nennt man Atome gleicher Nukleonenzahl, aber verschiedener Neutronenzahl

D ☐ Isotope nennt man Atome gleicher Nukleonenzahl, aber verschiedener Elektronenzahl

E ☐ Isotope eines Elementes besitzen – mit geringen Ausnahmen – die gleichen chemischen Eigenschaften, unterscheiden sich aber in ihrer Atommasse

8. Die maximale Anzahl der Elektronen auf den Schalen berechnet man nach der Formel: (1)

A ☐ $2 \times n^2$ (n entspricht der Schalenzahl)

B ☐ n^2 (n entspricht der Schalenzahl)

---

5 A, D   6 C   7 A, B, E   8 A

9. **Die Zahl der Protonen, die gleich der Elektronenzahl ist, bezeichnet man als: (2)**

A ☐ Kernladungszahl
B ☐ Massenzahl
C ☐ Ordnungszahl
D ☐ imaginäre Zahl

10. **Mendelejew/Meyer ordneten die Elemente in 8 Gruppen. Welche Aussagen über die Gruppen sind richtig: (2)**

A ☐ jede Gruppe ist in eine Haupt- und eine Nebengruppe unterteilt
B ☐ der Hauptgruppennummer entspricht die Anzahl der Außenelektronen
C ☐ der Hauptgruppennummer entspricht die Anzahl der besetzten Schalen
D ☐ der Hauptgruppennummer entspricht die Bezeichnung der Außenschale

11. **Mendelejew/Meyer ordneten die Elemente in 7 Perioden. Welche Aussagen über die Perioden sind richtig: (2)**

A ☐ jede Periode ist in eine Haupt- und eine Nebenperiode unterteilt
B ☐ der Periodennummer entspricht die Anzahl der Außenelektronen
C ☐ der Periodennummer entspricht die Anzahl der besetzten Schalen
D ☐ der Periodennummer entspricht die Bezeichnung der Außenschale

12. **Welche Stoffe gehören zur Gruppe der Halogene: (1)**

A ☐ Sauerstoff, Schwefel, Selen, Tellur
B ☐ Wasserstoff, Lithium, Natrium, Kalium
C ☐ Fluor, Chlor, Brom, Jod

---

9 A, C   **10** A, B   **11** C, D   **12** C

13. Das Bohr-Rutherford-Modell ist dahingehend verändert worden, dass man den Elektronen einen Raum zuschreibt, diese Aufenthaltsräume bezeichnet man als: (2)

A ☐ Orbitale
B ☐ Ladungswolken
C ☐ Ellipsenbahnen
D ☐ Streifen

14. Ionen entstehen: (3)

A ☐ aus Isotopengemischen
B ☐ aus Atomen durch Aufnahme von Elektronen
C ☐ aus Atomen durch Abgabe von Elektronen
D ☐ aus Molekülen, die in wässrigen Lösungen dissoziieren

15. Nach den Ladungen der Ionen unterscheidet man: (3)

A ☐ Kationen
B ☐ Isoionen
C ☐ Anionen
D ☐ Zwitterionen
E ☐ Sektionen

16. NaCl dissoziiert teilweise in einer wässrigen Lösung in Na^{1+} und Cl^{1-}. Das Natrium-Ion ist das: (1)

A ☐ Kation
B ☐ Isoion
C ☐ Anion
D ☐ Zwitterion

17. Elektrolyte sind: (2)

A ☐ Stoffe, die in wässrigen Lösungen den elektrischen Strom leiten
B ☐ Stoffe, die in wässrigen Lösungen den elektrischen Strom nicht leiten
C ☐ wässrige Lösungen von Kohlenhydraten
D ☐ wässrige Lösungen von Säuren, Laugen und Salzen

---

13 A, B   14 B, C, D   15 A, C, D   16 A   17 A, D

18. Bei der Elektrolyse scheiden sich die Kationen an: (2)

A ☐ der Elektrode ab, die mit dem Pluspol verbunden ist
B ☐ der Anode ab
C ☐ der Elektrode ab, die mit dem Minuspol verbunden ist
D ☐ der Kathode ab

19. Den Zerfall eines Elektrolyten in frei bewegliche Ionen bezeichnet man als: (1)

A ☐ Elektrolyse
B ☐ Dissoziation
C ☐ Osmose

20. Serumelektrolyte sind: (1)

A ☐ Ionen, die im Blut vorkommen
B ☐ Ionen, die im Blut regelmäßig vorkommen
C ☐ Ionen, die im Blut nur in Spuren vorkommen

21. Einen Aufschluss über die Verteilung der Ionen liefert das Ionogramm. Welche Kationen und Anionen gehören zum Ionogramm des Blutes: (2)

A ☐ Na^{1+}, K^{1+}, Ca^{2+}, Pb^{2+}
B ☐ Cl^{1-}, HCO_3^{1-}, HPO_4^{2-}, So_4^{2-}
C ☐ Na^{1+}, K^{1+}, Ca^{2+}, Mg^{2+}
D ☐ Cl^{1-}, HCO_3^{1-}, HPO_4^{2-}, OH^{1-}

22. Die stöchiometrische Wertigkeit eines Elementes gibt an: (1)

A ☐ wie viel Heliumatome ein Atom dieses Elementes zu binden oder zu ersetzen vermag
B ☐ wie viel Wasserstoffatome ein Atom dieses Elementes zu binden oder zu ersetzen vermag
C ☐ wie viel Kohlenstoffatome ein Atom dieses Elementes zu binden oder zu ersetzen vermag

---

18 C, D   19 B   20 B   21 B, C

23. Eine chemische Bindung, die auf elektrostatischer Anziehung entgegengesetzt geladener Ionen beruht, nennt man: (1)

A ☐ Ionenbindung
B ☐ Atombindung
C ☐ Metallbindung

24. Unter einer Oxidation versteht man: (3)

A ☐ eine Teilreaktion der Redoxreaktion
B ☐ eine Reaktion, bei der die Oxydationszahl von Elementen kleiner wird
C ☐ eine Reaktion, bei der sich Stoffe mit Sauerstoff verbinden
D ☐ eine Reaktion, bei der Verbindungen Sauerstoff entzogen wird
E ☐ einen chemischen Vorgang, bei dem Atome/Moleküle Elektronen abgeben
F ☐ eine Reduktion

25. Ein Katalysator ist ein Stoff: (1)

A ☐ der an der chemischen Reaktion beteiligt ist, aber nach Ablauf der Reaktion unverändert vorliegt
B ☐ den es nur in der anorganischen Chemie gibt
C ☐ der aus dem afrikanischen K-Strauch gewonnen wird

26. Eine chemische Bindung, die durch gemeinsame Elektronenpaare (Durchdringung von Orbitalen) gekennzeichnet ist, nennt man: (1)

A ☐ Ionenbindung
B ☐ Atombindung
C ☐ Metallbindung

---

27. Es gibt natürlich vorkommende radioaktive Elemente und künstlich hergestellte radioaktive Elemente. Welche Aussagen über diese radioaktiven Stoffe sind richtig: (3)

A ☐ sie können drei Strahlenarten aussenden

B ☐ in einer für jeden Stoff bestimmten Zeit geben sie die Hälfte ihrer Radioaktivität ab

C ☐ künstliche radioaktive Stoffe erhält man durch Neutronen-beschuss

D ☐ natürlich vorkommende radioaktive Elemente müssen angeregt werden zu strahlen

E ☐ die Radioaktivität eines Stoffes nimmt mit der Zeit unter-schiedlich ab

28. Die Strahlenarten nennt man alpha-, beta-, und gamma-Strahlen. Welche Aussagen über die Strahlenarten treffen zu: (3)

A ☐ alpha-Strahlung durchdringt Materie besser als beta- oder gamma-Strahlung

B ☐ alpha-Strahlen sind positiv geladene Teilchen

C ☐ alpha-Teilchen sind Heliumkerne

D ☐ gamma-Strahlen sind negativ geladene Teilchen (Elektronen)

E ☐ gamma-Strahlung durchdringt Materie besser als die alpha- oder beta-Strahlung

29. Die Zeit, in der die Hälfte der Strahlungsenergie eines radioaktiven Stoffes abgegeben ist: (2)

A ☐ nennt man Halbwertzeit

B ☐ ist für einen bestimmten radioaktiven Stoff konstant

C ☐ nennt man kritische Zeit

D ☐ ist für einen bestimmten radioaktiven Stoff nicht konstant

30. Radioaktive Isotopen finden Anwendung in der: (1)

A ☐ physikalischen Therapie

B ☐ Röntgenkontrastdarstellung

C ☐ in der nuklear-medizinischen-szintigraphischen Diagnostik

---

27 A, B, C   28 B, C, E   29 A, B   30 C

31. Für tieferliegende Gewebe wendet man in der Bestrahlungstherapie: (2)

A ☐ beta-strahlendes Material an, das ohne weiteres das tiefer liegende Gewebe erreicht

B ☐ beta-strahlendes Material an, das mit Hilfe des Spickverfahrens an das zu bestrahlende Gewebe herangebracht wird

C ☐ gamma-Strahlen an

32. Radioaktive Strahlen werden gemessen mit: (2)

A ☐ dem Geiger-Müller-Zählrohr

B ☐ dem Szintillationszähler

C ☐ dem Amperezähler

D ☐ der Telecurie-Methode

33. pH-Skala: (1)

A ☐ ist durch die Werte O und 14 begrenzt

B ☐ ist durch die Werte O und 7 begrenzt

34. Der pH-Wert: (2)

A ☐ ist das Maß für den Druck der Wasserstoffionen

B ☐ ist der negative dekadische Logarithmus des Zahlenwertes für die Wasserstoffionenkonzentration

C ☐ ist das Maß für eine saure oder alkalische Reaktion einer Lösung

D ☐ ist eine Abkürzung für Arzneiformen wie Drg., Amp., Tabl.

35. Das Produkt aus der Wasserstoff- und der Hydroxid-Ionenkonzentration: (2)

A ☐ wird bezeichnet als das Ionenprodukt des Wassers

B ☐ beträgt 10^{-7} mol^2 x I^{-2} (bei 25 °C)

C ☐ beträgt 10^{-14} mol^2 x I^{-2} (bei 25 °C)

D ☐ bezeichnet man als Dissoziationsgrad

---

31 B, C   32 A, B   33 A   34 B, C   35 A, C

36. pH-7: (1)

A ☐ sauer

B ☐ neutral

C ☐ basisch

37. Die relative Atommasse eines Elementes gibt an, wie viel mal so groß die Masse eines seiner Atome in Bezug auf die Atommasseneinheit ist. Als Bezugswert für die Atommasseneinheit verwendet man seit 1961: (1)

A ☐ die Atommasse von Wasserstoff

B ☐ die Atommasse von Sauerstoff

C ☐ die Atommasse von Kohlenstoff

38. Der ph-Wert kann in engen Grenzen konstant gehalten werden durch: (1)

A ☐ Säuren

B ☐ Laugen

C ☐ Pufferlösungen

39. Ein Puffer besteht aus einer: (2)

A ☐ schwachen Säure und eines ihrer Salze

B ☐ schwachen Base und eines ihrer Salze

C ☐ schwachen Säure und einer schwachen Lauge

D ☐ Verbindung von Natrium und Chlor

40. Im Blut sind unter anderem welche Puffersysteme wirksam: (2)

A ☐ Kohlensäure-Hydrogencarbonat-Puffer

B ☐ Essigsäure-Acetat-Puffer

C ☐ Phosphorsäure-Dihydrogenphosphat-Puffer

41. Die einfachste und billigste (aber auch die ungenaueste) Methode den pH-Wert zu messen, ist die: (1)

A ☐ Messung mit Hilfe der Glaselektrode

B ☐ Messung mit Hilfe von Indikatoren

C ☐ Messung mit Hilfe von Zählrohren

| 36 B | 37 C | 38 C | 39 A, B | 40 A, C | 41 B |

42. Welche Angaben über pH-Werte sind nicht richtig: (2)

A ☐ Speichel 5–6,8
B ☐ Magensaft 6,2–7,5
C ☐ Darmsaft 1–2
D ☐ Galle 5,8–8,5

43. Das Blutplasma hat einen pH-Wert von 7,42. Eine Abweichung zu höheren alkalischen Werten bezeichnet man mit: (1)

A ☐ Azidose
B ☐ Alkalose

44. Die relative Molekülmasse (Molekulargewicht) in Gramm hat die Bezeichnung: (2)

A ☐ 1 Grammolekül
B ☐ 1 Grammatom
C ☐ 1 Mol
D ☐ Loschmidt-Zahl

45. Wasser ist für viele Stoffe ein gutes Lösungsmittel. Welche Aussage ist nicht richtig: (1)

A ☐ feste unlösliche Stoffe können durch Schlämmen und Filtrieren von einer Flüssigkeit getrennt werden
B ☐ feste gelöste Stoffe können durch Verdampfen oder Verdunsten des Lösungsmittels getrennt werden
C ☐ flüssige gelöste Stoffe können durch Filtrieren getrennt werden
D ☐ flüssige gelöste Stoffe können durch Destillieren getrennt werden

46. Eine 1-normale-$CaCl_2$-Lösung ist äquivalent einer: (2)

A ☐ 1-molaren-$CaCl_2$-Lösung
B ☐ $^1/_2$-molaren-$CaCl_2$-Lösung
C ☐ 1-normalen-$NaCl$-Lösung
D ☐ 2-molaren $NaCl$-Lösung

---

47. Die Brown'sche Molekularbewegung besagt, dass: (2)

A ☐ die Teilchen von Gasen und Flüssigkeiten in ständiger, ungeordneter Bewegung sind

B ☐ die Teilchen von Gasen und Flüssigkeiten sich in einer ständigen Ordnung befinden

C ☐ die Bewegungsgeschwindigkeit von der Größe der Teilchen und von der Temperatur abhängig ist

D ☐ die Bewegungsgeschwindigkeit mit erhöhter Temperatur sinkt

48. Die selbstständige Durchmischung von Stoffen heißt: (1)

A ☐ Diffusion

B ☐ Osmose

C ☐ Dialyse

49. Durch eine Dialysiermembran bei der Dialyse: (2)

A ☐ diffundieren nur noch die Moleküle des Lösungsmittels

B ☐ diffundieren nur die niedermolekularen Anteile

C ☐ diffundieren die niedermolekularen und hochmolekularen Anteile

D ☐ können die kleineren Moleküle von den Makromolekülen getrennt werden

50. Wenn eine Membran nur noch für die Moleküle des Lösungsmittels, nicht aber der gelösten Stoffe durchlässig ist, so bezeichnet man den Vorgang zum Konzentrationsausgleich als: (1)

A ☐ Diffusion

B ☐ Osmose

C ☐ Ultrafiltration

51. Die menschliche Knochensubstanz hat Ionenaustauschereigenschaften: (1)

A ☐ auf diese Weise werden Schwermetallionen angelagert

B ☐ so werden mineralische Gifte neutralisiert

C ☐ so werden selbst eingetauschte radioaktive Kationen ungefährlich

---

47 A, C   48 A   49 B, D   50 B   51 A

52. Ionenaustauscher sind: (1)

A ☐ Elektroden, die mit einem Plus- oder Minuspol einer Spannungsquelle verbunden sind

B ☐ Lösungsmittel, in denen Säuren, Salze oder Laugen dissoziieren

C ☐ Kunststoffe, die an ihrer Oberfläche kationische und anionische Ladungen tragen

53. Die durch eine semipermeable Membran nicht hindurchtretenden Teilchen üben auf die Membran einen Druck aus: (2)

A ☐ den man den osmotischen Druck nennt

B ☐ der mit der Konzentration steigt

C ☐ der von dem chemischen Bau der Teilchen abhängig ist

D ☐ der von der Konzentration unabhängig ist

54. Lösungen, die den gleichen osmotischen Druck besitzen, nennt man: (1)

A ☐ hypotone Lösungen

B ☐ isotone Lösungen

C ☐ hypertone Lösungen

55. Eine wie viel %ige NaCI-Lösung ist dem Blut isotonisch: (1)

A ☐ 7,7 %ig

B ☐ 1,2 %ig

C ☐ 0,9 %ig

56. Eiweißkörper in Lösungen üben einen geringen osmotischen Druck aus, den so genannten: (2)

A ☐ kolloidosmotischen Druck

B ☐ lipoidosmotischen Druck

C ☐ onkotischen Druck

D ☐ kolloidalen Druck

---

52 C   53 A, B   54 B   55 C   56 A, C

57. Handelt es sich um einen festen Stoff (Teilchengröße über 100 mm), der in einer Flüssigkeit unlöslich bzw. schlecht löslich ist, so spricht man von: (1)

A ☐ einer Emulsion
B ☐ einer Suspension
C ☐ einem Gel
D ☐ einem Sol

58. Hydroxide sind Verbindungen eines Metalls bzw. der Ammonium-gruppe mit der Hydroxid-Gruppe. Welche Aussagen sind richtig: (3)

A ☐ die Hydroxid-Gruppe (OH-Gruppe) ist einwertig
B ☐ Lösungen von Hydroxiden in Wasser bilden Basen
C ☐ Lösungen von Hydroxiden in Wasser bilden Säuren
D ☐ Lösungen von Hydroxiden in Wasser färben Lackmus blau
E ☐ Lösungen von Hydroxiden in Wasser färben Lackmus rot

59. Metalloxide (bzw. die Ammoniumgruppe), die mit Wasser reagieren, bilden: (1)

A ☐ Basen
B ☐ Salze
C ☐ Säuren

60. Eine Säure ist eine chemische Verbindung, die in wässriger Lösung in frei bewegliche: (1)

A ☐ elektrisch positiv geladene Metall-Ionen (bzw. Ammonium-Ionen) und elektrisch negativ geladene Säurerest-Ionen dissoziiert
B ☐ elektrisch positiv geladene Metall-Ionen und elektrisch negativ geladene Hydroxid-Ionen dissoziiert
C ☐ elektrisch positiv geladene Wasserstoff-Ionen und elektrisch negativ geladene Säurerest-Ionen dissoziiert

---

57 B   58 A, B, D   59 A   60 C

61. Salze entstehen bei der Verbindung von: (3)

A ☐ Metall und Säure
B ☐ Metalloxid und Säure
C ☐ Metalloxid und Wasser
D ☐ Base und Säure
E ☐ Nichtmetalloxid und Wasser

62. Welche Aussagen sind über Calcium richtig: (2)

A ☐ es ist Bestandteil des Knochengewebes (Apatit)
B ☐ das Calcium-Ion hat keine Bedeutung für die Blutgerinnung
C ☐ das Calcium-Ion kann die Membranpermeabilität herabsetzen
D ☐ Calcium verbindet sich nicht mit dem Phosphorsäurerest (PO_4)

63. Welche Aussage ist über Eisen richtig: (1)

A ☐ Eisen kommt nur in freien Ionen vor
B ☐ Eisen ist zum größten Teil im Hämoglobin gebunden
C ☐ 70 % des Eisens lagert im Myoglobin

64. Ozon (O_3): (2)

A ☐ ist für den Menschen in größeren Konzentrationen giftig
B ☐ ist ein hochwertiges Meersalz
C ☐ tötet Krankheitskeime ab
D ☐ greift Gummi nicht an

65. H_2O_2: (2)

A ☐ bezeichnet man als Wasserstoffperoxid
B ☐ bezeichnet man als schweres Wasser
C ☐ tötet Krankheitskeime nicht ab
D ☐ wirkt als Zellgift

---

61 A, B, D   62 A, C   63 B   64 A, C   65 A, D

66. H_2O, welche Aussagen sind richtig: (2)

A ☐ ein Erwachsener muss täglich unter Normalbedingungen 2–3 Liter aufnehmen

B ☐ ein Erwachsener scheidet täglich unter Normalbedingungen 3–4 Liter aus

C ☐ Wasser wird bei der Hydrolyse der Nährstoffe als Reaktionspartner verbraucht

D ☐ der menschliche Körper besteht zu etwa 1/3 aus Wasser

67. CO_2: (4)

A ☐ ist die chemische Schreibweise für Kohlenmonoxid

B ☐ ist die chemische Schreibweise für Kohlendioxid

C ☐ ist ein braun gefärbtes Gas von üblem Geruch

D ☐ bildet in $Ca(OH)_2$ geleitet einen weißen Niederschlag

E ☐ ist leichter als Luft

F ☐ kommt zu 0,03 % in der Luft vor

G ☐ benötigen die Pflanzen, die mit Hilfe von Wasser, Licht und Chlorophyll, Kohlenhydrate aufbauen und Sauerstoff abgeben

68. $6\,CO_2 + 6\,H_2O \xrightarrow[\text{Licht}]{\text{Chlorophyll}} C_6H_{12}O_6 + 6\,O_2$

Diesen Vorgang bezeichnet man als: (2)

A ☐ Katalyse

B ☐ Photosynthese

C ☐ Assimilation

D ☐ Hydrolyse

69. CO: (3)

A ☐ ist die chemische Schreibweise für Kohlenmonoxid

B ☐ ist die chemische Schreibweise für Kohlendioxid

C ☐ ist ein farb- und geruchloses Gas

D ☐ ist ein ungiftiges Gas

E ☐ geht mit dem Hämoglobin eine feste Verbindung ein

F ☐ das CO vergiftete Blut ist dunkelrot

---

66 A, C   67 B, D, F, G   68 B, C   69 A, C, E

70. N_2O (Distickstoffmonoxid): (1)

A ☐ dient als Desinfektionsmittel

B ☐ wird zusammen mit Sauerstoff als Narkotikum verwandt

71. Die Ätzwirkungen von Säuren: (2)

A ☐ beruhen auf Eiweißdenaturierung

B ☐ (ausgenommen ist die Flusssäure [HF]) reichen tiefer als die der Laugen

C ☐ bilden einen Mantel von geflocktem Eiweiß

72. Zu den O-freien Säuren gehören: (2)

A ☐ Salzsäure

B ☐ Schwefelsäure

C ☐ Kohlensäure

D ☐ Jodwasserstoffsäure

73. HClO ist die chemische Schreibweise für: (1)

A ☐ Salzsäure

B ☐ Chlorige Säure

C ☐ Chlorsäure

D ☐ Unterchlorige Säure (Hypochlorige Säure)

E ☐ Perchlorsäure

74. Salzsäure (HCl): (4)

A ☐ ist eine farblose, geruchlose Flüssigkeit

B ☐ ist im Magensaft zu finden

C ☐ hemmt die Pepsinwirksamkeit

D ☐ verhindert im Magen die Tätigkeit von Fäulnisbakterien

E ☐ reagiert mit unedlen Metallen

F ☐ reagiert mit NH_4OH, es bilden sich weiße Nebel

G ☐ hat einen ph-Wert über 7

---

70 B   71 A, C   72 A, D   73 D   74 B, D, E, F

75. Schwefelsäure (H_2SO_4): (3)

A ☐ entzieht organischen Stoffen Wasser
B ☐ ist hygroskopisch
C ☐ ist als Trockenmittel für Exikatoren nicht geeignet
D ☐ wird beim Verdünnen langsam ins Wasser gegeben
E ☐ gehört zu den unbeständigen Säuren

76. Salpetersäure: (2)

A ☐ HNO_3
B ☐ HNO_2
C ☐ dient zum Nachweis von Eiweiß (Xanthoproteinreaktion)
D ☐ H_2NO_3

77. $Ca(OH)_2$ (Kalkwasser, Calciumhydroxid, Calciumlauge): (2)

A ☐ ist ein Reagenz auf den Säurerest der Schwefelsäure
B ☐ ist ein Reagenz auf den Säurerest der Kohlensäure
C ☐ bildet mit Kohlensäure oder einem ihrer Salze unlösliches Calciumkarbonat
D ☐ färbt Lackmus rot

78. Salze der O-freien Säuren haben die Endung: (1)

A ☐ -id
B ☐ -it
C ☐ -at

79. Salze der -igen Säuren haben die Endung: (1)

A ☐ -id
B ☐ -it
C ☐ -at

75 A, B, D   76 A, C   77 B, C   78 A   79 B

80. $NaHCO_3$: (3)

A ☐ ist die chemische Schreibweise für Natriumkarbonat
B ☐ ist die chemische Schreibweise für Natriumhydrogenkarbonat
C ☐ gibt beim Erhitzen CO_2 ab, und beim Zusatz von HCl wird nochmals CO_2 frei
D ☐ hat toxische Eigenschaften
E ☐ wird als Natron zur Neutralisation von überschüssiger Salzsäure des Magensaftes verwandt
F ☐ wird als Soda zur Enthärtung des Wassers verwandt

81. Bei Hydrogensalzen ist: (1)

A ☐ noch Schwefel enthalten
B ☐ noch Säurewasserstoff enthalten
C ☐ kein Säurewasserstoff enthalten

82. NaCI (Natriumchlorid, Kochsalz): (2)

A ☐ das Blut enthält etwa 0,6 % NaCI
B ☐ der Tagesbedarf der Menschen beträgt 3−5 g
C ☐ der Natriumbestandteil dient zur Herstellung des sauren Magensaftes
D ☐ der Chlorbestandteil dient zur Herstellung der alkalischen Darmsäfte

83. Als Kontrastmittel für Röntgenaufnahmen (Magen-Darm-Kanal) verwendet man: (1)

A ☐ $BaSO_4$
B ☐ Na_2SO_4
C ☐ $CaSO_4$ x $2H_2O$

---

80 B, C, E   81 B   82 A, B   83 A

84. CaCI (OCI): (3)

A ☐ ist die chemische Schreibweise für Chlorsäure
B ☐ ist die chemische Schreibweise für Chlorkalk
C ☐ ist die chemische Schreibweise für Calciumchloridhypochlorit
D ☐ ist ein billiges Desinfektionsmittel
E ☐ verleiht Wasser die Härte
F ☐ setzt sich als Kesselstein ab

85. Als Laxans pharmakologisch genutzt werden: (2)

A ☐ $BaSO_4$
B ☐ Na_2SO_4
C ☐ $MgSO_4$
D ☐ $AgNO_3$

86. Cr (III) wird zur Diabetesvorsorge genutzt. Welche Aussagen sind richtig: (2)

A ☐ es ersetzt das Insulin
B ☐ es wirkt als Cofaktor der Insulinwirkung
C ☐ bei Gegenwart von Cr (III) kann Insulin gespart werden
D ☐ ohne Cr (III) ist die Zellmembran für Glukose und andere Zucker nicht durchlässig

87. »Trockeneis« entsteht bei der Verdunstung von flüssigem: (1)

A ☐ Kohlenmonoxid
B ☐ Natriumkarbonat
C ☐ Kohlendioxid

---

84 B, C, D   85 B, C   86 B, C   87 C

88. Kohlenwasserstoffe: (3)

A ☐ kommen immer kettenförmig vor

B ☐ die allgemeine Formel der n-Paraffine lautet C_nH_{2n+2}

C ☐ können Isomere bilden (verzweigte Kohlenstoffketten)

D ☐ gesättigt, Einfachbindungen zwischen Kohlenstoffatomen, haben die Endung -in

E ☐ ungesättigt, 2 Doppelbindungen zwischen je zwei Kohlenstoffatomen, haben die Endung -(a)dien

F ☐ ungesättigt, 1 Dreifachbindung zwischen zwei Kohlenstoffatomen, haben die Endung -an

89. Alkohole: (2)

A ☐ sind Kohlenstoffderivate, ein H-Atom wurde durch die Hydroxyl-Gruppe (OH) ersetzt

B ☐ mit drei OH-Gruppen bezeichnet man auch als dreiwertigen Alkohol

C ☐ mit drei OH-Gruppen bezeichnet man auch als tertiären Alkohol

D ☐ sind Genussmittel

90. Durch Oxidation primärer Alkohole entstehen Aldehyde: (1)

A ☐ deren Kennzeichen die Aldehydgruppe $C{\overset{\displaystyle\nearrow O}{\searrow H}}$ ist

B ☐ dessen Vertreter Methanol (Formaldehyd) in einer 40 %igen Lösung zur Wunddesinfektion geeignet ist

91. Glyzerin $CH_2(OH)-CH(OH)-CH_2(OH)$: (2)

A ☐ ist ein dreiwertiger oder auch zweifach primärer, einfach sekundärer Alkohol

B ☐ Glyzerin löst sich nicht in Wasser

C ☐ bildet mit den höheren Fettsäuren wichtige Ester (Fette)

D ☐ hat die gleichen Eigenschaften wie Äther

---

88 B, C, E   89 A, B   90 A   91 A, C

92. Benzol: (2)

A ☐ ist eine ringförmige Kohlenwasserstoffverbindung
B ☐ gehört zu den Vertretern der Aromate
C ☐ gehört zu der Gruppe der Heterocyclen
D ☐ und seine Homologe sind nicht toxisch

93. Trichlormethan ($CHClO_3$): (2)

A ☐ ist eine farblose, geruchlose Flüssigkeit
B ☐ kann als Inhalationsnarkosemittel benutzt werden
C ☐ ist selbst in höherer Konzentration nicht giftig
D ☐ ist ein Halogenderivat der Kohlenwasserstoffe

94. Harnstoff $\begin{smallmatrix} H_2N \\ H_2N \end{smallmatrix} \!\!> C = O$, Formel $CO(NH_2)_2$: (2)

A ☐ bildet kugelförmige Kristalle
B ☐ wird in der Niere aus NH_3 und CO_2 synthetisiert
C ☐ gehört zu den Basisstoffen zur Herstellung von Kunststoffen (Aminoplast)
D ☐ wird von einem gesunden Erwachsenen täglich in einer Menge von etwa 30g ausgeschieden

95. Die $C\!\!<^O_{OH}$ -Gruppe ist das Kennzeichen der organischen Säuren. CH_3COOH: (2)

A ☐ ist die chemische Schreibweise für die Methansäure (Ameisensäure)
B ☐ ist die chemische Schreibweise für die Essigsäure
C ☐ ihre Salze sind die Acetate
D ☐ ihre Salze heißen Formiate

96. Zu den ungesättigten, höheren Fettsäuren gehören: (2)

A ☐ Palmitinsäure ($C_{15}H_{31}COOH$)
B ☐ Stearinsäure ($C_{17}H_{35}COOH$)
C ☐ Ölsäure ($C_{17}H_{33}COOH$)
D ☐ Linolsäure ($C_{17}H_{31}COOH$)

---

92 A, B   93 B, D   94 C, D   95 B, C   96 C, D

97. Glukose ist ein Monosaccharid. Glukose: (4)

A □ entsteht durch Oxidation aus dem 6-wertigen Alkohol Sorbit
B □ entsteht durch Oxidation aus dem 5-wertigen Alkohol Xylit
C □ gehört zu den Aldohexosen
D □ gehört zu den Ketohexosen
E □ ist optisch aktiv, rechtsdrehend
F □ ist optisch aktiv, linksdrehend
G □ kommt zum größten Teil in Ringform vor
H □ Stoffwechsel ist bei Diabetes nicht gestört

98. Essentielle Fettsäuren: (2)

A □ sind Ölsäure, Linolsäure, Linolensäure ($C_{17}H_{29}COOH$)
B □ sind Linolsäure, Linolensäure, Arachidonsäure
($C_{19}H_{31}COOOH$)
C □ müssen täglich in einer Mindestmenge von 7 g mit der Nahrung aufgenommen werden
D □ können keine Verbindung mit Halogenen eingehen

99. Um im Harn ausgeschiedenen Traubenzucker qualitativ und quantitativ zu bestimmen, kann man folgende Analysemethoden benutzen: (4)

A □ Präzisions-Gärungs-Saccharometer
B □ Urometer
C □ Lackmus
D □ Polarimeter
E □ Enzymatische Tests
F □ Xanthoproteinreaktion
G □ Chromatographie
H □ Elektrolyse

100. Die Aminosäuren sind gekennzeichnet durch die: (1)

A □ NH_2-Gruppe
B □ COOH-Gruppe
C □ NH_2-Gruppe und COOH-Gruppe (-CH(NH_2)-COOH Konstellation)

---

97 A, C, E, G   98 B, C   99 A, D, E, G   100 C

101. Stärke gehört wie Zellulose und Glykogen zu den Polysacchariden: (3)

A ☐ Stärke ist als Nahrungsmittel unbedeutend

B ☐ Stärke besteht aus 200–5000 Maltose-Molekülen

C ☐ Stärke besteht aus einem Gemisch von Amylose und Amylopektin im Verhältnis 20:80

D ☐ Jod ist ein Reagenz auf Stärke (Blaufärbung)

E ☐ Stärke wird nicht wie Glykogen mit Hilfe von Fermenten hydrolisiert und in Monosaccharide gespalten

F ☐ Stärke ist die Hauptsubstanz der pflanzlichen Zellmembran

102. Durch Kondensation zweier Aminosäuren entsteht ein: (1)

A ☐ Pepton

B ☐ Dipeptid

C ☐ Polypeptid

103. Zu den essentiellen Aminosäuren gehören von den alipathischen Aminosäuren: (3)

A ☐ Glycin

B ☐ Alanin

C ☐ Valin

D ☐ Leucin

E ☐ Isoleucin

F ☐ Serin

104. Zu den zyklischen Aminosäuren gehören: (2)

A ☐ Phenylalanin

B ☐ Isoleucin

C ☐ Leucin

D ☐ Histidin

105. Die Proteine kann man einteilen in fibrilläre Proteine (Skleroproteine) und in globuläre Proteine (Sphäroproteine). Globuläre Proteine: (2)

A ☐ sind meist wasserlöslich
B ☐ sind z. B. Albumine, Globuline
C ☐ sind z. B. Fibrin, Fibrinogen
D ☐ haben einen hohen Anteil an einfachen Aminosäureresten

106. Proteide sind Verbindungen zwischen Proteinen und peptidfremden Anteilen. Nach den Anteilen unterscheidet man: (6)

A ☐ Glykoproteide
B ☐ Sacchoproteide
C ☐ Magnesiumproteide
D ☐ Metallproteide
E ☐ Chloroproteide
F ☐ Salpeterproteide
G ☐ Nukleoproteide
H ☐ Lipoproteide
J ☐ Esterproteide
K ☐ Chromoproteide
L ☐ Phosphorproteide

107. Geronnenes Eiweiß wird aufgelöst durch: (1)

A ☐ Lipase
B ☐ HCl
C ☐ Pepsin in Verbindung mit HCl

108. Eiweißstoffe werden zum Gerinnen gebracht durch: (4)

A ☐ Erhitzen
B ☐ Wasser
C ☐ Schwermetallsalze
D ☐ C_2H_5OH
E ☐ $C_6H_{12}O_6$
F ☐ Röntgenstrahlen
G ☐ akustische Wellen

---

105 A, B   106 A, D, G, H, K, L 107 C   108 A, C, D, F

109. Ein Ferment verliert seine Wirksamkeit durch: (2)

A ☐ die Tätigkeit als Ferment
B ☐ Schwermetallionen
C ☐ UV-Strahlung
D ☐ falsche Ernährung

110. Albumine: (2)

A ☐ haben als Serumalbumine Transportfunktionen für Wasser, Salze und Farbstoffe zu erfüllen
B ☐ sind in Wasser unlöslich
C ☐ kommen als Serumalbumine mit den Serumglobulinen in einem Verhältnis von 60:40 vor
D ☐ als Serumalbumine brauchen nicht durch Nahrungszufuhr ergänzt werden

111. Um das Prinzip eines Aräometers zu beschreiben, haben welche Gesetze Gültigkeit: (2)

A ☐ der Auftrieb eines Körpers in einer Flüssigkeit ist gleich dem Gewicht der von ihm verdrängten Flüssigkeitsmenge
B ☐ ein schwimmender Körper taucht so tief in die Flüssigkeit ein, dass das Gewicht der verdrängten Flüssigkeit größer ist als das Gewicht des Körpers
C ☐ ein schwimmender Körper taucht in eine Flüssigkeit um so tiefer ein, je kleiner das Artgewicht der Flüssigkeit ist
D ☐ ein schwimmender Körper taucht in eine Flüssigkeit um so tiefer ein, je größer das Artgewicht der Flüssigkeit ist

112. Der Druck von Flüssigkeiten/Gasen wird gemessen: (1)

A ☐ mit einem Barometer
B ☐ mit einem Manometer
C ☐ mit einem Hygrometer

---

109 B, C   110 A, C   111 A, C   112 B

113. Der Luftdruck hält eine Quecksilbersäule von: (2)

A ☐ 76 cm
B ☐ 760 cm
C ☐ 7600 mm
D ☐ 760 mm

114. Eine Verkleinerung des Rauminhalts der eingeschlossenen Luft bewirkt eine: (1)

A ☐ Vergrößerung des Druckes
B ☐ Verkleinerung des Druckes
C ☐ Konstanterhaltung des Druckes

115. Körper dehnen sich beim Erwärmen aus und ziehen sich beim Abkühlen wieder zusammen. Eine Kupferstange wird erhitzt, es: (1)

A ☐ vergrößert sich ihre Länge
B ☐ vergrößert sich ihr Querschnitt
C ☐ vergrößert sich ihre Länge und ihr Querschnitt
D ☐ verringert sich ihr Querschnitt, dafür vergrößert sich ihre Länge

116. Arzneiflaschen sind nie bis zum Rand gefüllt, weil: (1)

A ☐ die Flaschengröße für die verordnete Arznei nicht genau hergestellt werden kann
B ☐ man einen Verpackungseffekt erzielen will
C ☐ bei großer Erwärmung wegen der Ausdehnung der Arzneiflüssigkeit das Fläschchen platzen könnte

117. Welche Aussagen über die Thermometerskalen treffen zu: (2)

A ☐ Gefrierpunkt und Siedepunkt des Wassers sind die Festpunkte der Thermometerskalen
B ☐ den Abstand zwischen den beiden Festpunkten hat Celsius in 100 gleiche Teile oder Grade aufgeteilt
C ☐ Reamur hat diesen Abstand in 180 Teile aufgeteilt
D ☐ unter 0 °C können keine Temperaturen gemessen werden

---

113 A, D   114 A   115 C   116 C   117 A, B

118. Das Fieberthermometer bezeichnet man auch als: (1)

A ☐ Minimumthermometer

B ☐ Maximumthermometer

C ☐ Maximum-Minimum-Thermometer

119. Ein Bimetallstreifen: (2)

A ☐ ist ein Streifen eines seltenen Metalls

B ☐ ist ein Streifen von zwei verschiedenen aufeinander gewalzten Metallen

C ☐ kann als Wärmeschalter benutzt werden

D ☐ ist ein Streifen einer besonderen Legierung

120. Für das menschliche Ohr sind in der Regel Frequenzen von 16 bis 20 000 Hz hörbar. Frequenz: (2)

A ☐ unter 16 Hz werden als Infraschall bezeichnet

B ☐ unter 16 Hz werden als Konsonanz bezeichnet

C ☐ über 20 KHz werden als Dissonanz bezeichnet

D ☐ über 20 KHz werden als Ultraschall bezeichnet

121. Wärmeenergie: (2)

A ☐ ist ein bestimmter Wärmezustand, der in Grad Celsius gemessen wird

B ☐ ist eine bestimmte Wärmemenge, die in Joule gemessen wird

C ☐ ist ein bestimmter Wärmezustand, der in Grad Fahrenheit gemessen wird

D ☐ ist eine bestimmte Wärmemenge, die in Kalorien gemessen wird

118 B   119 B, C   120 A, D   121 B, D

122. Der Siedepunkt einer Flüssigkeit ist vom Druck abhängig; so gilt: (1)

A ☐ der Siedepunkt einer Flüssigkeit sinkt, wenn man den Druck, der auf der Flüssigkeitsoberfläche lastet, erhöht

B ☐ der Siedepunkt einer Flüssigkeit steigt, wenn man den Druck, der auf der Flüssigkeitsoberfläche lastet, erniedrigt

C ☐ zur Dampfsterilisation im Autoklaven muss ein Überdruck erzeugt werden

D ☐ zur Dampfsterilisation im Autoklaven muss ein Unterdruck erzeugt werden

123. Bei der Verdunstung: (2)

A ☐ verdampft eine Flüssigkeit, ohne zu sieden

B ☐ einer Flüssigkeit wird keine Wärme verbraucht

C ☐ des Schweißes verliert der Körper Wärme

D ☐ der Flüssigkeit der Wadenwickel bei Fiebernden ist es günstig, um die Wickel ein wasserundurchlässiges Gewebe zu schlagen

124. Wärmestrahlen: (2)

A ☐ werden innerhalb eines Körpers weitergeleitet

B ☐ sind elektromagnetische Wellen

C ☐ gibt der Mensch zur Thermoregulation seiner Bluttemperatur ab

D ☐ sind an das Vorhandensein von Luft gebunden

125. Die Schallgeschwindigkeit: (1)

A ☐ ist in festen Stoffen, Flüssigkeiten und der Luft konstant

B ☐ beträgt in der Luft (15 °C) 340 m/s

C ☐ beträgt in der Luft (15 °C) 300000 km/s

---

122 C   123 A, C   124 B, C   125 B

126. Die Lautstärke, mit der der Mensch eine Schallstärke subjektiv wahrnimmt: (2)

A ☐ ist eine physiologische Größe
B ☐ wird in Phon gemessen
C ☐ hängt nicht vom Gehörsinn ab
D ☐ sollte mindestens 130 Phon betragen

127. Bei der Verwendung einer Normaltropfflasche: (2)

A ☐ nehmen die Flüssigkeiten beim Abtropfen eine Kugelform ein
B ☐ beruht die Kugelform der Tropfen auf Adhäsionskräften
C ☐ beruht die Kugelform der Tropfen auf Kohäsionskräften
D ☐ ist die Tropfenzahl pro g für alle Flüssigkeiten konstant

128. Die Frequenz eines Tones wird in Hertz angegeben (1 Schwingung/ Sekunde = 1 Hz). Die Frequenz eines Tones bestimmt die: (1)

A ☐ Lautstärke
B ☐ Tonhöhe
C ☐ Schallgeschwindigkeit

129. Frequenzen über 20 000 Hz werden wegen der großen Schallstärke benutzt zur: (2)

A ☐ Zerstörung von Zellen
B ☐ Tötung von Bakterien
C ☐ Emulgierung von Wasser und Öl
D ☐ Förderung der Vitamin-D-Bildung

130. Die Wirkung der UV-Strahlung wird genutzt zur: (3)

A ☐ Milchsterilisation
B ☐ Luftdesinfektion
C ☐ Förderung der Vitamin-D-Bildung
D ☐ Massage der Muskeln
E ☐ Fremdkörperortung im Augeninneren
F ☐ Herstellung von Aerosolen

---

126 A, B   127 A, C   128 B   129 A, C

131. Die Reflexion des Ultraschalls wird in der Echoenzephalographie ausgenutzt, dadurch wird es möglich: (2)

A ☐ Hirngeschwülste zu lokalisieren
B ☐ die Größe des kindlichen Kopfes vor der Geburt zu bestimmen
C ☐ eine Erwärmung (Massage) des Gewebes hervorzurufen
D ☐ stark bakteriologisch verschmutzte chirurgische Instrumente zu reinigen

132. Die Lichtgeschwindigkeit: (1)

A ☐ ist im Vakuum, in der Luft, im Wasser und im Glas konstant
B ☐ beträgt in der Luft (15 °C) ca. 340 m/s
C ☐ beträgt in der Luft (15 °C) ca. 300000 km/s

133. Weißes Licht: (2)

A ☐ ist das Licht mit einer Wellenlänge von 390 nm
B ☐ besitzt sämtliche Wellenlängen von 390 nm bis 770 nm
C ☐ kann durch ein Prisma in seine Bestandteile zerlegt werden
D ☐ besteht aus einem Farbspektrum der Farben Rot-Gelb-Blau

134. Bei einem weitsichtigen Auge ist die Brechkraft der Kristallinse zu klein, sie wird vergrößert mit einer: (2)

A ☐ Konvexlinse
B ☐ Zerstreuungslinse
C ☐ Konkavlinse
D ☐ Sammellinse

135. Die Brechkraft einer Linse: (2)

A ☐ ist der Kehrwert ihrer in Meter ausgedrückten Brennweite
B ☐ wird durch ein + oder − gekennzeichnet
C ☐ wird in Dioptrien gemessen
D ☐ wird in Angström gemessen

---

130 A, B, C   131 A, B   132 C   133 B, C   134 A, D   135 A, C

136. Nicht durch Temperatur verursachte Leuchterscheinungen nennt man Luminiszenz. Luminiszenz: (1)

A ☐ entsteht bei einem Sprung eines Elektrons von einer kernferneren auf eine kernnähere Bahn

B ☐ entsteht bei der Polarisation durch Reflexion

137. Die Rotlicht- und die Infrarotlampe: (2)

A ☐ dienen der Massage

B ☐ senden Wärmestrahlung aus

C ☐ dienen der Durchblutungsförderung

D ☐ dienen der Luftdesinfektion

138. Wird ein Körper in seiner Eigenschwingungszahl erregt, so tritt: (1)

A ☐ Reflexion ein

B ☐ Resonanz ein

139. Der elektrische Strom übt eine: (3)

A ☐ physikalische Wirkung aus

B ☐ Wärmewirkung aus

C ☐ magnetische Wirkung aus

D ☐ mechanische Wirkung aus

E ☐ akustische Wirkung aus

F ☐ chemische Wirkung aus

140. Die elektrische Spannung wird gemessen in: (1)

A ☐ Volt

B ☐ Ampere

C ☐ Ohm

141. Die elektrische Stromstärke wird gemessen in: (1)

A ☐ Volt

B ☐ Ampere

C ☐ Ohm

---

136 A   137 B, C   138 B   139 B, C, F   140 A

142. Der elektrische Widerstand wird: (2)

A ☐ gemessen in Volt
B ☐ gemessen in Ampere
C ☐ gemessen in Ohm
D ☐ wird nach der Gleichung $R = \dfrac{U}{I}$ (R = U : I) berechnet

143. Spannung wird erzeugt durch: (2)

A ☐ einen Plus- und Minuspol
B ☐ Induktion
C ☐ Thermoelemente
D ☐ Transformatoren
E ☐ Elektromotore

144. Geräte, die mechanische Arbeit in elektrische Energie umwandeln, heißen: (1)

A ☐ Transformatoren
B ☐ Generatoren
C ☐ Kondensatoren
D ☐ Relais

145. Geräte, die Wechselströme kleiner Spannung und großer Stromstärke in Wechselströme größerer Spannung und kleinerer Stromstärke umwandeln und umgekehrt, heißen: (1)

A ☐ Generatoren
B ☐ Kondensatoren
C ☐ Transformatoren

146. Die elektrische Arbeit wird gemessen in: (2)

A ☐ Watt
B ☐ Kilowatt
C ☐ Wattsekunde
D ☐ Kilowattstunde

---

141 B   142 C, D   143 B, C   144 B   145 C   146 C, D

147. Elektrische Nichtleiter sind: (2)

A ☐ Kunststoffe und Gummi
B ☐ alle Metalle
C ☐ Säuren, Laugen und Salze in wässriger Lösung
D ☐ Glas und Prozellan

148. Die Stromleitung in Gasen erfolgt durch: (2)

A ☐ Ionen
B ☐ Elektronen
C ☐ Atome
D ☐ Moleküle

149. Zu den Eigenschaften der Kathodenstrahlen zählen, dass: (2)

A ☐ sie sich nicht geradlinig ausbreiten
B ☐ Glas, Leuchtfarben und bestimmte Mineralien von ihnen zum Leuchten gebracht werden (Fluoreszenz)
C ☐ sie fotografische Schichten schwärzen
D ☐ sie sich nicht durch magnetische bzw. elektrische Felder ablenken lassen

150. Zu den Eigenschaften der Röntgenstrahlen zählen, dass: (4)

A ☐ sie sich nicht geradlinig ausbreiten
B ☐ sie sich nicht durch magnetische bzw. elektrische Felder ablenken lassen
C ☐ sie lebendes Gewebe zerstören
D ☐ sie fotografische Schichten schwärzen (Röntgenfilm)
E ☐ sie lichtundurchlässige Stoffe je nach Schichtendicke durchdringen
F ☐ sie langwellig sind
G ☐ sie sichtbar sind
H ☐ sie keine Ionisierung der Luft bewirken

---

147 A, D   148 A, B   149 B, C   150 B, C, D, E

151. Bei der Tiefenbestrahlung mit harten Röntgenstrahlen schützt man die Haut durch: (2)

A ☐ eine Kreuzfeuerbestrahlung
B ☐ Salben
C ☐ Rasterbestrahlung
D ☐ eine Strahlenschutzplakette

152. Die Härte der Röntgenstrahlen ist abhängig von der: (1)

A ☐ Spannung des Heizstromes
B ☐ Anodenspannung

151 A, C   152 B

XXVII. Psychologie, Pädagogik, Soziologie

1. Die Pubertät ist gekennzeichnet durch: (3)

   A ☐ psychische Labilität
   B ☐ Tendenz zur Isolierung
   C ☐ körperlich-geistige Harmonie
   D ☐ Aggressivität
   E ☐ Autismus

2. Sozialisierung ist: (1)

   A ☐ das Erlernen sozialwissenschaftlicher Theorien
   B ☐ der Anpassungsprozess eines Menschen an die sozialen
       Gegebenheiten seiner Umwelt
   C ☐ die Darstellung sozialer Beziehungen einer Gruppe

3. Die kindliche Trotzphase tritt auf: (1)

   A ☐ im zweiten Lebenshalbjahr
   B ☐ im Alter von eineinhalb bis vier Jahren
   C ☐ im Einschulungsalter

4. Abwehrmechanismen sind: (3)

   A ☐ Aggression
   B ☐ Regression
   C ☐ Verfremdung
   D ☐ Rationalisierung
   E ☐ Verdrängung

5. Die Phobie: (1)

   A ☐ ist eine konditionierte Furchtreaktion
   B ☐ kann nicht geheilt werden
   C ☐ befällt besonders ängstliche Personen
   D ☐ tritt nur bei extremer Gefahr auf

---

1 A, B, D   2 B   3 B   4 B, D, E   5 A

6. Die Summe der Erwartungen, die an einen Rollenträger gestellt werden, bezeichnet man mit: (1)

A ☐ Rollensequenz
B ☐ Rollenset
C ☐ Rollensegment
D ☐ Rollentransfer

7. Der Ödipuskomplex (nach Freud) tritt auf: (1)

A ☐ in der analen Phase
B ☐ in der phallischen Phase
C ☐ in der oralen Phase
D ☐ in der Latenzphase

8. In der Instanzenlehre nach Freud entspricht das Gewissen: (1)

A ☐ dem »Es«
B ☐ dem »Ich«
C ☐ dem »Überich«

9. Die dem pyknischen Körperbau zugehörige Krankheitsform (nach Kretschmer) heißt: (1)

A ☐ schizothym
B ☐ zyklothym
C ☐ schizophren
D ☐ manisch-depressiv
E ☐ epileptisch

10. Die dem leptosomen Körperbau zugehörige Krankheitsform (nach Kretschmer) heißt: (1)

A ☐ schizothym
B ☐ zykloid
C ☐ manisch-depressiv
D ☐ epileptisch
E ☐ schizophren

---

6 B   7 B   8 C   9 D   10 E

11. Unabhängige Variable: (1)

A ☐ sind Verhaltensweisen, die eine Versuchsperson in einem psychologischen Test zeigt

B ☐ sind Testresultate mehrerer Versuchspersonen

C ☐ sind Bedingungen in einem psychologischen Experiment, die vom Versuchsleiter systematisch verändert werden

12. Bei einem psychologischen Experiment müssen folgende Bedingungen erfüllt sein: (2)

A ☐ die Versuchsbedingungen müssen systematisch abgeändert werden können

B ☐ die Versuchsbedingungen müssen jederzeit kontrollierbar (wiederholbar) sein

C ☐ die Versuchsperson muss über den Verlauf und das Ziel des Experimentes informiert sein

D ☐ die Versuchsperson darf dem Versuchsleiter nicht bekannt sein

13. Forschungsmethoden der Psychologie: (4)

A ☐ Beobachtung

B ☐ klinische Untersuchung

C ☐ Befragung

D ☐ Experiment

E ☐ präventive Untersuchung

F ☐ Test

14. Kindliche Trotzreaktionen treten nicht auf: (2)

A ☐ wenn alle Trotzäußerungen von Anfang an mit allen Mitteln rigoros unterdrückt werden

B ☐ wenn das Kind seinen Willen nicht artikulieren kann

C ☐ bei Schwachsinn

---

11 C   12 A, B   13 A, C, D, F   14 A, C

15. Bei der Erziehung im Trotzalter: (2)

A ☐ sollten keine Verbote erteilt werden

B ☐ muss man mit besonderer Härte und Strenge vorgehen

C ☐ sollte man dem Kind Gelegenheit geben, selbst Erfahrungen zu sammeln

D ☐ müssen Gebote und Verbote begründet werden

E ☐ sollte der Entzug elterlicher Zuwendung als Sanktion eingesetzt werden

16. Welche der folgenden Theorien über die Art des Lernens wurde durch die »Pawlow-Scheinfütterung« erhärtet: (1)

A ☐ Lernen als Anpassungsvorgang

B ☐ Lernen als bedingter (konditionierter) Reflex

C ☐ Lernen am Erfolg

17. Welcher Erziehungsstil basiert auf partnerschaftlichem Verhalten von Kind und Erzieher: (1)

A ☐ der laisser-faire Stil

B ☐ der autokratische Stil

C ☐ der sozial-integrative Stil

18. Was versteht man unter der klassischen Konditionierung: (1)

A ☐ das Auslösen einer Reaktion durch die Verknüpfung eines natürlichen Reizes mit einem zusätzlichen neutralen Reiz

B ☐ das Herstellen einer Assoziation zwischen erfolgreichem Verhalten und befriedigendem Erlebnis

19. Zu den vitalen Trieben rechnet man (nach Rohracher): (4)

A ☐ den Nahrungstrieb

B ☐ den Geltungstrieb

C ☐ den Spieltrieb

D ☐ den Geschlechtstrieb

E ☐ den Bewegungstrieb

F ☐ den Fluchttrieb

G ☐ den Machttrieb

---

15 C, D   **16** B   **17** C   **18** A   **19** A, D, E, F

20. Reaktionsweisen auf Frustration sind: (3)

A ☐ Aggression
B ☐ Regression
C ☐ Euphorie
D ☐ Kompensation

21. Hypochondrisches Verhalten ist gekennzeichnet durch: (2)

A ☐ ängstliche Selbstbeobachtung
B ☐ euphorische Gefühlsausbrüche
C ☐ übertriebene Fehlbewertung körperlicher und geistiger Veränderungen
D ☐ vollständige Teilnahmslosigkeit

22. Merkmale einer Gruppe: (2)

A ☐ die Mitglieder sind untereinander persönlich bekannt
B ☐ die Mitglieder erkennen ganz bestimmte Normen an
C ☐ die Mitglieder verfolgen ein gemeinsames Ziel oder haben gemeinsame Interessen
D ☐ die Mitglieder sind auf eine bestimmte Anzahl beschränkt

23. Zu Sekundärgruppen rechnet man: (3)

A ☐ die Schulklasse
B ☐ die Familie
C ☐ die Volksgruppe
D ☐ die Mitglieder einer Partei
E ☐ die Religionsgruppe

24. Das Phänomen der Wachstumsbeschleunigung bei Kindern und Jugendlichen nennt man: (1)

A ☐ Adoleszenz
B ☐ Akzeleration
C ☐ Akkomodation
D ☐ Extraversion
E ☐ Interaktion

---

20 A, B, D　　21 A, C　　22 B, C　　23 C, D, E　　24 B

25. Welche Spielarten fördern das Erlernen gesellschaftlicher Normen: (2)

A ☐ Funktionsspiele
B ☐ Rezeptionsspiele
C ☐ Rollenspiele
D ☐ Konstruktionsspiele
E ☐ Regelspiele

26. Zur Feststellung des Intelligenzquotienten bei Schulkindern eignet sich am besten der: (1)

A ☐ Entwicklungstest nach Hetzer
B ☐ Binet-Simon-Kramer-Test
C ☐ HAWIK
D ☐ HAWIE

27. Mit »Overprotection« bezeichnet man: (1)

A ☐ die antiautoritäre Erziehung
B ☐ die seelisch-geistige Schädigung von Kindern in Heimerziehung
C ☐ übermäßiges Beschützen und Verwöhnen der Kinder durch die Eltern
D ☐ das Projizieren von Schuldgefühlen und Komplexen auf andere Personen

28. Interaktionen sind: (1)

A ☐ wechselseitige Beziehungen zwischen zwei oder mehreren Personen
B ☐ analytische Verfahren der Tiefenpsychologie
C ☐ Verfahren zur Feststellung des Intelligenzquotienten

---

25 C, E   26 C   27 C   28 A

29. Zu den Primärgruppen rechnet man: (3)

A ☐ die Spielgruppe
B ☐ die Religionsgruppe
C ☐ die Schulklasse
D ☐ die Familie
E ☐ die Berufsgruppe
F ☐ die Wählergruppe

30. Der psychische Hospitalismus des Kindes ist gekennzeichnet durch: (2)

A ☐ motorische, intellektuelle und emotionale Retardierung
B ☐ Ausführung stereotyper Körperbewegungen
C ☐ schrilles Schreien
D ☐ überschießende Impulsivität

31. Als sozialtherapeutische Maßnahmen werden bezeichnet: (3)

A ☐ die analytische Gruppentherapie
B ☐ die Beschäftigungstherapie
C ☐ die Arbeitstherapie
D ☐ die Suggestionstherapie
E ☐ die analytische Psychotherapie

32. Einen Angstzustand bezeichnet man als »Frei Flottierend«, wenn er: (1)

A ☐ für den Patienten nicht beeindruckend ist
B ☐ nicht von physiologischen Symptomen begleitet ist
C ☐ nicht an einen besonderen Reiz oder ein besonderes Objekt gebunden ist
D ☐ den Klienten nicht daran hindert, mit den Anforderungen des täglichen Lebens fertig zu werden

---

29 A, C, D   30 A, B   31 A, B, C   32 C

33. Der Intelligenzquotient wird ermittelt, indem man: (1)

A ☐ das Intelligenzalter durch das Lebensalter dividiert (x 100)
$$\left(\frac{IA}{LA} \times 100\right)$$

B ☐ das Lebensalter durch das Intelligenzalter dividiert (x 100)
$$\left(\frac{LA}{IA} \times 100\right)$$

C ☐ das Lebensalter mit dem Intelligenzalter multipliziert

D ☐ das Lebensalter und das Intelligenzalter addiert

34. Die erste Kontaktaufnahme eines Säuglings mit seiner Umwelt erfolgt durch: (1)

A ☐ Lallmonologe
B ☐ Lächeln
C ☐ Greifen
D ☐ Trotzreaktionen

35. Wer prägte in der Persönlichkeitspsychologie die Begriffe »Introversion – Extraversion«: (1)

A ☐ Freud
B ☐ Adler
C ☐ Jung
D ☐ Kretschmer

36. Die Bezeichnung »introvertiert« passt am ehesten zum: (1)

A ☐ viskösen Charaktertyp
B ☐ schizothymen Charaktertyp
C ☐ zyklothymen Charaktertyp
D ☐ zykloiden Charaktertyp

---

33 A   34 B   35 C   36 B

37. Die dem athletischen Körperbau zugehörige Krankheitsform
(nach Kretschmer) heißt: (1)

A ☐ schizophren
B ☐ epileptisch
C ☐ manisch-depressiv
D ☐ schizoid
E ☐ zyklothym
F ☐ viskös

38. Nach Freud ist das Ziel der Psychotherapie: (1)

A ☐ aus dem »Es« ein »Ich« zu machen
B ☐ aus dem »Überich« ein »Ich« zu machen
C ☐ aus dem »Ich« ein »Es« zu machen
D ☐ aus dem »Ich« ein »Überich« zu machen

39. Das Soziogramm: (2)

A ☐ ist eine Darstellung inoffizieller Gruppenstrukturen
B ☐ testet das Sozialverhalten bei Schulkindern
C ☐ gibt Aufschluss über die soziale Schichtung einer Bevölkerung
D ☐ wird herangezogen, um Ursachen für gruppeninterne Konflikte
aufzudecken

40. Welche Techniken benutzen Psychoanalytiker zur Behandlung ihrer
Patienten: (3)

A ☐ freie Assoziation
B ☐ Elektro-Schock
C ☐ Traum-Interpretation
D ☐ Übertragungs-Interpretation

41. Wie nennt man die Tendenz des Patienten, den Therapeuten zum
Ziel seiner emotionalen Reaktion zu machen: (1)

A ☐ Abreaktion
B ☐ Widerstand
C ☐ Übertragung

---

37 B   38 A   39 A, D   40 A, C, D   41 C

42. Welche Techniken benutzt der Verhaltenstherapeut zur Behandlung von Angstneurosen: (2)

A ☐ Übertragung
B ☐ Entspannung
C ☐ Abreaktion
D ☐ Trösten des Patienten

43. Welche Kriterien werden bei der Feststellung des Intelligenzquotienten geprüft: (3)

A ☐ Raumvorstellungsvermögen
B ☐ Bedürfnisregulierung
C ☐ Rechenfähigkeit
D ☐ Abstraktionsvermögen
E ☐ Interesse

44. Muss sich ein Mensch zwischen zwei gleichermaßen unangenehmen Zielen entscheiden, spricht man (nach Levin) von einem: (1)

A ☐ Appetenz-Appetenz-Konflikt
B ☐ Aversions-Aversions-Konflikt
C ☐ Appetenz-Aversions-Konflikt

45. Unter Akzeleration versteht man: (1)

A ☐ frühkindliche Umweltschäden
B ☐ verspätete Trotzphase
C ☐ Beschleunigung der körperlichen Entwicklung
D ☐ Verzögerung des Längenwachstums

46. Begründer der Psychoanalyse: (1)

A ☐ Adler
B ☐ Freud
C ☐ Kretschmer

---

42 B, C   43 A, C, D   44 B   45 C   46 B

47. Was besagt ein Intelligenzquotient von 70: (1)

A ☐ überdurchschnittliche Intelligenz
B ☐ durchschnittliche Intelligenz
C ☐ Debilität
D ☐ Imbezillität

48. Komplexe sind: (1)

A ☐ Bedürfnisbefriedigungen
B ☐ verdrängte Vorstellungen und Antriebe, die sich affektiv
auswirken
C ☐ plötzliche Zornausbrüche

49. Als Affekte bezeichnet man: (1)

A ☐ Stimmungsschwankungen
B ☐ Gefühle von großer Stärke
C ☐ liebevolle Zuwendungen

50. Unter Frustration versteht man: (1)

A ☐ Empfinden von Lust
B ☐ Empfinden eines Mangels
C ☐ Auflehnung gegen überholte Vorstellungen

51. Welche Funktion hat das »Überich« im tiefenpsychologischen
Persönlichkeitsmodell: (1)

A ☐ Aufrechterhaltung des psychischen Gleichgewichtes
B ☐ Durchsetzen von Triebansprüchen
C ☐ Vermeidung von neurotischer Fehlentwicklung
D ☐ Durchsetzen von Verhaltensnormen

---

47 C   48 B   49 B   50 B   51 D

52. Die Sozialpsychologie erforscht: (1)

A ☐ die Bedeutung psychischer Prozesse für die Entwicklung der Persönlichkeit

B ☐ die Entwicklung psychischer Prozesse unter extremen Bedingungen

C ☐ das Verhalten von Menschen unter verschiedenen Bedingungen des Zusammenlebens

53. Wann ist das Verhalten eines Menschen motiviert: (1)

A ☐ wenn es von Affekten begleitet ist

B ☐ wenn es auf ein Ziel gerichtet ist und die Behebung eines Mangelzustandes erstrebt

C ☐ wenn neben erlernten Verhaltensmustern auch angeborene Verhaltensmuster wirksam sind

54. Den wichtigsten Einfluss bei der Erlernung sozialen Verhaltens hat: (1)

A ☐ die Kirche

B ☐ die Schule

C ☐ die Familie

D ☐ das Radio

E ☐ das Fernsehen

55. Was versteht R. Spitz unter dem psychischen Hospitalismus: (1)

A ☐ einen Krankenhausaufenthalt wegen psychisch verursachter Gesundheitsstörungen

B ☐ ein psychisches Mangelleiden durch fehlende zwischenmenschliche Kontakte

C ☐ das hypochondrische Verhalten eines Patienten wegen plötzlicher Aufnahme in ein Krankenhaus

---

52 C   53 B   54 C   55 B

56. Ich-Abwehrmechanismen im tiefenpsychologischen Sinne: (3)

A ☐ Sublimation
B ☐ Dissimulation
C ☐ Projektion
D ☐ Regression
E ☐ Aggression

57. Wichtigste psychosomatische Verhaltensstörungen im Kindesalter: (2)

A ☐ Sprechstörungen
B ☐ Nahrungsverweigerung
C ☐ Einnässen und Einkoten
D ☐ psychogene Gangstörungen

58. In den Bereich der sozialen Störungen gehört: (1)

A ☐ Verzögerung des Längenwachstums
B ☐ Verspieltheit
C ☐ Quälerei von Menschen und Tieren
D ☐ Arbeitsunlust

59. Abnorme Gewohnheiten innerhalb der Körpersphäre: (2)

A ☐ Haarausreißen
B ☐ Verspieltheit
C ☐ rasche Ermüdbarkeit
D ☐ Nägelkauen
E ☐ Sprechstörungen

60. Die intellektuelle und seelische Entwicklung eines Kindes ist maßgeblich abhängig von: (2)

A ☐ dem Ernährungszustand
B ☐ den Erbanlagen
C ☐ der sozialen Umwelt
D ☐ dem Interesse

---

56 A, C, D   57 A, C   58 C   59 A, D   60 B, C

61. Depression: (1)

A ☐ hat mit Krankheit nichts zu tun
B ☐ bedeutet Rückfall in ein früheres Verhalten
C ☐ ist Ausdruck für eine tiefgreifende seelische Verstimmung
D ☐ beschreibt ein Heilverfahren

62. Unter »Autoaggression« versteht man: (1)

A ☐ die Fähigkeit, selbst aggressiv zu werden
B ☐ Agression gegen die eigene Person
C ☐ allergisch-aggressives Verhalten gegen bewegliche Gegenstände

63. Eine Neurose: (1)

A ☐ kann medikamentös geheilt werden
B ☐ hat mit seelischen Störungen nichts zu tun
C ☐ ist eine angeborene Geisteskrankheit
D ☐ ist häufig Ausdruck unbewältigter seelischer Konflikte

64. Störungen des Sprachverhaltens: (3)

A ☐ Stottern
B ☐ Inkontinenz
C ☐ Sigmatismus
D ☐ Stammeln
E ☐ Regression

65. Unter Psychotherapie versteht man: (1)

A ☐ die Behandlung von uneinsichtigen Patienten
B ☐ jede Form der angewandten Psychologie
C ☐ die Behandlung psychischer Störungen mit verschiedenen
psychologischen Methoden
D ☐ die Verordnung von Psychopharmaka

---

61 C   62 B   63 D   64 A, C, D   65 C

66. Kinder lernen am meisten durch: (1)

A ☐ eine ruhige Umgebung (Isolierung)
B ☐ die Imitation
C ☐ eine strenge Disziplin
D ☐ den ständigen Antrieb der Erzieher

67. Verzicht auf die Befriedigung eines elementaren Triebes und das Finden einer Befriedigung auf geistigem Gebiet nennt man: (1)

A ☐ Assimilation
B ☐ Sublimierung
C ☐ Aggression
D ☐ Frustration

68. Positive Erziehungsmittel: (3)

A ☐ Lob
B ☐ Belohnung
C ☐ Strenge
D ☐ Befehl
E ☐ Anerkennung
F ☐ Strafe

69. Hauptsymptom neurotischer Erkrankungen: (1)

A ☐ Angst
B ☐ Depression
C ☐ Euphorie
D ☐ Zwang

70. Formen der Minderbegabung: (3)

A ☐ Idiotie
B ☐ Imbezillität
C ☐ Debilität
D ☐ Demenz

---

66 B   67 B   68 A, B, E   69 A   70 A, B, C

71. Welche Spiele werden von drei- bis fünfjährigen Kindern bevorzugt: (3)

A ☐ Gesellschaftsspiele
B ☐ Bewegungsspiele ohne Spielmaterial
C ☐ Konstruktionsspiele
D ☐ Rollen- und Deutungsspiele

72. Die Trotzphase des Kindes ist Ausdruck: (1)

A ☐ einer gestörten Eltern-Kind-Beziehung
B ☐ eines unverträglichen Charakters
C ☐ eines sich entwickelnden Selbstbewusstseins

73. Übermäßige und starke Trotzreaktionen sollten: (1)

A ☐ verboten, bzw. bestraft werden
B ☐ geduldet werden
C ☐ durch prophylaktische Maßnahmen und Ablenkungen abgebaut werden

74. In welchem Alter treten die ersten Lautäußerungen auf, die als »Lallen« bezeichnet werden: (1)

A ☐ im ersten Monat
B ☐ im zweiten Monat
C ☐ nicht vor den ersten vier Monaten
D ☐ gleich bei der Geburt

75. Wann kann das Kind (nach René Spitz) das Gesicht der Mutter von einem fremden unterscheiden: (1)

A ☐ nach dem ersten Säugen
B ☐ etwa 14 Tage nach der Geburt
C ☐ etwa 3 Monate nach der Geburt
D ☐ etwa 6 Monate nach der Geburt

| 71 B, C, D | 72 C | 73 C | 74 B | 75 D |

76. **Wann treten bei normaler Entwicklung die ersten als sinnvolle Worte identifizierbaren Äußerungen auf: (1)**

A ☐ mit ca. einem Jahr
B ☐ mit ca. fünfzehn Monaten
C ☐ mit ca. zwei Jahren
D ☐ zwischen zwei und drei Jahren

77. **Pierre Piaget unterscheidet die »egozentrische« und die »sozialisierte« Sprache. Was ist damit gemeint: (1)**

A ☐ die egozentrische Sprache richtet sich fordernd an jemanden, die sozialisierte Sprache beachtet die Höflichkeitsregeln
B ☐ in der egozentrischen Sprache spricht das Kind mit sich selbst, die sozialisierte Sprache dient als Kommunikationssystem mit der Umwelt

78. **Unter abstraktem Denken versteht man: (1)**

A ☐ das Lösen von Problemen durch bildhafte Repräsentation
B ☐ das Ordnen von nicht mehr vorstellungsfähigen, unbildlichen Repräsentationen oder Gedanken

79. **Wie nennt man Signale, die durch Mimik, Gestik, Blickkontakt und Körperhaltung zwischen Menschen ausgetauscht werden: (1)**

A ☐ nonverbale Kommunikation
B ☐ verbale Kommunikation
C ☐ paralinguistische Kommunikation
D ☐ Metakommunikation

80. **Der Terminus »kritische Phase« in der Entwicklung bezieht sich auf: (2)**

A ☐ das Trotzalter
B ☐ eine Phase organischer Anfälligkeit
C ☐ die Pubertät
D ☐ eine Phase, in der bestimmte Lerninhalte bevorzugt erworben werden

---

76 A   77 B   78 B   79 A   80 A, C

81. Bei längerem Krankenhausaufenthalt von Kleinkindern kann es zum Trennungstrauma kommen; es läuft in 3 charakteristischen Stadien ab: (3)

A ☐ Proteststadium
B ☐ Stadium der depressiven Verstimmung
C ☐ Stadium der Emotionslosigkeit
D ☐ Stadium der Anpassung

82. Ein 6-jähriger Junge beginnt nach der Geburt eines Geschwisterkindes einzukoten; dieses Verhalten bezeichnet man als: (1)

A ☐ Sublimation
B ☐ Regression
C ☐ Aggression
D ☐ Rationalisierung

---

81 A, B, D   82 B